MAREK
KRAJEWSKI
widma
w mieście
Breslau

MROCZNA SERIA

MROCZNA SERIA

MAREK KRAJEWSKI

widma w mieście Breslau

wydawnictwo
w a b
two

Patronat medialny:

Prawda jest jak wyrok.
Czym na nią zasłużyłem?
Steven Saylor

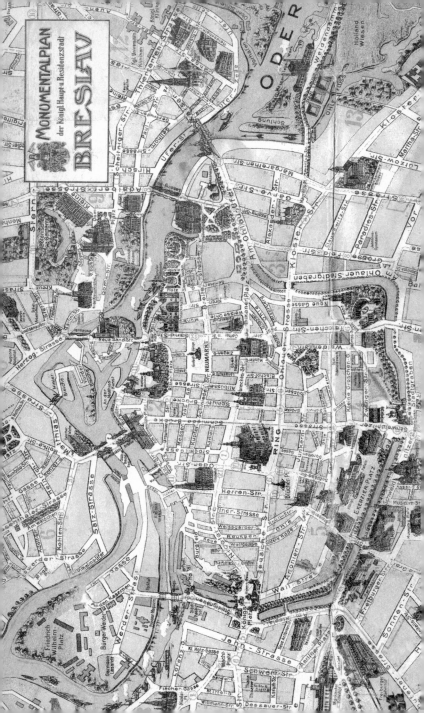

Wrocław, środa 2 października 1919 roku,
kwadrans na dziewiątą rano

Komisarz kryminalny Heinrich Mühlhaus wchodził powoli po schodach na drugie piętro budynku Prezydium Policji przy Schuhbrücke 49*. Kiedy stawiał stopę na kolejnym schodku, napierał na niego całym ciężarem swego ciała, by sprawdzić, czy osiemnastowieczny piaskowiec schodów nie pęknie pod obcasem jego błyszczącego trzewika. Chętnie rozkruszyłby stary kamień, naśmiecił pyłem dokoła, a potem zszedł na dół i zwrócił uwagę woźnemu na nieporządek. Opóźniłby w ten sposób wejście do swojego gabinetu: nie ujrzałby zbolałej miny sekretarza von Gallasena, nie zobaczyłby zapełnionego ważnymi terminami kalendarza ściennego z widokiem niedawno wzniesionego gmachu Technische Hochschule ani oprawionego zdjęcia swojego syna Jakoba Mühlhausa z uroczystości konfirmacyjnej, ale nade wszystko nie doświadczyłby kłopotliwej i niemiłej mu obecności medyka sekcyjnego, doktora Siegfrieda Lasariusa, którego zaanonsował mu przed chwilą policyjny goniec. To właśnie ta wiadomość zepsuła komisarzowi humor. Nie lubił Lasariusa,

_____

* Indeks nazw topograficznych zamieszczono na s 292.

który uważał zmarłych za najlepszych partnerów do rozmowy. Ci też go cenili, choć nie śmiali się z jego dowcipów, leżąc w betonowych rynnach Instytutu Lekarsko-Sądowego i pławiąc się w lodowatym strumieniu wody z podrygującego gumowego szlaucha. Każda wizyta Lasariusa zwiastowała w najlepszym razie trudne pytania, w najgorszym – poważne kłopoty. Tylko ciekawy problem poznawczy lub jakieś niebezpieczeństwo sprawiało, że Charon opuszczał swe dzierżawy. Komisarz chciał wierzyć w tę pierwszą przyczynę. Rozejrzał się dokoła. Nic nie dawało mu pretekstu do opóźnienia spotkania z małomównym medykiem. Jeszcze raz przycisnął stopień nogą. Lekko zatrzeszczała polakierowana skóra butów, odbijająca metalowe liście wijące się wokół prętów poręczy i piramidalne wzniesienie schodów. Z dziedzińca doszedł jakiś stukot i głośne przekleństwa. Mühlhaus spojrzał ponad zaniedbaną paprotką, której fatalny stan zauważała każda kobieta wchodząca do tego męskiego świata. On sam, choć nie był kobietą, zarejestrował skręcone gałązki proszące o wodę i z rozgniewaną miną odwrócił się i zbiegł po schodach w stronę dyżurki. Nie doszedł jednak do niej.

– Panie komisarzu! – usłyszał z góry tubalny głos Lasariusa. Przystanął i ujrzał ciemny wachlarz kapelusza i wilgotne ornamenty rzadkich loków na czaszce. Lasarius schodził majestatycznie. – Nie mogłem się pana doczekać.

– Jest dopiero za pięć dziewiąta. – Mühlhaus wyjął srebrną kopertę z kieszeni kamizelki. – Nie może pan poczekać, doktorze, kilku sekund? Tak pilna jest pańska sprawa, że będziemy ją omawiać na schodach?

– Niczego nie będziemy omawiać – Lasarius otworzył skórzaną aktówkę i podał Mühlhausowi dwie kartki z nagłówkami „Raport z sekcji zwłok", po czym zapatrzył się na dziedziniec, gdzie woźny i furman dzwonili kankami z naftą. – Nie będziemy w ogóle nic mówić. Ani słowa. Nikomu.

– A zwłaszcza Mockowi – uzupełnił Mühlhaus po szybkim przeczytaniu raportu. Obserwował wąsatego furmana, który podawał woźnemu kanki i był tak nadęty, że mało brakowało, a po dziedzińcu zaczęłyby strzelać guziki z jego kamizelki. – Doktorze Lasarius, czy pańscy zimni pacjenci nie mają nazwisk? Dlaczego ci dwoje są anonimowi? Ja wiem, że pan nie zna tych nazwisk. W takim razie trzeba je nadać. Nawet bydlęta przebywające z ludźmi mają swoje imiona.

– U mnie, panie komisarzu Mühlhaus – mruknął medyk – nie ma różnicy pomiędzy bydlętami a ludźmi, chyba że chodzi o rozmiary serca lub wątroby. A w pana profesji jak jest?

– Nazwiemy ich... – policjant pominął milczeniem pytanie i spojrzał na furgon z naftą, na którym widniał napis: „Artykuły oświetleniowe Salomon Beyer" – ...nazwiemy ich Alfred Salomon i Catarina Beyer.

– Ja ciebie chrzczę w imię Ojca i Syna, i Ducha Świętego – powiedział Lasarius, oparł aktówkę o poręcz, wpisał nazwiska w odpowiednie rubryki i uczynił nad kartkami znak krzyża.

– Nikomu... zwłaszcza Mockowi – powtórzył zamyślony Mühlhaus i podał medykowi rękę. – W moim zawodzie też nie ma różnicy pomiędzy ludźmi i zwierzętami. Ale bez nazwisk trudno prowadzi się kartotekę.

Wrocław, środa 2 października 1919 roku,
godzina dziewiąta rano

Asystent kryminalny Eberhard Mock wyszedł chwiejnym krokiem z trafiki Afferta znajdującej się w ciemnej bramie na północnej pierzei Rynku. Październikowe słońce poraziło zamglone tęczówki jego oczu, na które nasuwały się co chwila opuchnięte powieki. Słaniając się na nogach, oparł się o bramę wejściową do Ring-Theater i nałożył na nos okulary o jaskrawożółtych szkłach. Wszystko dokoła oblewała jasna poświata potęgowana dziełem jenajskich optyków, jakim były silnie rozjaśniające binokle. Pomiędzy szkła a pocięte czerwonymi żyłkami białka oczu dostał się gryzący dym papierosowy. Mock prawie stracił oddech. Wypuścił dym i odruchowo przysłonił palcami oczy. Syknął z bólu – powieki były kłębowiskiem neuronowych zakończeń, a pod wilgotną skórą przesuwały się twarde grudki. Trzymając się jedną ręką ściany, ruszył prawie po omacku. Skręcił w Schmiedebrücke. Pod dłonią przesuwały mu się oszklone witryny sklepu Proskauera z męską konfekcją, w oczy kłuły go blaski wysyłane przez złote zegarki rozłożone za szybą sklepu Kühnela, ocierał się o chropowate ściany budynku zajmowanego przez „Deutsche Seefischhandels-Aktiengesellschaft", aż w końcu przeszedł przez Nadlerstrasse i natrafił na oszklone drzwi kawiarni Heymanna.

Wtoczył się do środka lokalu, który o tej porze był jeszcze pusty i cichy. Po głównej sali kręcił się chłopak w białym sztywnym fartuchu i ustawiał piramidy ze stołów i krzeseł, przeplatając tę czynność zręcznymi pociągnięciami wilgotnej szmaty, która zbierała kurz i papierosowy popiół pokrywające blaty stołów i płachty serwet. Widząc Mocka, który potknął się i poleciał wprost na kruchą piramidę sprzętów, chłopak odruchowo zamachnął się szmatą i przeciągnął nią po twarzy porannego gościa. Jaskrawożółte binokle zatańczyły na łańcuszku, Mock utracił punkt ciężkości, a stoły i krzesła – swe oparcie. Chłopak patrzył przerażony, jak dobrze zbudowany brunet ląduje na sterczących nogach i wygiętych oparciach krzeseł, łamiąc je z przeraźliwym trzaskiem, a na jego głowę zsuwają się wykrochmalone serwety. W porannym październikowym słońcu zamigotały drobiny kurzu. Otwarta solniczka wpadła pomiędzy gęste włosy Mocka i z lekkim szmerem sypnęła po policzkach strużką soli. Asystent kryminalny w obronnym odruchu zamknął oczy i wtedy poczuł narastające pieczenie. Cieszyło go to, ponieważ wiedział, że ból nie pozwoli mu usnąć, że podziała lepiej niż sześć filiżanek mocnej kawy, które od godziny piątej nad ranem zdążył już wypić. W żyłach Mocka – wbrew przypuszczeniom pomocnika restauracyjnego – nie płynął ani miligram alkoholu. Mock nie spał od czterech dni. Mock robił wszystko, aby nie spać.

Wrocław, środa 2 października 1919 roku,
godzina dziewiąta piętnaście rano

Mimo iż kawiarnia Heymanna nie była jeszcze czynna, siedzieli tam dwaj mężczyźni i podnosili do ust dymiące filiżanki z czarną kawą. Jeden z nich wypalał papierosa za papierosem, drugi – ściskając zębami kościany ustnik fajki – w gęstwinie swej brody wypuszczał kącikami ust małe strużki dymu. Pomocnik restauracyjny robił wszystko, aby czarnowłosy mężczyzna – jak się okazało policjant – puścił w niepamięć niedawne zajście. Posprzątał rumowisko połamanych mebli, podał kawę, mleko, sprowadził na koszt firmy znane friedrichhofskie sucharki z niedalekiej cukierni „S. Brunies", wkręcał dla bruneta papierosy w małą cygarniczkę w kształcie fajki i przysłuchiwał się uważnie rozmowie, aby móc w lot zgadywać pragnienia człowieka, którego tak srogo sponiewierał. W pewnym momencie ofiara jego porządków wyjęła z wewnętrznej kieszeni marynarki kilka złożonych kartek papieru i wręczyła je brodaczowi. Ten czytał, wypuszczając z fajki krótkie grzybki dymu. Jego towarzysz podstawił sobie pod nos małą ampułkę. Nad stołem rozeszła się ostra woń moczu. Chłopak uciekł ze wstrętem za bar. Brodaty mężczyzna czytał uważnie, a rysy jego twarzy i fałdy skóry układały się w znak zapytania.

– Mock, dlaczego pan napisał to absurdalne oświadczenie dla prasy? I dlaczego mi je pan pokazuje?

– Panie komisarzu. Jestem – Mock długo zastanawiał się nad kolejnym słowem, jakby mówił w słabo znanym sobie języku – lojalnym podwładnym. Wiem, że jeśli... jeśli jakaś gazeta to wydrukuje, to będę skreślony. Tak. Skreślony. Zwolniony z policji. Bez pracy. Dlatego mówię panu o tym.

– I co? – W smudze słonecznego światła przecinającego kłęby dymu wyraźnie było widać drobinki śliny osiadające na brodzie Mühlhausa. – Chce pan, żebym pana uratował przed zwolnieniem z pracy?

– Sam nie wiem, czego chcę – szepnął Mock, bojąc się, że za chwilę zamknie oczy i przeniesie się do krainy dzieciństwa: w pokryte suchymi liśćmi, nagrzane jesiennym słońcem Góry Stołowe, dokąd jeździł na wycieczki ze swoim ojcem. – Jestem jak żołnierz. O swojej dymisji informuję dowódcę.

– Jest pan jednym z ludzi – zabulgotało w cybuchu Mühlhausa – z którymi chcę zbudować nową komisję morderstw. Bez idiotów, którzy zadeptują ślady na miejscu zbrodni, a jedynym ich atutem jest wzorowa służba wojskowa. Bez byłych szpicli, którzy mogą działać na dwa fronty. Nie chcę pana stracić przez pańskie niedorzeczne oświadczenie, które wystawi na pośmiewisko całe Prezydium Policji. Powstrzymuje się pan od snu już kilka dni. Jeśli pan zwariował, na co wskazuje i to oświadczenie, i pana zachowanie, to i tak nie będę miał z pana żadnego pożytku. Dlatego musi mi pan wszystko opowiedzieć. Jeśli będzie pan milczał, uznaję pana za wariata i wychodzę, jeśli będzie pan opowiadał jakieś brednie – również wychodzę.

12

– Panie komisarzu – Mock postawił na stoliku ampułkę z solami trzeźwiącymi – gdy będę zasypiał, proszę podstawić mi ją pod nos. Cieszę się, że nie działa na pana smród amoniaku. Hej, ty – zwrócił się do chłopaka. – O której otwieracie tę budę? Wystarczy nam czasu, panie komisarzu – kontynuował, usłyszawszy odpowiedź. – A ciebie już tu nie widzę. Przyjdziesz przed samym otwarciem.

Chłopak z radością uwolnił swoje nozdrza od przykrych zapachów i wybiegł z lokalu. Mock oparł łokcie na stole, założył rozjaśniające okulary i wystawił twarz na światło słoneczne padające przez koronkowe zasłonki w witrynie. Potarł oczy i syknął z bólu, uderzył się po nich otwartą dłonią. Pod powiekami wybuchły fajerwerki, w kącikach oczu zakłuło, papieros dopalał się w popielniczce.

– Teraz jest dobrze – Mock oddychał przez chwilę. – Teraz nie zasnę. Teraz mogę panu opowiedzieć. Jak pan się domyśla, to wszystko jest związane z naszą sprawą, ze „sprawą czterech marynarzy"...

Wrocław, poniedziałek 1 września 1919 roku, godzina wpół do ósmej rano

Mock otworzył ciężkie dwuskrzydłowe drzwi i znalazł się w niemal zupełnie ciemnym przedpokoju wykładanym kamiennymi płytkami. Ruszył powoli, nie starając się nawet stłumić dzwonienia ostróg u swych butów. Nagle natrafił na aksamitną kotarę. Odsunął ją i wszedł do kolejnego przedpokoju. Była to poczekalnia, z której wychodziły drzwi do kilku pokoi. Jeden z nich był otwarty, lecz u nasady futryny wisiała podobna kotara, która przed chwilą powstrzymała Mocka. Na jednej ze ścian poczekalni nie było drzwi, lecz okno. Wychodziło ono, jak Mock się domyślił, do studni wentylacyjnej. Na parapecie, na zewnątrz, stała lampa naftowa, której słabe światło ledwie się przebijało przez zakurzoną szybę. W tej wątłej poświacie Mock dostrzegł kilka osób siedzących w poczekalni. Nie zdążył się jednak im przypatrzyć, ponieważ jego uwagę przykuła kotara wisząca w drzwiach pokoju. Poruszyła się gwałtownie i spoza niej dobiegło westchnienie. Mock ruszył w jej kierunku, lecz na drodze stanął mu wysoki mężczyzna w cylindrze. Kiedy Mock usiłował go odsunąć, mężczyzna zdjął nakrycie głowy. W bladej poświacie widać było wyraźnie węzły blizn, na których załamywało się światło. Krzyżowały się one i przeplatały – zamiast oczu miał plątaninę blizn.

Mock spojrzał na ich grube linie, na ciemne zacieki, które widniały na ścianie nad jego łóżkiem. Przetarł oczy i odwrócił się od ściany. Zasłona oddzielająca jego sypialną niszę obramowana była słonecznym blaskiem.

Zza zasłony dochodziła krzątanina ojca. Stukały kubki, szczękały fajerki, trzaskał ogień, chrupał chleb pod ciężarem noża. Mock sięgnął po metalowy dzbanek stojący obok łóżka i usiadł, aby nie rozlać wody podczas picia. Przechylił dzbanek i woda wlała się w wyschniętą jamę ustną wypełnioną szorstkim językiem. Płynęła szerokim strumieniem, aż zwilgotniała koszula nocna zawiązana pod szyją sztywnymi od krochmalu trokami. Zardzewiałe żabki zaskrzypiały na metalowej szynie, zasłona rozdzieliła się i wpuściła w duszne wnętrze niszy jasny słup światła.

– Wyglądasz jak siedem plag egipskich. – Niewysoki, krępy mężczyzna trzymał w sękatych palcach poobijany kubek.

Rysy twarzy, w które wdarły się opary gotujących się klejów do obuwia, brązowe wątrobiane przebarwienia skóry i surowe siwe oczy czyniły z Willibalda Mocka postrach okolicznej dzieciarni. Eberhard Mock nie bał się swojego ojca, już dawno przestał być dzieckiem. Miał lat trzydzieści sześć, kawałek metalu w udzie, reumatyzm, złe wspomnienia, słabość do alkoholu i rudowłosych kobiet. Teraz zaś nade wszystko miał kaca. Odstawił pod łóżko dzbanek z wodą, minął ojca i wszedł do zalanego słońcem pokoju, który był jednocześnie kuchnią i sypialnią Willibalda. Kiedyś nieżyjący od kilku miesięcy stryj Eduard rozbierał tutaj wołowe tusze, rozbijał miękkie placki schabu oraz ugniatał oblepiające palce bryły wątróbki. To w tym miejscu napychał nadzieniem flaki, pachnące dymem karkonoskich ognisk, a potem wieszał pierścienie kiełbas nad kuchnią, nad którą teraz jego brat, Willibald, podgrzewał mleko dla skacowanego syna.

– Nie pij tyle. – Ojciec wyszedł z niszy. Jego siwy wąs jeżył się nad wąskimi wargami. – Ja nigdy nie zaniedbywałem pracy. Zawsze o tej samej porze zasiadałem nad butami. Stukanie w warsztacie było jak kukułka zegara.

– Nigdy ojcu nie dorównam – powiedział Mock odrobinę za głośno, podszedł do miednicy stojącej pod oknem i ochlapał twarz wodą. Potem otworzył okno, na gwoździu zawiesił pas do ostrzenia brzytwy. – Poza tym dzisiaj zaczynam służbę później.

– Co to za służba. – Willibald mocował się z buteleczkami lekarstw. – Spisujesz dziwki i alfonsów. Powinieneś chodzić po dzielnicy i pomagać ludziom.

– Daj spokój, stary dziadu – powiedział Mock, naostrzył brzytwę i pocierał mydłem o gęste włosie pędzla. – Ty za to wdychałeś smród cudzych gir.

– Co powiedziałeś? – Ojciec wbijał jajka na żeliwną patelnię. – Co powiedziałeś? Specjalnie tak cicho mówisz, bo jestem głuchy.

– Nic, to do siebie. – Mock ściągał brzytwą pianę z policzków.

Ojciec usiadł przy stole i ciężko oddychał. Postawił patelnię z żółtą masą na desce do krojenia chleba, z której starannie zebrał okruszki. Potem ułożył kromki posmarowane smalcem jedna na drugiej. Powstał prostokątny stosik. Ojciec wyrównał jeszcze jego boki, tak aby żadna kromka nie wystawała poza krawędź. Eberhard wytarł pianę z twarzy, posmarował policzki i podbródek laską ałunu, założył podkoszulek i usiadł przy stole.

– Jak można tak chlać? – Ojciec ucinał nożyczkami łodygi cebuli rosnącej w doniczce i posypywał jajecznicę. Potem rozdzielił już złożone pajdy i sypnął między nie odrobinę szczypiorku. Następnie złożył je i owinął w zatłuszczony pergamin. – Ja nigdy się tak nie schlałem. A ty prawie codziennie. Pamiętaj, przynieś ten papier z powrotem. Jutro znów zapakuję ci w niego jedzenie.

Mock zjadł ze smakiem półpłynną masę jajeczną ozdobioną szczeciną szczypiorku, potem wstał, wsunął patelnię do wypełnionej wodą balii stojącej koło miednicy, włożył koszulę, przypiął do niej kwadratowy kołnierzyk i zawiązał krawat. Na głowę nasadził melonik, poszedł w róg pokoju i otworzył klapę w podłodze. Zszedł po stopniach do dawnego sklepu rzeźniczego. Zatrzymał się i spojrzał na rząd haków, na których wisiały niegdyś wieprzowe półtusze, na wypucowaną ladę, na lśniącą witrynę i na kamienne płytki pochylone nieco ku odpływowi przykrytemu żelazną kratką. To w tę kratkę stryj Eduard wlewał ciepłą zwierzęcą krew.

Na górze dał się słyszeć świst oddechu ojca i jego gwałtowny kaszel. Mock poczuł zapach kawy wlewanej do termosu. Para z kawy zaparła na chwilę oddech ojcu – pomyślał – a właściwie to, co z niego zostało po wyziewach kleju ze zwierzęcych kości. Wyszedł na zewnątrz, dzwoniąc mosiężnym dzwonkiem umocowanym na futrynie.

Willibald Mock obserwował syna przez okno. Ten wyszedł tylnym wyjściem na podwórko. Ukłonił się dozorczyni, pani Bauert, uchwycił przyjazny uśmiech stojącej przy

pompie służącej pastora Gerdsa, który zajmował czteropo-
kojowe frontowe mieszkanie, prychnął na bezpańskiego
kota, przyśpieszył kroku, przeskoczył kałużę i rozpinając
spodnie oraz klnąc na nadmiar guzików, sforsował zardzewiałą kłódkę i wszedł do niewielkiego pomieszczenia w kącie podwórka.

Ojciec zamknął okno i wrócił do swych czynności.
Umył patelnię, talerz oraz rondel po mleku i wytarł ceratę
przypiętą pineskami do stołu. Potem zażył lekarstwa i siedział przez chwilę w milczeniu na starym bujanym fotelu.
Wszedł do niszy Eberharda i przyjrzał się skołtunionej pościeli. Schylił się, aby ją złożyć, i wtedy jego stopa natrafiła
na dzbanek z resztką wody. Dzbanek przewrócił się, a woda wlała się do jednego z jego skórzanych kapci.

– Do stu piorunów! – wrzasnął i wierzgnął nogą, a kapeć
poleciał wprost w twarz zamykającego klapę w podłodze
Eberharda. Ojciec padł na łóżko syna i gwałtownie odpinał
troczki przytrzymujące skarpetkę. Zdjął ją i powąchał.

– Niech się ojciec nie denerwuje – uśmiechnął się
Eberhard. – Nie używam już nocnika i nie chowam go pod
łóżkiem. To była tylko woda.

– No dobrze, dobrze... – mruczał ojciec, zakładając z trudem skarpetkę. Wciąż siedział na łóżku syna. – Po co ci
woda pod łóżkiem? Ja wiem po co. Jak się schlejesz, to
masz ją na kaca. Ciągle chlejesz i chlejesz... Ożeniłbyś się,
tobyś przestał chlać...

– Czy ojciec wie – syn podał ojcu kapeć, usiadł przy
stole i wysypał kilka szczypt jasnego tytoniu na ceratę –
że wódka mi pomaga?

– W czym? – spytał zdumiony przyjaznym tonem głosu
Eberharda. Zwykle wyrzuty dotyczące alkoholu i staroka-
walerstwa wprawiały syna w złość.

– W przespaniu nocy. – Eberhard zapalił papierosa
i układał na stole przedmioty, które zaraz miały się znaleźć

w jego aktówce: termos, kanapki ze smalcem, woreczek z tytoniem i ceratową teczkę z raportami. – Przecież tyle razy mówiłem ojcu, że kiedy idę spać trzeźwy, mam koszmarne sny, a potem się budzę i już nie mogę zasnąć! Wolę mieć kaca niż koszmary.

– Wiesz, co jest najlepsze na sen? – Ojciec odruchowo zaczął ścielić łóżko syna. – Rumianek i ciepłe mleko. – Wygładził prześcieradło i nagle spojrzał uważnie na swojego rozmówcę. – Zawsze po trzeźwemu masz koszmary?

– Nie zawsze – uśmiechnął się Eberhard, zapinając teczkę na stalowe zatrzaski. – Czasami śni mi się pielęgniarka z Królewca. Ruda i bardzo ładna.

– Byłeś w Królewcu? Nigdy mi o tym nie mówiłeś. – Ojciec przytrzymał marynarkę, a syn wsunął w jej rękawy swe masywne ramiona.

– Byłem podczas wojny. – Eberhard powachlował się melonikiem i sięgnął po zegarek. – Nie ma o czym mówić. Do widzenia ojcu.

Ruszył w stronę klapy w podłodze. Za sobą słyszał mruczenie starego: – Nie chlałbyś tyle. Tylko rumianek i ciepłe mleko. Rumianek i ciepłe mleko.

W królewieckim szpitalu Miłosierdzia Bożego połamany, jednoroczny podchorąży Mock dostawał rumianek przed snem. Piękna rudowłosa pielęgniarka patrzyła z podziwem na stojące obok jego łóżka wypastowane buty z ostrogami. Tytułowała go „panem oficerem", nie zdając sobie sprawy, że każdy zwiadowca z pułku artyleryjskiego nosił ostrogi, ponieważ jeździł konno. Nazywając go w ten sposób, wlewała w jego usta łyżeczki naparu. Dwukrotnie ranny podchorąży Mock nie miał sił zaprzeczyć, że nie jest oficerem, wstydził się wyznać, że nie zdał egzaminu i nie odbył stosownych ćwiczeń, a na wojnie znalazł się ze zwykłego poboru. Wstydził się też zapytać, jak ma na imię jego anielica. Nie miał siły przekręcić głowy, by odprowadzić ją wzrokiem. Chcąc poszerzyć swój kąt widzenia, zakreślał oczami gorejące koła. Obejmowały one – niestety – jedynie neogotyckie sklepienie królewieckiego szpitala. Nie docierały ani do leżących obok żołnierzy, ani do Corneliusa Rühtgarda, szpakowatego, szczupłego sanitariusza, któremu podchorąży Mock zawdzięczał życie. W zasięgu wzroku rannego Mocka rudowłosa pielęgniarka nie znalazła się nigdy więcej. Znacznie później, kiedy już się zrosły jego połamane kończyny, kiedy mógł się poruszać o kulach, kiedy w końcu się dowiedział, że jego rany wskazywały wyraźnie, że musiał upaść z dużej wysokości i że sanitariusz Rühtgard, który onegdaj był lekarzem w Kamerunie, idąc do pracy, znalazł go, porzuconego na Wale Litewskim, szybko przetransportował do szpitala i opatrzył klatkę piersiową oraz płuca zranione odłamkami żeber, kiedy podchorąży Mock już o tym wszystkim się dowiedział, ruszył na poszukiwanie rudowłosej pielęgniarki. Kuśtykając, stukał kulami po płytkach piaskowca i wszędzie spotykał się z brakiem zrozumienia. Pielęgniarki niecierpliwiły się, kiedy połamany rekonwalescent sporządzał kolejny rysopis ich rzekomej rudowłosej koleżanki, zaglądał im po raz setny w oczy i starał się uchwycić zapach ich ciał. Woźni i salowi kręcili głowami, niektórzy pukali się w czoło, kiedy mówił o parujących filiżankach rumianku, aż w końcu były doktor Rühtgard zdegradowany do stopnia sanitariusza uświadomił pacjentowi, że rudowłosa pielęgniarka może być wytworem jego fantazji. Zwłaszcza że halucynacje nie są obce ludziom będącym w takim właśnie stanie, w jakim do szpitala Miłosierdzia Bożego w Królewcu trafił podchorąży Mock. Był bowiem zupełnie nieprzytomny. Nie od upadku z dużej wysokości. Od alkoholu.

Eberhard Mock schodził do byłego sklepu rzeźniczego swojego stryja Eduarda.

– Rumianek i ciepło mleko. Chleje, no to ma za swoje – dochodził z góry głos ojca, który znał remedium na wszelkie synowskie dolegliwości.

Eberhard usłyszał mocne stukanie o parapet okna w izbie na górze. To pewnie ten kretyn Dosche ze swoim parszywym psem – pomyślał – ten kundel znowu nasra na wypucowane schody, a Dosche i mój ojciec będą grali cały dzień w szachy.

Jajecznica ze szczypiorkiem dławiła go jak włos przylepiony do gardła. „Rumianek i ciepłe mleko. Chleje i chleje". Mock odwrócił się na schodach i ruszył w górę. Jego głowa wychyliła się nad poziom podłogi. Parapet zabrzęczał gwałtownie. Ojciec stał przy oknie i skakał na jednej nodze, na drugiej wisiała pocerowana skarpetka.

– Czy ojciec nie rozumie – wrzasnął Eberhard – że rumianek i mleko gówno mi pomogą?! Ja nie mam kłopotów z zasypianiem, tylko ze snami!

Willibald patrzył na syna, niczego nie rozumiejąc. Tułów znalazł się nad powierzchnią podłogi. Zaciśnięte pięści. Kac szumiący w głowie jak morze. Rumianek i ciepłe mleko. Ojciec zbladł. Nie wypowiedział ani słowa.

– I niech ojciec powie temu zasranemu szachiście Dochemu, żeby nie przychodził tu ze swoim kundlem i nie walił tak mocno w parapet, bo pożałuje. – Nogi Eberharda znalazły się w izbie.

Nie patrząc na ojca, podszedł do miednicy, ukląkł przed nią, zdjął melonik i wylał na swoje falujące włosy kilka chochli wody. Przez szum w uszach zatkanych spływającymi strużkami słyszał głos ojca:

– To nie Dosche wali drągiem w parapet, to ktoś do ciebie.

Eberhard pochylił się przy starym i wsunął mu skarpetkę na stopę.

Wrocław, poniedziałek 1 września 1919 roku,
godzina ósma rano

Kurt Smolorz pracował od niedawna jako podwładny Mocka w Oddziale Obyczajowym III b wrocławskiego Prezydium Policji. Trafił tam wprost z ulic Borku, które patrolował, nie wiadomo właściwie po co, ponieważ ta przepiękna dzielnica willowa przylegająca do Parku Południowego miała z przestępczością równie wiele wspólnego, co rewirowy Smolorz z poezją. Jednak pewnego ciepłego dnia 1918 roku rewirowy właśnie tam spotkał się z groźnymi przestępcami, których poszukiwała cała policyjna Europa. I był to dzień dla niego szczęśliwy. W tym dniu asystent kryminalny Eberhard Mock robił rutynową kontrolę w luksusowym domu publicznym przy Akazienallee. Miał on zwyczaj łączyć przyjemne z pożytecznym. Po skontrolowaniu ksiąg przychodów i książeczek zdrowotnych oraz po przepytaniu burdelmamy o bardziej ekscentrycznych klientów zaczął rozglądać się za swoją ulubioną damą, która – jak się okazało – była bardzo zajęta wraz z dwiema innymi pracownicami uprzyjemnianiem życia dwóm – tu burdelmama westchnęła – bardzo bogatym dżentelmenom.

Mock, zainteresowany konfiguracją dwóch do trzech, zajrzał przez ukryte okienko do wnętrza tak zwanego pokoju różowego i doznał szoku. Wybiegł na ulicę i tam od razu natrafił na rudowłosego podwachmistrza rewirowego, brzęczącego groźnie szablą i tarmoszącego za kołnierz jakiegoś łobuziaka, który kilka chwil wcześniej strzelał z procy do przejeżdżających dorożek. Podwachmistrz Smolorz, na rozkaz asystenta kryminalnego Mocka, ukarał łobuza mocnym szturchańcem i pozostawił go samemu sobie. Potem wraz z Mockiem wtargnął do pokoju różowego zakładu madame Blaschke i – przecierając oczy ze zdumienia nad skomplikowanym i nigdy nieoglądanym układem ciał – zaaresztował dwóch mężczyzn, którzy okazali się europejskimi prekursorami wymuszeń i haraczy: Kurta Wirtha i jego niemego strażnika Hansa Zupitzę. Tego dnia wiele się zmieniło w życiu głównych bohaterów tego zajścia. Wszystkich połączyły trwałe więzy zależności: Wirth został tajnym współpracownikiem Mocka, za co ten mu się godziwie odpłacał przymykaniem oczu na wymuszenia od przemytników, spławiających Odrą austriacką broń, turecką kawę i tytoń. Mock został człowiekiem bogatym i wpływowym w świecie przestępczym, co miało mu się bardzo przydać, a Smolorz – z rewirowego stał się pracownikiem Prezydium Policji, posiadającym, podobnie jak wszystkie *dramatis personae*, spore konto w dolarach, którymi swą wolność opłacili najbardziej poszukiwani przestępcy Europy. Mock szybko zdał sobie sprawę z zalet Smolorza jako współpracownika. Do najważniejszych z nich należała małomówność.

Smolorz nie odzywał się i teraz, kiedy siedział obok Mocka w łodzi motorowej Wasserpolizei, którą kierował umundurowany bosman, funkcjonariusz tejże formacji. Płynęli płytkimi rozlewiskami Oławy wśród rzadkich drzew i częściowo zalanych pól. Motorówka przybiła do prowizorycznej przystani koło wybrukowanej drogi.

– Nowy Dom! – krzyknął bosman i pomógł Smolorzowi i Mockowi wspiąć się na przystań.

Na drodze czekała już na nich dorożka. Mock rozpoznał fiakra, z którego usług często korzystała policja. Podał mu rękę i rzucił się na kanapę, kołysząc budą. Smolorz zajął miejsce na koźle. Dorożka ruszyła. Mock, chcąc zapomnieć o męczącym go pragnieniu, obserwował zabudowania gospodarcze Nowego Domu. Z oddalonego o dwa kilometry folwarku Świątniki dochodził ryk bydła. W rozsłonecznionym powietrzu unosił się zapach wilgoci znad Odry. Po chwili znaleźli się koło śluzy opatowickiej. Wysiedli z dorożki i przeszli po śluzie na Wyspę Opatowicką.

Przy jazie opatowickim, wśród kolczastych krzewów tarniny, Mock ujrzał cel swoich porannych wędrówek po rozlewiskach Odry i jej dopływu – Oławy. Niebezpieczny, tryskający spod jazu wodospad odcinał gapiów, którzy stali na brzegu osiedla Biskupin i usiłowali zobaczyć, co też policja znalazła na wyspie, na której jeszcze wczoraj urządzali sobie piwne pikniki. Od wejścia na jaz powstrzymywały ich mocne ramiona oraz groźne spojrzenia trzech żandarmów z szablami i w czakach ozdobionych niebieską gwiazdą. Na ich piersi lśniły odznaki z napisem „Stacja żandarmerii Swojczyce". Mock z nostalgią spojrzał na wysmukły pseudogotycki budynek stojący na terenie Przystani Wilhelmińskiej i przypomniał sobie nocne uciechy, jakim jeszcze niedawno tam się oddawał. Teraz na odległe krańce Wrocławia wzywały go obowiązki innego rodzaju. Spojrzał na brzeg okolony kolczastymi tarninami i na stos czterech – jak się domyślił Mock – ludzkich ciał, przykryty szarymi prześcieradłami z Instytutu Lekarsko-Sądowego, w które zawsze zaopatrzone były powozy i pierwsze samochody należące do Prezydium Policji. Wywiadowców było siedmiu. Pięciu z nich badało teren wokół ciał – kucali i centymetr po centymetrze przeszukiwali mokrą trawę i tłustą ziemię, która przylepiała się im do obcasów. Zbadawszy wybrany kwadrat ziemi, z ciężkim sapaniem przenosili ciężar ciała z nogi na nogę i – wciąż kucając – prowadzili dalej swe poszukiwania. Wszyscy oni byli, mimo porannego chłodu, bez marynarek. Na głowach nosili meloniki, spod których wyciekały im na wąsy strużki potu. Jeden z nich, nie wierząc w dokładność fotografii, odrysowywał odcisk obuwia, który znalazł w wilgotnej ziemi. Dwaj policjanci, w odróżnieniu od wywiadowców ubrani w marynarki, stali na policyjnej barce przycumowanej do brzegu i przesłuchiwali dwóch nastoletnich chłopców w mundurkach szkoły ludowej, którzy drżeli na równi z zimna, jak i ze zdenerwowania. Jeden z przesłuchujących policjantów machnął ręką do Smolorza i Mocka, wskazując im oznaczony małymi chorągiewkami kwadrat ziemi, na którym leżały przykryte prześcieradłami zwłoki. Mężczyzną wydającym niemy rozkaz był ich szef, kierownik Oddziału Obyczajowego III b, radca kryminalny Josef Ilssheimer, a teren przez niego wskazany był już zbadany.

Mock i Smolorz weszli w oznaczony sektor i uchylili meloników. Ilssheimer ruszył w ich kierunku. Podnosił stopy wysoko i poruszał się bardzo szybko. Mockowi wydawało się, że szef zaraz odda skok wzwyż i opadnie ciężko na prześcieradła. Wbrew tym obawom Ilssheimer zatrzymał się obok ciał. Pochylił się i pociągnął za tkaninę. Mock w pierwszej chwili nie mógł się zorientować w kłębowisku sztywnych i sinych kończyn, które zastygły w pośmiertnym stężeniu. Przed jego oczami rozciągał się osobliwy widok – jakby ktoś ułożył stos pod wielkie ognisko. Tylko zamiast chrustu i suchych konarów były cztery ludzkie korpusy, od których pod różnymi kątami odstawały głowy, nogi i ramiona. Ponadto wszystkie te członki wchodziły między sobą w przeróżne relacje: a to spod jakiejś pachy wystawała stopa, a to nad obojczykiem wyrastało kolano, a między łydkami pojawiało się ramię. W wielu miejscach skóra zmarłych była przebita przez kości, a ostre odłamki wystające ponad powierzchnię ciał ginęły w sinych opuchliznach. Aby powykręcane ludzkie członki osadzić na osi „góra–dół" oraz „prawo–lewo", Mock zaczął szukać wzrokiem jakiejś głowy. Wkrótce dostrzegł jedną. Dzięki gęstej brodzie zidentyfikował płeć męską. Długie wypomadowane strąki spadały spod marynarskiej czapki na twarz zabitego, a kręcone sztywne włosy krzewiły się na szczęce i pod nosem. To owłosienie było sklejone zaschniętymi brunatnoczerwonymi skrzepami z domieszką wodnistego płynu.

Źródłem zacieków były dwa oczodoły – dwa martwe jeziora wypełnione krwią i strzępami ścian przebitych oczu.

Kiedy Mock miał kaca, dręczyły go rozmaite idiosynkrazje. A to po zjedzeniu podsmażanej cebulki przez cały dzień nie opuszczał go delikatny swąd spalenizny, a to ostra woń bijąca od jakiegoś konia albo – co gorsza – spoconego człowieka wywoływała skojarzenia kanalizacyjne i wstrząsy w trzewiach, a to plwocina wijąca się na kracie jakiegoś okna przyśpieszała reakcje zmaltretowanego żołądka... Skacowany Mock – by jakoś funkcjonować – powinien być pozostawiony samemu sobie w barłogu swego posłania, odizolowany od wszelkich bodźców. Dzisiaj świat go nie ochraniał. Mock spoglądał na zlepione krwią kosmyki wypływające spod marynarskiej czapki, na skręcone strąki brody, na rzadkie włosy torsu i na owłosienie łonowe wystające spod skórzanego mieszka osłaniającego genitalia ofiary. Te wszystkie włosy poczuł w swoim gardle i zaczął głęboko oddychać. Patrzył na jasne wrześniowe niebo i wypuszczał z ust kwaśną woń kaca, cebulowy odór szczypiorku, mdły zapach jajecznicy. Odchylał wciąż głowę do tyłu i szybko oddychał. Czuł, że traci równowagę. Szarpnął się gwałtownie, omal nie przewracając Smolorza, który stał tuż za nim na jednej nodze i wycierał chustką do nosa powalany ziemią trzewik. Smolorz się usunął i Mock usiadł w wilgotnej trawie. Później nie pomógł mu wstać, zajęty nadal brudnym noskiem trzewika. Świat nie był dziś przychylny Mockowi, świat go nie ochraniał.

Ilssheimer kiwnął głową i zapatrzył się na Przystań Wilhelmińską, skąd odpływał mały parostatek. Policjanci śledczy zebrali już ślady. Opuścili rękawy koszul, założyli marynarki i wypuszczali kłęby dymu w powietrze pachnące rosą. Na drugim brzegu zatrzymał się wielki furgon, z którego wysiadło ośmiu noszowych w skórzanych fartuchach. Za nimi wyskoczył żwawo czterdziestokilkuletni mężczyzna w zawiązanym pod szyję lekarskim kitlu i w cylindrze, który ledwie zakrywał mu czaszkę, i zaczął wydawać polecenia zdartym od tytoniu głosem. Noszowi wdarli się w tłum, torując drogę swojemu szefowi, a złożone nosze służyły im za piki rozbijające zwartą ciżbę. Po chwili jaz zaroił się od pracowników Instytutu Lekarsko-Sądowego. Szli ostrożnie, przytrzymując się rękami napiętej liny. Z drugiej, niezabezpieczonej strony jazu tryskała woda i kręciły się stożki ubitej gęstej piany. Policjant, który wraz z Ilssheimerem przesłuchiwał dwu uczniów szkoły ludowej, zamknął notes i ogarnął zgromadzonych władczym wzrokiem. Machnięciem lewej dłoni odprawił przesłuchiwanych na przycumowaną barkę, prawą dłoń podał schodzącemu z jazu mężczyźnie w cylindrze, wołając:

– Dzień dobry, doktorze Lasarius! – Po czym wzniósł obie ręce ku górze i zakrzyknął donośnym głosem do stójkowych: – Panowie, proszę o ciszę! – mówiąc to, spojrzał na śledczych i noszowych.

Śledczy wdeptali papierosy w ziemię, uczniowie ulotnili się szybko, przeciskając się między kolanami noszowych, doktor Lasarius zdjął cylinder i zaczął lustrację zwłok, przerzucając połamane kończyny, jego ludzie oparli się na noszach jak na włóczniach, Smolorz otrzepywał spodnie z błota, a Mock nachylał się do ucha Ilssheimera, wciąż ponawiając pytanie:

– Panie radco, kto to jest?

– Jestem komisarz kryminalny Heinrich Mühlhaus – powiedział wydający rozkazy policjant, jakby słyszał pytanie Mocka. – I zostałem nowym szefem komisji zabójstw. Przyjechałem z Hamburga, gdzie pełniłem podobną funkcję. A teraz *ad rem*. Dwaj uczniowie szkoły ludowej z Zielonego Dębu – Mühlhaus przeszedł do rzeczy – przyszli dzisiaj rano o wpół do ósmej na jaz na papierosa. Znaleźli ciała czterech mężczyzn. Dwa leżały na ziemi, a dwa następne na nich. – Policjant zbliżył się do ciał i zrobił użytek ze swej laski, która posłużyła mu za wskaźnik. – Jak panowie widzicie, denaci leżą bardzo nieregularnie. Tam, gdzie jeden ma głowę, drugi ma nogi. Wszyscy są prawie nadzy. – Laska kręciła piruety. – Jedynie na głowach mają marynarskie czapki, a na genitaliach skórzane woreczki. Ten osobliwy strój sprawił, że do współpracy zaprosiłem Oddział III b Prezydium Policji. Jest z nami jej szef, radca kryminalny Ilssheimer – Mühlhaus spojrzał z szacunkiem na swego kolegę – z najlepszymi swoimi ludźmi, asystentem kryminalnym Eberhardem Mockiem i wachmistrzem kryminalnym Kurtem Smolorzem. – Ton głosu Mühlhausa przy przymiotniku „najlepszy" wyrażał co najmniej powątpiewanie. – Punktualnie w południe odprawa u mnie w gabinecie. Wtedy będzie już po sekcji zwłok. To tyle ode mnie. A teraz pan, doktorze.

Doktor Lasarius skończył pobieżne oględziny. Zdjął cylinder, wytarł czoło palcami, którymi wcześniej dotykał trupów, sięgnął pod kitel i po dłuższej chwili wydobył stamtąd niedopałek cygara. Przyjął ogień od jednego z noszowych i wszyscy usłyszeli jego ironiczny głos:

– Dziękuję, że komisarz Mühlhaus tak dokładnie określił czas wykonania sekcji zwłok. Do dziś nie wiedziałem, że jestem jego podwładnym – głos stał się poważny. – Ustaliłem, że ci czterej ludzie nie żyją mniej więcej od ośmiu godzin. Mają wykłute oczy i połamane ręce i nogi. Miejscami na kończynach widoczne są wybroczyny wskazujące na odbicie podeszwy buta. To wszystko, co mogę teraz powiedzieć. – Odwrócił się do swoich ludzi. – A teraz zabieramy ich stąd.

Doktor Lasarius umilkł i przyglądał się, jak noszowi chwytają trupy za ręce i nogi i biorą potężny zamach. Ciała lądowały na noszach. Spośród rozsuniętych nóg wystawały skórzane suspensoria. Po chwili dało się słyszeć głuche uderzenia zwłok o podłogę policyjnej barki. Na rozkaz

Lasariusa stojący na niej uczniowie odwrócili głowy od makabrycznego widoku. Doktor ruszył w stronę wozu, lecz zatrzymał się po chwili.

– To wszystko, co mogę powiedzieć, panowie – powtórzył zachrypniętym głosem. – Ale mogę coś jeszcze pokazać. Rozejrzał się dokoła i wyciągnął z krzaków gruby uschnięty konar. Oparł go na dużym kamieniu i naskoczył nań obiema nogami. Rozległ się suchy trzask.

– Wszystko wskazuje na to, że morderca właśnie tak łamał im kończyny. – Lasarius pstryknął niedopałkiem w nadodrzańskie tarniny. Na krzaku zawisło oślinione cygaro, które przed chwilą oderwały od ust palce naznaczone trupim dotykiem.

Mock znowu poczuł włosy w gardle. Ukucnął. Policjanci, widząc jego konwulsje, odsunęli się ze wstrętem. Nikt nie chwycił go za spocone skronie, nikt nie nacisnął na żołądek, by przyśpieszyć jego akcję. Dzisiaj świat nie troszczył się o Mocka.

Wrocław, poniedziałek 1 września 1919 roku, godzina dziewiąta rano

W dużym ślizgaczu, który nie poznał wojennego ognia i pochodził z demobilu wrocławskiej Wasserpolizei, siedziało sześciu policjantów po cywilnemu. Kierujący barką mat Martin Garbe obserwował ich spod daszka swej czapki, a kiedy nudziła go ich urywana rozmowa, rozglądał się po nieznanych sobie brzegach zarośniętych drzewami i obsadzonych potężnymi budynkami. Choć we Wrocławiu mieszkał od paru lat, służbę w policji rzecznej rozpoczął kilka tygodni temu i miasto widziane z perspektywy Odry wydawało mu się fascynujące. Co chwila schylał się zatem do ucha najbliżej siedzącego policjanta, szczupłego mężczyzny o semickich rysach, i upewniał się, czy prawidłowo rozpoznaje mijane miejsca.

– To ogród zoologiczny? – zapytał, wskazując na wysoki mur, zza którego dochodziły ryki drapieżników, karmionych codzienną porcją baraniny.

Zarośnięte brzegi Odry przesuwały się wolno. Nieliczni wędkarze, na ogół emeryci, wracali do domów z siatkami pełnymi okoni. Drzewa kipiały zielenią. Natura nie przyjmowała do wiadomości nadchodzącej jesieni.

– To wieża ciśnień, prawda? – szepnął, wskazując na kwadratowy budynek z cegieł przesuwający się po lewej stronie burty. Policjant kiwnął głową i zwrócił się do siedzącego naprzeciw kolegi, który trzymał zamykany na klucz sakwojaż z napisem „Materiały dowodowe":

– Patrz, Reinert, jak szybko płyniemy. Mówiłem, że Odrą będziemy szybciej.

– Ty zawsze masz rację, Kleinfeld – mruknął jego rozmówca. – Twój talmudyczny umysł się nie myli.

Mat Garbe spojrzał na most Cesarski rozciągający się na stalowych pajęczynach i dodał gazu. Było gorąco i sennie. Policjanci na barce zamilkli. Garbe całą swoją uwagę skupił na nitach mostu, a kiedy już pod nim przepłynęli, na twarzach swych pasażerów. Czterech z nich nosiło wąsy, jeden – brodę, a jeden był gładko ogolony. Brodacz puszczał kółka z fajkowego dymu, który układał się na wodzie smugami, i rozmawiał szeptem z siedzącym obok niego wąsatym blondynem. Obaj każdym swoim słowem i gestem zaznaczali, że tutaj oni wydają rozkazy. Twarz Kleinfelda i Reinerta ozdabiały również nieduże wąsiki. Rudy wąs jeżył się pod nosem tęgiego i małomównego policjanta, który siedział obok gładko ogolonego zwalistego bruneta o zmęczonym spojrzeniu. Brunet pochylał się co chwila nad wodą i wdychał jej wilgotne tchnienie. Potem jego płuca rozrywał kaszel. Uporczywy i suchy – jakby coś podrażniło mu gardło. Brunet opierał się ramieniem o karabin maszynowy, w który wyposażony był ślizgacz, i wpatrywał się w wodę. Mata Garbego znudziło oglądanie sześciu milczących mężczyzn i spojrzał w górę na spód mostu Lessinga, do którego teraz dopływali. Między filarami kapała woda lub koński mocz. Garbe manewrował tak, by ani jedna kropla nie spadła na jego barkę. Kiedy znaleźli się po drugiej stronie mostu, Garbe zorientował się, że jego uwagi umyka bardzo interesujący fragment rozmowy.

– Dalej nie rozumiem, ekscelencjo – w głosie bruneta dała się słyszeć ledwie tłumiona irytacja – dlaczego mojego człowieka i mnie wezwano do tej zbrodni? Czy zechciałby mi pan to wyjaśnić jako mój bezpośredni zwierzchnik? Czy zwiększono nam zakres obowiązków?

– Oczywiście, Mock – blondyn z wąsikiem mówił dyszkantem. – Ale najpierw ustalmy jedno. Nie muszę wam niczego wyjaśniać. Słyszeliście o czymś takim jak rozkaz? Praca w policji opiera się na wydawaniu rozkazów i często wymaga mocnego żołądka. A podwładni mają wykonywać rozkazy, choćby mieli się porzygać sto razy w ciągu jednego dnia. Czy my się rozumiemy, Mock? I nie tytułujcie mnie ekscelencją, chyba że chcecie być bardzo ironiczni.

– Tak jest, panie radco kryminalny – powiedział brunet.

– To dobrze, że to zrozumieliście. – Blond wąsik podniósł się w uśmiechu. – A teraz pomyślcie i odpowiedzcie mi sami: jak sądzicie, dlaczego i ja, i wy tu jesteśmy? Dlaczego komisarz kryminalny Mühlhaus nas poprosił o pomoc?

– Nagie trupy i skórzane woreczki na jajcach – doszedł pomruk spod rudego wąsa. – To mogą być pedały. My z III b znamy takich.

– Dobrze, Smolorz. Wprawdzie was nie pytałem, ale dobrze mówicie. Czterech zabitych pedałów. To sprawa komisarza Mühlhausa i nasza, III b. Od dziś wy i Mock jesteście oddelegowani na czas prowadzenia tego dochodzenia do komisji morderstw, pod dowództwo komisarza Mühlhausa.

– Ale przecież – brunet wstał tak gwałtownie, że łódź się zakołysała – spośród naszych ludzi Lembcke i Maraun czują się pewniej w homoseksualnym półświatku i najlepiej się na nim znają. My ze Smolorzem spisujemy dziewczynki i czasami robimy naloty na tajne kluby. Dlaczego zatem...

– Po pierwsze, Mock – głos doszedł znad cybucha tkwiącego pośród brody – pan radca Ilssheimer wytłumaczył wam, co znaczy rozkaz w pracy policji. Po drugie, nie wiemy, czy ci czterej marynarze byli homoseksualistami. Od was chcielibyśmy się dowiedzieć, kto jeszcze może nosić skórzane suspensoria. Po trzecie w końcu, mój szanowny kolega Ilssheimer wiele mi o was opowiadał. I wiem, że nie byłbym w stanie was powstrzymać od poprowadzenia swego prywatnego śledztwa w tej sprawie. Po co macie prowadzić prywatne śledztwo, jeśli możecie to robić pod moim zwierzchnictwem?

– Nie rozumiem – brunet mówił powoli i chrapliwie. – Jakie prywatne śledztwo? Dlaczego miałbym prowadzić jakiekolwiek śledztwo w sprawie kilku zabitych pedałów?

– A dlatego. – Ze szpakowatej brody buchnął obłok dymu z tytoniu Badia. – Niech pan to przeczyta. Ten kartonik jeden z zabitych miał wetknięty za pasek skórzanych gaci. Proszę to przeczytać. Na głos.

Mat Garbe nie zwracał najmniejszej uwagi na mijany właśnie z lewej strony gmach Regencji Śląskiej ani na szpital św. Józefa z białych klinkierowych cegieł, przesuwający się po prawej stronie. Słuchał zagadkowego komunikatu odczytywanego powoli z kartonika:

– „Błogosławieni, którzy nie widzieli, a uwierzyli. Mock, przyznaj się do błędu, przyznaj, że uwierzyłeś. Jeśli nie chcesz zobaczyć więcej wyłupanych oczu, przyznaj się do błędu".

– Co? – krzyknął rudowąs. – Mówi pan do siebie?

– Posłuchaj mnie, Smolorz, wysil swój tępy łeb – brunet mówił cicho i powoli. – Nie, to dla ciebie wysiłek ponad miarę. Czytaj sam. Przeczytaj sam tę kartkę. No czytaj, do cholery!

– „Błogosławieni, którzy nie widzieli, a uwierzyli – opornie wychodziły słowa spod zjeżonego rudego wąsa. – Mock, przyznaj się do błędu, przyznaj, że uwierzyłeś. Jeśli nie chcesz..."

– Panie komisarzu, miał rację radca Ilssheimer... Prowadziłbym w tej sprawie prywatne śledztwo. – Brunet zakaszlał tak gwałtownie, jakby w gardle miał nie włosy, lecz drzazgi.

Wrocław, poniedziałek 1 września 1919 roku, południe

Na jasne niebo wpłynęły grube chmury i zakryły słońce. Na drugim piętrze gmachu Prezydium Policji przy Schuhbrücke 49 w sali odpraw przebywało dziesięciu mężczyzn. Doktor Lasarius trzymał w rękach gruby brązowy karton wypełniony kaligraficznym pismem. Obok niego siedzieli trzej policjanci o krótkich nazwiskach: Holst, Pragst i Rohs, którzy przeszukiwali miejsce zbrodni, a potem, na polecenie Mühlhausa, uczestniczyli w sekcji zwłok i protokołowali jej przebieg. Smolorz i Mock usadowili się po bokach swojego szefa Ilssheimera; po prawicy i lewicy Mühlhausa również siedzieli jego najbardziej zaufani ludzie – Kleinfeld i Reinert. Przed mężczyznami stała herbata w moabickiej porcelanie.

– To było tak, moi panowie. – Lasarius wyjął cygaro z puszki ozdobionej reklamą trafiki Dutschmanna. – Przedtem, około północy, w ciałach tych czterech marynarzy, wszystkich w wieku między dwudziestym a dwudziestym piątym rokiem życia, znalazła się prawdopodobnie końska dawka narkotyku. Świadczą o tym resztki opium na palcach rąk. Było tego tak dużo, że mogło ich uśpić na wiele godzin. Zatem spełniło rolę narkozy podczas operacji łamania kończyn, jakiej ich poddano. Dodajmy, że wszyscy ci ludzie zapewne byli narkomanami, o czym świadczy wyniszczenie ciała i liczne blizny w przebiegu żył. Jeden wstrzykiwał sobie morfinę nawet w penisa... Nikt nie musiał ich zatem zbyt długo przekonywać, aby zapalili fajkę z dużą ilością opium.

– Czy byli homoseksualistami? – zapytał Kleinfeld.

– Badanie odbytu nie potwierdza tego. – Lasarius nie lubił, gdy mu przerywano. – Z całą pewnością z żadnym z nich w ciągu ostatnich dni nie uprawiano stosunków homoseksualnych. Wracając do przerwanego wątku... Około północy, kiedy byli pod wpływem narkotyku, wykłuto im oczy oraz połamano ręce i nogi. Oprawca złamał szesnaście kończyn, wszystkie mniej więcej w tym samym miejscu, w stawie kolanowym i łokciowym. – Lasarius podsunął policjantom atlas anatomiczny i pokazywał łokcie i kolana szkieletu wyrysowanego piórkiem. – Już panom mówiłem, wybroczyny są śladami obuwia...

– Czy może to być but o takim odcisku? – wtrącił się tym razem Reinert. – Ten odcisk odrysowałem na miejscu zbrodni.

– Tak, to możliwe. – Tym razem Lasarius nie zżymał się na przerywającego jego wywód policjanta. – Te wybroczyny są następstwem silnego ucisku, do jakiego mogło dojść w wyniku naskoczenia butem na kończyny. Moi panowie – zaciągnął się cygarem, po czym zgasił je w popielniczce, sypiąc iskrami – to tak, jakby morderca skakał im na ręce i nogi oparte o jakąś ławkę, kamień lub jeszcze coś innego...

– Ale chyba nie to było przyczyną ich zgonu? – zapytał Mock.

– Nie, już czytam panu moje ustalenie – sapnął zdenerwowany wyraźnie Lasarius i zaczął szybko: „Przyczyną śmierci były rany kłute obu płuc oraz krwotok do lewej jamy opłucnowej i krwiak w tej jamie". – Lasarius spojrzał na Mocka i wychrypiał: – Morderca wetknął im ostre i długie narzędzie między żebra, a potem przeszył płuca prawie na wylot. Byli w agonii kilka godzin. Teraz proszę mi zadawać pytania.

– Jakie to mogło być narzędzie, doktorze? – zapytał Mühlhaus.

– Długi, ostry i prosty nóż – odparł patolog. – Choć istnieje jeszcze jedno narzędzie, które wydaje mi się bardziej prawdopodobne... – Przesunął po łysinie dłońmi o wyżartej chemikaliami skórze. – Nie, to by było absurdalne...

– Niech pan mówi, doktorze! – wykrzyknęli prawie równocześnie Mock i Mühlhaus.

– Tym ludziom wbito w płuca szpile.

– Jakie szpile? – Kleinfeld zerwał się z krzesła. – Druty do robienia skarpet?

– Właśnie tak – zawahał się na krótko Lasarius, po czym stworzył kunsztowny okres warunkowy: – Gdybym badał te zwłoki w kontekście błędu lekarskiego, to powiedziałbym, że jakiś konował źle im zrobił punkcję płuc. – Lasarius schował niedopałek cygara do kieszeni kamizelki. – Tak bym właśnie powiedział.

Zapadła cisza. Z pokoju obok dochodził równy, mocny głos przesłuchującego policjanta: „Posłuchaj, ty i twoi ludzie macie się lepiej starać... Za co wam płacimy, gnoje? Mamy wiedzieć o wszystkim, co się dzieje w waszej dzielnicy, rozumiesz?" W szyby uderzyły krople deszczu. Policjanci siedzieli w milczeniu i gorączkowo szukali w swych głowach jakichś inteligentnych pytań. Mock położył przed sobą wyprostowane dłonie i obserwował kostki ginące w fałdach skóry.

– Jeszcze jedno pytanie. – Dłonie Mocka podniosły się na blacie i znów nań opadły. – Obejrzał pan, doktorze, bardzo dokładnie miejsce znalezienia ciał. Czy mogło to być jednocześnie miejsce popełnienia zbrodni?

– Wokół głów ofiar, na ziemi i na trawie, nie znalazłem śladów krwi z oczodołów, co oznacza, że oczy wykłuto im gdzie indziej. Pozostałe obrażenia wywołały jedynie wewnętrzne krwotoki, z których niczego nie można wywnioskować odnośnie do miejsca zbrodni. Dla porządku zrobię jeszcze próbę krwi metodą Uhlenhutha. Czy mogę już iść? – Lasarius wstał i nie czekając na odpowiedź, ruszył ku wyjściu. – Niektórzy muszą pracować.

– Panie komisarzu – dłonie Mocka znów się podniosły i opadły z klaśnięciem na blat stołu – morderca napisał kartkę, która niesie jakieś przesłanie skierowane do mnie. Mam się przyznać do jakiegoś błędu, mam w coś uwierzyć pod groźbą dalszych morderstw. Przeczytajmy ją jeszcze raz. „Błogosławieni, którzy nie widzieli, a uwierzyli. Mock, przyznaj się do błędu, przyznaj, że uwierzyłeś. Jeśli nie chcesz zobaczyć więcej wyłupanych oczu, przyznaj się do błędu". – Mock zapalił papierosa i natychmiast tego pożałował, kiedy zorientował się, że wszyscy zgromadzeni zauważyli jego roztrzęsione dłonie. – Jeszcze raz panów zapewniam, że nie wiem, o jaki błąd chodzi i do czego mam się przyznać. Przed tym osobliwym wezwaniem do mnie mamy biblijny cytat. Pójdźmy tym śladem! Jest to, o ile się nie mylę, nawiązanie do niewiernego Tomasza, który uwierzył dopiero wtedy, kiedy ujrzał na własne oczy zmartwychwstałego Chrystusa.

Mock podszedł do stojącej w rogu sali odpraw obrotowej tablicy, zablokował ją i napisał równym kaligraficznym pismem: „niewierny Tomasz = Mock, Chrystus = morderca, zamordowani marynarze = znak dla Mocka".

– Dwa pierwsze równania są jasne. – Mock ze złością otrzepał rękaw przyprószony kredowym pyłem. – Morderca jest maniakiem religijnym dającym znak niewiernemu, którym jestem ja. Kiedy odkryję, za jaki „błąd" zostałem ukarany, odkryję tym samym mordercę i mój „błąd" stanie się dla wszystkich jasny. Bo każdy zapyta: dlaczego ten bydlak zamordował czterech chłopaków? Odpowiedź brzmi: bo chciał za coś ukarać Mocka. „A co ten Mock zrobił?" – każdy będzie pytał. I wtedy padnie odpowiedź, której ja sam nie znam w tej chwili. Wszyscy dowiedzą się, co złego Mock niegdyś zrobił mordercy, wszyscy dowiedzą się, za co Mock został ukarany. I o to chodzi mordercy. Gdyby ten świński ryj zabił jakąś staruszkę, mord mógłby minąć bez echa. Na Rakowcu przed tygodniem zginęły z rąk żołnierzy zwolnionych z rosyjskiej niewoli dwie staruszki. Ukradli im dwanaście marek. Wyobrażacie sobie – równowartość dwu biletów do teatru! Czy to wstrząsnęło opinią publiczną? W najmniejszym stopniu! Kogo obchodzą zabite staruszki?

– Wiem, o czym pan mówi – przerwał mu Mühlhaus. – Mord musi być spektakularny, bo tylko w ten sposób morderca zwróci ludziom uwagę na pańską rzekomą winę. A co może być bardziej spektakularnego niż wykłucie oczu czterem młodym mężczyznom w skórzanych gaciach?

– Wie pan co – bardzo powoli powiedział Mock – mam straszne przeczucie... Ponieważ ja nie wiem, do czego mam się przyznać, będę milczał... Niczego nie powiem, a świat się ode mnie niczego nie dowie... A on...

– A wtedy w nim będzie narastała frustracja – odezwał się Lasarius, który stał w drzwiach i słuchał uważnie wywodów Mocka. – Będzie czekał i czekał na pańskie przyznanie się do winy... Aż, aż... – Lasarius szukał odpowiedniego słowa.

– Aż się ostro wkurwi... – pomógł mu Smolorz.

Wrocław, poniedziałek 1 września 1919 roku,
godzina druga po południu

Nad bramą wjazdową do portu rzecznego Cäsar Wollheim, Stocznia Rzeczna i Towarzystwo Żeglugowe w Kozanowie wisiały wielkie transparenty: „Strajk. Łączymy się z towarzyszami z Berlina" i „Niech żyje rewolucja w Kraju Rad i w Niemczech". W bramie stali robotnicy z opaskami na rękach. Niektórzy dzierżyli w spracowanych dłoniach karabiny mauzery. Po drugiej stronie ulicy, na tle Parku Zachodniego, ustawili się w szyku bojowym żołnierze freikorpsu i patrzyli ponuro w czerwonogwiaździste sztandary swych wrogów.

Dorożka wioząca Mocka i Smolorza zatrzymała się w sporej odległości od bramy wjazdowej do stoczni. Pasażerowie wysiedli, a wynajęty przez Prezydium Policji fiakier podjechał wolno na pobocze, wyprzągł tam konia i dał mu obroku. Mock przyjrzał się ideologicznemu konfliktowi i uznał, że jest mu bliżej – jako urzędnikowi państwowemu – do przeciwników rewolucji proletariackiej. Nie chcąc usłyszeć świstu kul koło uszu, szybko wraz ze Smolorzem uciekli z placu, który mógł się w każdej chwili stać terenem wojennych zapasów, i podeszli do dowódcy żołnierzy freikorpsu. Mock wylegitymował się i – przeklinając w myślach swój szorstki, powiększony kacem i przywędzony tytoniem język – zmusił się do wypowiedzenia kilku kwestii. Nie żądał wyjaśnienia całej sytuacji, potrzebna mu była tylko jedna wiadomość: gdzie można znaleźć dyrektora portu rzecznego. Dowódca kompanii, hauptmann Horst Engel, natychmiast zawołał starego marynarza, którego przedstawił Mockowi jako swego informatora. Mock podziękował Engelowi i chyląc się przed nieistniejącym, lecz zawsze możliwym deszczem kul, zabrał informatora Ollenborga do dorożki. Stary marynarz udzielił mu ważnej informacji: w stoczni odbywa się właśnie teraz uroczyste wodowanie niewielkiego okrętu pasażerskiego „Wodan", który ma kursować na trasie Opole–Szczecin. Tam musi być dyrektor portu rzecznego, Julius Wohsedt. Ollenborg pokazał ponadto Mockowi boczną bramę, której nie blokowali żadni rewolucjoniści.

– O, to bardzo pracowity człowiek, nasz stary dyrektor portu rzecznego Wohsedt – odpowiedział Ollenborg na pytanie Mocka, czy dyrektorowi nie przeszkadza strajk w odbywaniu uroczystości wodowania statku. – On musi sprzedać nowy statek, natomiast na strajk może sobie pozwolić. Czy pan policmajster nie słyszał o ubezpieczeniach od strajku?

– A powiedzcie mi, dobry człowieku – Mock ze zdziwieniem spoglądał na ozdobioną bluszczem boczną bramę wjazdową do stoczni, pilnowaną przez kilku freikorpserów, widniał na niej nierewolucyjny transparent „Serdecznie witamy" – kto mu zwoduje nowy statek, kiedy wszyscy strajkują?

– A jacy tam wszyscy – uśmiechnął się bezzębnie stary marynarz. – Czy pan policmajster nie słyszał o niestrajkujących robotnikach? Nasz stary Wohsedt ma silne wpływy i u strajkujących, i u łamistrajków. Przekonuje ich zresztą tym samym...

Wjechali na plac, na którym ustawiono w podkowę stoły z butelkami, bryłami drobiu i pętami kiełbas. Za stołem siedział ksiądz z kropielnicą, a obok kapłana przycupnęli – jakby zawstydzeni – urzędnicy portowi oraz – dumni i z podniesionymi czołami – ludzie interesu w czarnych garniturach i cylindrach. Natomiast na twarzach towarzyszących im dam Mock nie dostrzegł żadnych innych uczuć poza wyczekiwaniem na znak, kiedy będzie można rzucić się na jadło i napitek. Teraz nikt nie jadł, wszyscy na coś czekali. Jedynie stojący pod okazałym parasolem sprzedawca lodów i lemoniady nie czekał na nikogo. Nie musiał. Znużeni słońcem klienci stali w długiej kolejce do jego prowizorycznej lady. Smolorz, Mock i Ollenborg wysiedli z dorożki i wmieszali się w spory tłum stojący na nabrzeżu, gdzie był przycumowany mały pasażerski okręt z gdańską flagą, na której widniały dwa krzyże i korona. Ollenborg wdał się natychmiast w rozmowę z jakimś swoim znajomkiem, zwracając się do niego „Klaus", a Mock i Smolorz uważnie nadstawiali uszu. Szybko się okazało, że dyrektora portu rzecznego, Wohsedta, i jego małżonki, która miała być matką chrzestną statku, jeszcze nie ma i wszyscy właśnie na nich czekają.

– Może przed wodowaniem statku stary Wohsedt nawadnia swoją żonkę – śmiał się Klaus, podważając zepsutymi zębami porcelanowy kapsel na butelce piwa, na której widniała pieczątka miejscowej gospody Nitschkego. Mock, widząc pienisty napój, poczuł, że alkohol zaburzył równowagę płynów w jego organizmie. – Nawodnienie żony lub dziewczyny to stary zwyczaj. Tego zresztą mógł sobie zażyczyć kupujący. Słyszałem o podobnym zwyczaju przy sprzedawaniu wozu. Przed zaklepaniem interesu sprzedający wiezie nim to, co będzie woził kupujący. To ma być dobry znak...

– Masz rację – Ollenborg mógł jedynie pomarzyć o używaniu zębów – tu nawodnienie jest konieczne. To jak chrzest burdelu. Przecież temu ma służyć cały ten statek...

– Co ty chrzanisz, stary? – Do Ollenborga odwrócił się jakiś marynarz mówiący z silnym austriackim akcentem. –

Czemu ma niby służyć ten statek? To ma być burdel czy co? Ja mam pływać na burdelu? Ja, Horst Scherelick, marynarz z SMS „Breslau"? Powtórz to jeszcze raz, stary.

– A skąd, mój kolega się przejęzyczył. Chciał powiedzieć „wodowanie", nie „nawadnianie" – uspokajał Klaus marynarza. – A ty, Ollenborg – powiedział cicho – przestań kłapać dziobem, bo ci kiedyś ktoś wsadzi nóż pod żebra.

Mock obserwował uważnie przez kilka minut uspokajanie poirytowanego marynarza Scherelicka. Potem przeniósł wzrok na wielką butlę szampana trzymaną przez małego chłopca w stroju marynarskim. Zastanawiając się, czy szampan jest zimny czy ciepły, poczuł znów ssanie żołądka oraz suche drzazgi w gardle. Kiwnął palcem na Smolorza i Ollenborga. Obaj stanęli przy Mocku.

– Mam do was prośbę, Smolorz – wyszeptał Mock. – Znajdźcie tego dyrektora portu rzecznego i przyprowadźcie go do dorożki. Dyskretnie. Tam go przesłucham. A z wami, Ollenborg, porozmawiam teraz.

Smolorz przedarł się przez ciżbę i ruszył na poszukiwanie szefa portu rzecznego. Mock oddalił się nieco od tłumu, przysiadł na starej skrzynce po cytrynach i wyjął papierośnicę. Obok niego przykucnął Ollenborg i z chęcią przyjął papierosa. Na nabrzeżu rozległy się dźwięki marsza *Pod pełnymi żaglami*. W takt muzyki przed statek wymaszerowała orkiestra. Wielu marynarzy na widok muzyków zaczęło wiwatować i podrzucać w górę czapki. Ksiądz wstał, ludzie interesu rozglądali się za mistrzem ceremonii, a damy – za pierwszym śmiałkiem, który skorzysta bez zaproszenia z jadła i napitku.

– Posłuchajcie, marynarzu – powiedział Mock. – Jak tylko się pojawi dyrektor Wohsedt, macie mi go pokazać.

– Tak jest, panie policmajster – odpowiedział Ollenborg.

– Jeszcze jedno. – Mock wiedział, że teraz powinien umiejętnie sformułować pytanie. Nie chciało mu się jednak myśleć. Chciało mu się pić. – Czy znacie albo słyszeliście o czterech młodych mężczyznach, dwadzieścia, dwadzieścia pięć lat. Przystojni, brodaci marynarze. Może szukali tu pracy? Może kręcili się w porcie? Nosili skórzane majtki. To są ich zdjęcia pośmiertne.

– Ja tam nikomu w spodnie nie zaglądam, panie policmajster – oburzył się Ollenborg, oglądając uważnie fotografie. – I nie wiem, kto jakie nosi kalesony. A skąd pan wie, że to byli marynarze?

– Kto tu zadaje pytania? – Mock podniósł głos, wzbudzając zainteresowanie przechodzącej obok blondynki w niebieskiej sukni.

– Nie widziałem, nie słyszałem – uśmiechnął się Ollenborg. – Pozwoli pan jednak, panie policmajster, że coś panu poradzę. *Barba non facit philosophum**. Czemu pan tak na mnie patrzy? Że niby nie uczyłem się łaciny? Kiedyś w czasie rejsu do Afryki czytałem namiętnie *Geflügelte Worte* Bachmanna i znam to dzieło prawie na pamięć.

Mock umilkł. Nie chciało mu się mówić. Dziś z trudem dobierał słowa. W zamyśleniu obserwował młodą blondynkę ubraną w długą niebieską suknię i woalkę. Kobieta ruszyła w stronę stołu, lecz nagle zmieniła kierunek, podeszła do sprzedawcy lodów i lemoniady i uśmiechnęła się do niego. Wysunęła przy tym długą kształtną szyję – ukrytą za wysokim koronkowym kołnierzykiem, przytrzymywanym przez stalki – pokrytą ciemnymi plamami przypominającymi łuski. Sprzedawca podał kobiecie lemoniadę bez kolejki. „Gdzie ja widziałem tę dziewczynę o chropowatej szyi? – zapytał Mock sam siebie. – Pewnie w jakimś burdelu – padła odpowiedź". Mock po raz kolejny w swym nudnym życiu, rozdartym pomiędzy spisywaniem prostytutek, alkoholową maligną i nadludzkim wysiłkiem, by

_____

* Posiadanie brody nie czyni jeszcze filozofem (łac.).

wciąż okazywać szacunek ojcu, zdał sobie sprawę, że w każdej kobiecie dostrzega ladacznicę. Nie to go jednak przeraziło. Był już przyzwyczajony do niewesołych myśli, do cynizmu nieco na pokaz, znał własne demony. Wystraszył się nagle swej przyszłości. Co zrobi, kiedy jego wierna dotąd żona wróci nocą do domu? W jej ustach kryje się alkoholowy oddech, w jej spojrzeniu czai się fałsz, w jej ciele drzemie syte spełnienie, na jej piersiach ślady namiętnych ugryzień. Co zrobi wtedy ten dzielny pogromca obojętnych prostytutek i wenerycznych alfonsów? Mock nie wiedział, jak się wtedy zachowa. O ileż byłoby lepiej, gdyby cały żeński ród składał się z ladacznic! Wtedy Mock nie byłby niczym zaskoczony.

Te niewesołe myśli przerwał mu wachmistrz Smolorz.

– Dyrektor portu rzecznego był w swoim biurze – powiedział głośno, starając się przekrzyczeć orkiestrę, która teraz grała *Niemiecki marsz obecności* z czasów kolonizacji wschodniej Afryki.

– I co, nawadniał żonę? – Ollenborg wypluł niedopałek.

– Chyba tak – mruknął Smolorz i wskazał palcem na blondynkę pijącą lemoniadę z grubej szklanki. Łuskowata egzema była niewidoczna. – Zadowolona, no nie?

– To jest żona dyrektora portu rzecznego? – zapytał Mock.

– Znalazłem jego biuro. Wszedłem. Tam on i ta, co właśnie pije. Przedstawiłem się. Był zdenerwowany. Pożegnał ją: „Pa, moja żoneczko. Zaraz tam przyjdę".

– Prowadź do biura. – Mock poderwał się na równe nogi i nabrał biegłości w wymowie. – Po nawadnianiu żony i przed wodowaniem statku dyrektor portu rzecznego musi nam odpowiedzieć na kilka pytań.

– Ja już zapytałem. – Smolorz wyjął notatnik. – I pokazałem mu fotografie. Zabitych nie znał. Tu mam od niego spis. To wrocławscy pośrednicy werbujący marynarzy na statki rzeczne.

– Skąd wiedzieliście, że o to chciałem zapytać? – Mock w duchu podziwiał lakoniczność i umiłowanie konkretu, jakimi odznaczał się jego współpracownik.

– Ano się domyśliłem. Znam pana trochę. – Smolorz sięgnął do kieszeni i wyjął butelkę porteru z naklejką gospody „Biernoth". – Tego też się domyśliłem. Znam pana trochę.

– Jesteście niezastąpieni. – Mock nie mógł się opanować, by nie uścisnąć ręki Smolorza.

Orkiestra zaczęła grać *W górę niemiecką flagę*. Zza budynku wyszedł powolnym krokiem czerwony na twarzy pięćdziesięciolatek w cylindrze. Policzki pękały mu od nadmiaru krwi, guziki kamizelki – od naporu sadła. Podszedł do stołu, ujął w pulchne paluchy kieliszek z szampanem i wzniósł toast.

– To Wohsedt, dyrektor stoczni Wohlheima – poinformował Mocka Ollenborg.

Szum w uszach Mocka zwielokrotniony bąbelkami porteru zagłuszał przemówienie Wohsedta. Policjant dosłyszał jedynie słowa „matka chrzestna", „moja małżonka". Do stołu z butelką szampana ruszyła zażywna i niewysoka pięćdziesięcioletnia jejmość, która wcześniej siedziała przy księdzu. Rozbiła butelkę o burtę, nadając statkowi mitologiczną germańską nazwę. Blondynka w niebieskiej sukni odstawiła szklankę z lemoniadą i przypatrywała się ceremonii. Mock powoli sączył porter wprost z butelki. W odróżnieniu od Smolorza, który już sam nie wiedział, gdzie żona, a gdzie kochanka, niczym nie był zaskoczony. Ku swojemu zadowoleniu stwierdzał, że świat wraca w utarte koleiny.

Wrocław, poniedziałek 1 września 1919 roku,
godzina czwarta po południu

Fiakier Helmut Warschkow, od kilku lat wynajmowany stale przez Prezydium Policji, jechał na koźle w wielce niewygodnej pozycji, ponieważ zmuszony był dzielić siedzenie z wachmistrzem kryminalnym Kurtem Smolorzem, którego małomówność była odwrotnie proporcjonalna do rozmiarów ciała. Przyciśnięty do żelaznego stelażu przez potężne ramię Smolorza, zacinał biczem i w skrytości ducha nie posiadał się z oburzenia, że jego buda jest wykorzystywana do niecnych celów przez funkcjonariusza Oddziału Obyczajowego III b Eberharda Mocka. Ten bowiem rozłożył dach i – odizolowawszy się w ten sposób od ciekawskich spojrzeń – poddawał niewinne dziewczę w niebieskiej sukience, które niezbyt dworsko zaprosił do dorożki na ceremonii wodowania statku, staremu jak świat rytuałowi. Podejrzenia Warschkowa były jednak nieprawdziwe. Kolebaniu się budy nie był winny rzekomy ruch lędźwi Eberharda Mocka, lecz nierówności alejki Parku Zachodniego, którą jechano. Lubieżny skądinąd Mock, spoglądający na łuskowatą egzemę na szyi dziewczyny, myślał o wszystkim, lecz nie o godowym tańcu i jego następstwach, dziewczę zaś wcale nie było niewinne, a wręcz przeciwnie – bardzo podatne na różne męskie prośby i sugestie, którym żadna dziewica nie uczyniłaby zadość. Teraz była również uległa żądaniom Mocka i – bijąc się w kształtną pierś – przyrzekała „panu władzy", że w każdej sytuacji potwierdzi, iż była od kilku miesięcy utrzymanką Wohsedta, tym bardziej że to właśnie on zaraził ją „tym paskudztwem".

– Błagam, proszę mnie nie zamykać... Muszę pracować... Mam małe dziecko... Żaden lekarz nie da mi teraz pieczątki...

– Mam dwa wyjścia – Mock czuł wstręt do chorej dziewczyny i wstręt do siebie za napawanie się jej przerażeniem

– albo wsadzę cię za nieaktualną książeczkę zdrowia, albo tego nie zrobię. Ty masz tylko jedno wyjście. Współpracować ze mną. Zgadza się?

– Tak, zgadza się, wielmożny panie.

– Teraz dobrze się do mnie zwracasz.

– Tak, wielmożny panie. Tak właśnie będę mówiła, wielmożny panie.

– Jesteś zatem utrzymanką Wohsedta. Czy masz też innych klientów?

– Czasami tak, wielmożny panie. On mnie utrzymuje, ale jest za skąpy na wyłączność.

– Jesteś pewna, że on cię zaraził?

– Tak, wielmożny panie. Kiedy byłam z nim pierwszy raz, już to miał. Lubił gryźć po szyi. Zaraził mnie jak wściekły pies.

Mock przyjrzał się dziewczynie. Była rozdygotana. W chabrowych oczach lśniły łzy. Dotknął jej zimnej i mokrej dłoni. Liniała. Warstwy naskórka łuszczyły się na szyi. Mockowi zrobiło się niedobrze. Na kacu miewał różne wstręty. Na kacu nie mógłby być lekarzem dermatologiem.

– Jak masz na imię? – przełknął ślinę.

– Johanna, a moja trzyletnia córka ma na imię Charlotte. – Dziewczyna uśmiechnęła się, nasuwając wysoki żabot na szyję. – Mój mąż zginął na wojnie. Mamy też małą bokserkę. Kochamy ją... Wabi się...

Mały Eberhard Mock miał w domu rodzinnym w Wałbrzychu psa boksera. Pies kładł się na boku, a Ebi wtulał głowę w jego krótką sierść. Zimą zwierzę najchętniej leżało pod piecem. W Wałbrzychu mieszkał też hycel Femersche. Najbardziej nie lubił owczarków niemieckich i bokserów.

– Gówno mnie obchodzi, jak się wabi twój kundel! – ryknął Mock i wyciągnął pugilares. – Gówno mnie obchodzi twój bękart! – wyjął zwitki banknotów i rzucił je na kolana dziewczyny. – Interesuje mnie jedno: żebyś pozbyła się tej grzybicy! Te pieniądze wystarczą ci na przeżycie przez miesiąc. Lekarz będzie za darmo. Doktor Cornelius Rühtgard, Landsbergstrasse 8. To mój przyjaciel. Masz przyjść do mnie za miesiąc bez grzybicy! Jeśli tego nie zrobisz, znajdę cię i zniszczę! Nie wierzysz? Zapytaj o mnie swoje koleżanki! Wiesz, kim jestem?

– Wiem, wielmożny panie. Odwiedził mnie pan, kiedy pracowałam w kabarecie „Książę Blücher" na Reuscherstrasse jedenaście, dwanaście.

– O, a to ciekawe... – Mock usiłował przypomnieć sobie tę sytuację. – Byłem twoim klientem? I co? Jak się zachowywałem? Co mówiłem?

– Był pan... – zawahała się – po alkoholu...

– A co mówiłem? – Mock czuł narastające napięcie. Wiele razy po pijackich nocach chował głowę w piasek. Do towarzyszy swoich eskapad powiadał: „Nie przypominajcie mi o tym. Nie mówcie o tym. Ani słowa. Ani jednego słowa". Teraz chciał wiedzieć. Niech spadnie to na niego jak wyrok.

– Wielmożny pan mówił... że jestem podobna do pana ukochanej... pielęgniarki... Tylko że ona była ruda...

– Mówi się „rudowłosa" albo „ognistowłosa". I co jeszcze?

– Że ze wszystkich psów najbardziej wielmożny pan lubi boksery...

Wrocław, poniedziałek 1 września 1919 roku,
godzina piąta po południu

Fiakier Warschkow zatrzymał się znów na nabrzeżu stoczni Wollheima, koło wodowanego dziś „Wodana". Towarzystwo przenosiło się właśnie z brzegu na statek, gdzie miała się odbyć dalsza część zabawy. Na obrusach zostały krwawe ślady po winie i żółte – po piwie. Do miednicy przesypywano kacze i gęsie ogryzione kości, z których powstawał rozsypujący się szkielet, stos pogrzebowy ciemnego drobiu. Zsuwano łyżką tłuczone ziemniaki i buraczki, które przed chwilą otulały kacze korpusy, a teraz były podobne raczej do gruźliczej plwociny. Wrześniowe słońce wyrozumiale oświetlało to kulinarne pobojowisko. Niczego nie obnażało, lecz dodawało splendoru. Spóźnieni ucztujący, którzy jeszcze nie potrafili się rozstać z bratwurstami, wchodzili na statek, który miał ruszyć w górę Odry. Kiedy już prawie podnoszono trap, pojawił się ostatni pasażer. Był to Eberhard Mock. Nikt go nie pytał o zaproszenie, nikt się też nie dziwił jego nieco chwiejnemu krokowi.

Górny pokład zajęty był przez tańczące pary. Orkiestra grała bardzo modnego ostatnio fokstrota. Kobiety, ubrane w wydekoltowane suknie, ozdobione nierzadko opuszczonymi na biodra pasami tkaniny, wspierały się na męskich ramionach i szybko poruszały się w tańcu. Starsze damy lornetowały, starsi panowie palili, grali w skata lub czynili i jedno, i drugie, przy błyszczącym barze tłoczyli się młodsi i wlewali w swe niezgłębione gardła zawartość kieliszków, z których jedne – jak zauważył w myślach Mock – miały toporny wdzięk ściętego graniastosłupa, inne wątpliwą dystynkcję stożka. Wypełniały je różnokolorowe płyny. Mock zamówił koniak i nie pijąc go, spoglądał na przesuwające się żelazne przęsła mostu Poznańskiego. Na ich tle dostrzegł tego, dla którego tu przyszedł – szefa portu, Juliusa Wohsedta. Pod jego zagrzybionym, o czym był przekonany Mock, ramieniem chowała się małżonka i matka chrzestna statku – niewysoka i nadzwyczaj korpulentna pani Eleonore Wohsedt. Jej mąż był czerwony od alkoholu i zapięty na ostatni guzik. Nosił się bardzo sztywno, choć na głowie nie miał cylindra. Mock parsknął śmiechem na widok jego rzadkich włosów, z których pomada uczyniła misterny lok. Przechylił lampkę koniaku, wznosząc w myślach toast za dobrane małżeństwa.

Dyrektor portu rzecznego poczuł z tyłu, na ułożonym w trzy fałdy karku, czyjś zaprawiony alkoholem oddech. Obejrzał się, by obdarzyć szerokim i szczerym uśmiechem jednego ze swoich, jak sądził, gości, i ujrzał nieznanego sobie bruneta. Mężczyzna był średniego wzrostu, miał lekką nadwagę i gęste falujące włosy. Zaciskał szczękę, a w sękatych palcach trzymał wizytówkę: „Asystent kryminalny Eberhard Mock, Prezydium Policji, Oddział Obyczajowy III b". Wohsedt spojrzał na żonę, a Eleonore, rejestrując pod powiekami napis „oddział obyczajowy", oddaliła się z uprzejmym uśmiechem.

– Od was był... – odezwał się Wohsedt, czytając notkę na wizytówce – ktoś dziś u mnie. Pan też w sprawie tych zamordowanych marynarzy?

– Tak, prowadzę to śledztwo. – Mock oparł dłonie na wypolerowanej barierce. – Muszę ustalić nazwiska ofiar. – Wyjął z kieszeni marynarki dużą kopertę i podał ją Wohsedtowi. – Niech pan jeszcze raz się im przyjrzy.

Wohsedt przerzucał zdjęcia niedbale. Kiedy wsuwał je z powrotem do koperty, coś przykuło jego uwagę. Znów wyjął fotografie, kontemplował każdy szczegół, przewracał je do góry nogami, nawet szukał czegoś na ich odwrocie. Po chwili westchnął i oddał je Mockowi.

– Nie znam ich – powiedział i otarł chustką spoconą głowę. – Naprawdę ich nie znam.

– Pan ich nie zna, panie dyrektorze – Mock mówił cicho i wyraźnie – ale może pańscy podwładni, kierownicy, majstrzy, pańscy dozorcy ich znają. Może wiedzą coś pośrednicy kompletujący załogę do rejsów śródlądowych?

– Mam ich wszystkich o to pytać? – Wohsedt uśmiechnął się do jakiejś leciwej damy i podniósł głos. – Może chce pan, bym przerwał negocjacje ze strajkującymi robotnikami, przestał naprawiać statki i wchodził rano do biura z pytaniem na ustach: „Czy coś już wiadomo o czterech zabitych marynarzach?" Czy właśnie tak mam postępować?

– Tak – powiedział Mock jeszcze ciszej.

– Dobrze. – Wohsedt po raz kolejny zalśnił akrylem swoich zębów. – Będę tak robił. Kiedy mam panu złożyć raport?

– Najdalej za tydzień, panie dyrektorze. – Mock schował zdjęcia do koperty opatrzonej wykaligrafowanym przez siebie napisem: „gruźlica skóry po ugryzieniu przez gruźlika".

Wrocław, poniedziałek 1 września 1919 roku, godzina siódma wieczorem

Statek pasażersko-wycieczkowy „Wodan", pokonawszy bezpiecznie śluzy Mieszczańską i Piaskową, przybijał do małej przystani naprzeciwko Wyspy Piaskowej, u stóp Wzgórza Holteia. Pokład opuszczało kilku pasażerów, wśród nich Eberhard Mock. Wspinając się na spadzisty brzeg Odry, wysiadający pozostawiali za sobą roztańczony i rozjaśniony pokład, na którym dudniły trzewiki i stukały wysokie obcasy pantofli. Mockowi dokuczały dotkliwe pragnienie i chaos myśli. Jego gardło domagało się krystalicznych płynów, jego umysł – czystego powiewu, który by rozwiał mgłę i smugi spowijające przyczynowo-skutkowe związki. Wszystko to Mock znalazł w ogródku restauracji „Na Przystani dla Parowców" przy moście Piaskowym. Podziwiając nowoczesną bryłę hali targowej, delektował się stopką zmrożonej wódki, która wysubtelniała smak śledzi Bismarck o srebrzystej skórce pociętej czarną kratką. Rozkroił widelcem gorący ziemniak i zahartował jego połówkę w śmietanie oblepiającej śledzie. Widelec przebił cząstkę

49

ziemniaka, następnie przeszył z chrzęstem plasterek cebuli, by w końcu wbić się w ćwiartkę jabłka. Wszystkie te specjały Mock z rozkoszą wsunął do ust, a po chwili gryzącą wódką pomógł czynnościom trawiennym organizmu. Następnie wessał gęstą warstwę kulmbachera, rozparł się wygodnie i szeroko rozsunął nogi. Na policzkach i karku czuł nitki babiego lata. Z wielką gościnnością przyjął nadchodzącą senność. Do jego stolika podszedł wysoki przystojny mężczyzna. Niepytany usiadł naprzeciwko. Przykrył uszy rozcapierzonymi palcami, spomiędzy których zaczęła wypływać żółto-czerwona ciecz, uszy krwawiły, oczy wypływały na marynarski kołnierz. Mock wstał gwałtownie i potrącił kelnera, zmierzającego z szarlotką i kieliszkami brązowego likieru ku dwóm dystyngowanym paniom. Ten przerzucił tacę z dłoni do dłoni, roniąc kilka kropel napitku, które spłynęły po smukłej nóżce kieliszka.

Mock przeprosił kelnera i obie damy, uchylając melonika, po czym odwrócił się, chcąc się policzyć z upiorem, który zburzył mu sen. Zamiast niego po stoliku skakał wróbel i wydziobywał z talerza resztki ziemniaka. Mock nie odpędzał go. Skręcił papierosa z jasnego tytoniu Georgia i zapalił, słuchając kurantów bijących z kościoła gimnazjalnego. Po chwili spłoszony ptak, bijący skrzydłami w jego piersi, uspokoił się. Myśli Mocka stały się jasne, a łańcuchy sylogizmów czytelne. Morderca popełnia spektakularny mord, aby mnie zmusić do przyznania się do jakiegoś błędu z przeszłości. Trzeba tu się zatrzymać nad dwiema kwestiami – tłumaczył wróblowi skaczącemu po sztywnym od krochmalu obrusie. – Pierwsza to niezwykłość zbrodni, druga – mój błąd z przeszłości. Niezwykłość zbrodni mogłaby zostać przeoczona, gdyby zwłoki znaleziono później, w stanie rozkładu, na przykład po kilku miesiącach. Wtedy byłaby ona czytelna tylko dla doktora Lasariusa i jego ludzi, którzy doszukaliby się wykłutych oczu i złamanych kości w trupiej galarecie. Dlaczego zatem morderca zdaje się na przypadek? Ależ, jaki tu przypadek?! Przez jaz opatowicki przechodzi dziennie wiele ludzi na Wyspę Opatowicką, a potem dalej, na Księże Małe. Ciała z pewnością zostałyby odkryte, a wieść o czterech zabitych młodzieńcach obiegłaby najpierw całą dzielnicę, a potem miasto. Druga kwestia to mój błąd z przeszłości. Jeśli przyjąć, że ofiary mają podkreślać ogrom tego błędu, mają mnie oskarżać swoim absurdem, to żaden ich atrybut nie ma ze mną nic wspólnego. Zbrodnia ta jest bombastyczną formą bez śladu treści.

Wróbel odfrunął, a Mock ze zdziwieniem i zadowoleniem zauważył, że jego myśli nie są tylko skojarzeniami, nie są ciągiem chaotycznych obrazów, lecz przyjmują formę małego traktatu dyktowanego poprawnymi, rozbudowanymi zdaniami. Im bardziej był pijany, tym trzeźwiej myślał. Zapomniał o upiorze z wylewającą się z uszu limfą, szybko wyjął notes i zaczął gorączkowo pisać: „Zabici mają dwie cechy wyraźnie przez mordercę podkreślone. Te cechy są zresztą jedynymi, które mogą doprowadzić do identyfikacji ofiar. Zabici są marynarzami i mają wyeksponowane przez skórzane woreczki genitalia. Tym pierwszym aspektem zajmie się Wohsedt, tym drugim – ja. Wohsedt penetruje środowisko marynarzy, ja – środowiska lubieżników. Dla kogo eksponuje się genitalia w tak wyuzdany sposób?"

Tu Mock przerwał i przypomniał sobie pewien nielegalny dom publiczny w centrum Rynku, na który natrafili ze Smolorzem dzięki informatorowi. Szpicel ten usiłował zniszczyć konkurencję i odwrócić uwagę policjantów od własnego przybytku, który był jednocześnie swoistym fotograficznym atelier. Mock i Smolorz zmietli z powierzchni nadodrzańskiej metropolii oba lokale. I w pierwszym, i w drugim były rozmaite stroje i pasy. Nie brakowało skórzanych majtek, składających się jedynie z paska i suspensorium.

„Nieważne, dla kogo eksponuje się genitalia – pisał dalej Mock. – Ważne, gdzie się to robi. Odpowiedź brzmi: w burdelach. Pojawia się kolejne pytanie: co ofiary mogły mieć wspólnego z burdelami? Odpowiedź jest dwojaka: mogły tam albo pracować, albo korzystać z uciech życia. Niestety, *utrum possibile est*. Jeśli byli oni gośćmi jakiegoś burdelu i z chęci uzyskania dodatkowych podniet ubierali się w suspensoria, to postępowanie wyjaśniające powinno polegać na przesłuchaniu wszystkich wrocławskich prostytutek".

Mock zdziwił się, jak papier i ołówek wyszlachetniają obyczaje. Gdyby relacjonował komuś ustnie swój tok rozumowania, powiedziałby: „wrocławskich dziwek".

„Jeśli zaś sami byli pracownikami burdelu i swoim strojem mieli epatować gości płci żeńskiej (wszak Lasarius stwierdził, że nie byli homoseksualistami), nie trzeba nikogo przepytywać, lecz sięgnąć do pokładów pamięci najlepszego znawcy wrocławskich burdeli i zapytać go: gdzie mógłby być czteroosobowy męski personel służący uprzyjemnianiu życia niewiastom?"

I tu najlepszy znawca wrocławskich lupanarów popadł w beznadziejny namysł, którego nie rozjaśnił kolejny papieros. Mógł to być jedynie dom publiczny nielegalny, głęboko zakonspirowany i przeznaczony tylko dla zaufanych członkiń lub członków. Do takiego wniosku doszedł Mock, uświadomiwszy sobie, że jeszcze nigdy w swojej piętnastoletniej karierze policyjnej w obyczajówce oraz w licznych, służbowych i niesłużbowych, wędrówkach po przybytkach bogini Isztar nie natrafił na klub, w którym kobiety pełniłyby inną funkcję niż personel, a mężczyźni byliby czymś innym niż klientami albo strażnikami dyscyplinującymi tych ostatnich.

– Do tego jeszcze te marynarskie czapki! – mruknął Mock do siebie, nieświadom, że oto wkracza na pole, którego penetrację wyznaczył Wohsedtowi. – To musiałby być ekskluzywny i zakamuflowany burdel dla dam z towarzystwa! W jednym pokoju Chińczyk, w innym marynarz, a jeszcze w innym żołnierz!

Kelner, podając Mockowi trzecią stopkę wódki, ze zdziwieniem i zainteresowaniem wysłuchał tego monologu. Podobne uczucia towarzyszyły dwóm niemłodym paniom pijącym obok przy stoliku likier kakaowy. Mock popatrzył na nie uważnie i uruchomił wyobraźnię – oto jedna z nich podchodzi do niego i pyta szeptem: „Drogi panie, ja chciałabym marynarza... gdzie można znaleźć takiego?" Spojrzał jeszcze raz na swe sąsiadki i zdał sobie sprawę z fałszu tej hipotetycznej sceny. Był on tak dojmujący, że poczuł gorycz w ustach. Postanowił spłukać ją jarzębiakiem.

Wrocław, poniedziałek 1 września 1919 roku, kwadrans przed północą

Mock siedział przy stoliku w sali tanecznej hotelu „Król Węgierski" i przykładając do oka kwadratową butlę dżinu, przypatrywał się trzem parom tańczącym na parkiecie otoczonym kolorowymi żarówkami. Dokoła parkietu ustawiono stoliki zajęte teraz przez kilku samotnych mężczyzn. Każdy z nich opierał łokieć na otaczającej parkiet barierce, wypuszczał kłęby dymu, wypijał od czasu do czasu kieliszek i obserwował taneczne ewolucje. Stoliki otaczały wznoszące się nieco wyżej loże. Niektóre z nich zaciągnięto wiśniowymi kotarami, inne były otwarte. Otwarte świeciły pustkami, w zamkniętych rozlegał się wysoki kobiecy śmiech. Kiedy ober dyskretnie uderzał młoteczkiem w żelazną rurkę, na której wisiały aksamitne kotary, Mock nadstawiał uszu i wytężał wzrok. Ober rozsuwał zasłony, a damy poprawiały fryzury i przesuwały smukłymi palcami po aksamitnych nozdrzach. W *separés* było niewielu mężczyzn. Do Mocka dochodził zapach perfum, woń potu i pudru. Damy pochodziły z wyższych sfer, co było widać po wyniosłości, z jaką zwracały się do kelnerów. Ich śmiech natomiast był całkiem plebejski i mocno podniecał plebejusza Mocka.

Orkiestra grała shimmy w rytm marsza żałobnego i widać było, że muzycy najchętniej wróciliby do poprzedniej czynności, jakiej się oddawali, a mianowicie do zanurzania swych wąsów w wielkich bombach piwa. Wybitnie poniedziałkową chęć do pracy wykazywały również fordanserki, które z wystudiowanym szykiem obracały się w rękach trzech rozochoconych tancerzy, lecz z ich oczu – co Mock łatwo zauważył, wzmocniwszy wzrok grubym szkłem butli – wyzierała niechęć i obojętność.

To spostrzeżenie skierowało myśli Mocka ku publicznym kobietom, które – podobnie jak wymęczone po niedzieli fordanserki – również w swych oczach ukrywały gładką apatię. Te oczy ożywiały się zwykle trzy razy podczas jednego seansu: kiedy dziewczyna podchodziła do klienta, kiedy udawała rozkosz i kiedy odbierała honorarium. W dwóch pierwszych sytuacjach była na ogół kiepską aktorką, w ostatniej – sprawnym rachmistrzem. Ta myśl uświadomiła mu, po co przyszedł do tego lokalu. Przypomniał sobie swoje rozumowanie: zabici byli klientami, nie pracownikami burdelu. W tym rozstrzygnięciu pomógł mu obraz, jaki utworzył, wyobrażając sobie jedną z niemłodych dam, siedzących obok niego w restauracji Michaela, w sytuacji gdy prosi o marynarza-ogiera. Wyobrażenie było fałszywe. Czując wtedy fałsz, postanowił pójść trudną i długą drogą, którą przedstawi na jutrzejszej odprawie u Mühlhausa. Musi przesłuchać wszystkie prostytutki tego miasta. Zacznie już teraz. Nalał sobie pierwszy kieliszek dżinu i uznał, że na tym poprzestanie. Nie chciał zasnąć. Nie chciał wcale zasypiać. Sny nie były jego sprzymierzeńcami. Ani w śledztwie, ani w życiu.

Racjonalista Eberhard Mock od tego właśnie lokalu miał zamiar rozpocząć przesłuchiwanie prostytutek. Chciał je wziąć w krzyżowy ogień pytań dotyczących klientów mających upodobanie do skórzanych majtek. Gdyby jednak ktoś go zapytał, dlaczego właśnie tu, w „Królu Węgierskim" na Bischofstrasse, rozpoczął swe eksploracje, nie wiedziałby, co odpowiedzieć. Gdyby był trzeźwy, odpowiedź brzmiałaby: „bo tutaj jest ładne elektryczne oświetlenie, w tym lokalu, który tworzyły trzy wznoszące się kręgi – parkietu, stolików i *separés*, jest najlepszy widok. Od czegoś takiego muszę zacząć, by potem zanurzyć się w ciemnych norach zakazanych kwartałów koło Blücherplatz"; gdyby był pijany, odparłby: „bo tutaj są najładniejsze dziwki, chcę je mieć – wszystkie naraz". Racjonalista Eberhard Mock nie dopuszczał myśli, że ktoś może nad nim panować, nie chciał przyznać – w swym drobnomieszczańskim sumieniu – że w jego spodniach ukrywa się bezwzględny i kapryśny demon. O swoim istnieniu przypominał mu właśnie teraz.

Mock odstawił od płonącego policzka zimną butlę i stwierdził, że konstatacja urody pracujących tu dziewczyn jest głęboko prawdziwa. Wstał i podszedł do schodków prowadzących na parkiet. Przechodząc obok jednego *separé*, usłyszał, jak pewna dama bełkotliwym i pewnym siebie głosem powiedziała do kelnera: „Zawołaj dorożkarza!" Mock minął *separé*, a do jego uszu doleciało uparte: „Chcę furmana! Teraz! Już!", oraz odpowiedź kelnera: „W tej chwili służę szanownej pani". Wszedł na parkiet. Czuł na sobie spojrzenia mężczyzn opierających łokcie na barierkach, paliły go ogniskowe lornet i binokli należących do dam w lożach, wabiły go oczy fordanserek. Poprosił do tańca jedną z nich. Była to drobna, smukła i rudowłosa dziewczyna o semickiej urodzie. Uchwycił ją mocno. Pod cienkim materiałem sukienki czuł haftki biustonosza. Po kilku pomyłkowych krokach dziewczyna pomogła mu złapać właściwy rytm. Nie na długo. Mock nie miał talentu do tańca. Po chwili zorientował się, że taneczne uzdolnienia jego partnerki są również niewielkie. Na szczęście orkiestra przerwała i utrudzeni muzykanci zanurzyli swe nosy w pienistym napoju. Dziewczyna stała bezradnie na środku parkietu i nie wiedziała, co ma ze sobą począć. Mock pocałował ją w rękę i podał jej ramię. Widział ironiczne uśmiechy samotnych pijaków i zdumione reakcje dam z lóż. „Pocałował dziwkę w rękę" – prawie słyszał te szepty.

Dziewczyna uchwyciła go delikatnie pod ramię i pozwoliła się doprowadzić do jego stolika. Była bardzo uległa i z wielką przyjemnością pochłaniała zakąski i napitki, które jej Mock fundował. Zgadzała się ze wszystkim, co Mock powiedział. Było to łatwe, ponieważ mówił niewiele i nie pytał jej wcale o zdanie. Odruchowo przytakiwała głową. Nie zgodziła się jednak, gdy zaproponował jej wspólną noc w hotelu. Zaprosiła go do swojego pokoiku, który wynajmowała w domu obok.

1 IX 1919

Zwykły, szkolny dzień. Obudziły mnie krzyki dzieci śpieszących do szkoły. Próbowałem zasnąć. Mimo ogromnego zmęczenia nie udało mi się. Czasami tak się dzieje. Jesteś nadludzko zmęczony i nie jesteś w stanie zasnąć. Może nie pozwala ci na to twój dajmonion.

Jest południe. Wychodzę do biblioteki miejskiej.

Wieczorem. Przetłumaczyłem dziś kilkanaście stron dzieła Augsteinera. Napisane jest niełatwą łaciną. Jakby jakiś duch przemawiał przez autora. Zdania urwane i niejasne. Często brakuje orzeczeń. Można na nie jednak spojrzeć inaczej. Są to notatki uczonego, którym brakuje gramatycznego blasku, przepełnia je jednak blask prawdy. Augsteiner fascynuje mnie coraz bardziej. Według niego platońskie idee to nic innego jak dusze. Nie jest to jednak prymitywna animizacja rzeczywistości. Augsteiner dokonuje precyzyjnej dystynkcji dusz. Dzieli je z jednej strony na aktywne i pasywne, z drugiej na potencjalne i aktualne. Rzeczy mają dusze pasywne – czyli zwykłe odzwierciedlenia idealne, ludzie zaś – dusze aktywne, czyli niezależne odzwierciedlenia idealne. Niezależne, to znaczy obdarzone możliwością abstrahowania. Może się ono odbywać aktualnie i potencjalnie. Autor stawia pytanie, jak podmiot, czyli człowiek, może wyabstrahować duszę aktywną, lecz niestety nie odpowiada na nie. W jego zawiłym systemie epistemologicznym, przesiąkniętym ideami Christiana Rosenkreuza (nic dziwnego, żyli w tym samym czasie!), brakuje choćby lekkiego ukłonu w stronę spirytualizmu. Brak jakichkolwiek wskazówek operacyjnych: jak postępować, jak wyabstrahować duszę z człowieka? Dziś w nocy kierowałem się wskazówkami Gregoriusa Blockhusa i starałem się percypować dusze uchodzące z tych czterech ciał w chwili, kiedy obumierały. Postępowałem zgodnie z tym, co Blockhus pisał. Otworzyłem w tych ciałach kanały energetyczne, zniszczyłem blokady w stawach i ułożyłem je tak, jak zaleca. Precyzyjnymi nakłuciami odebrałem oddech. Według Blockhusa nie można nie percypować energii w takim stężeniu. Ja tej energii nie odczułem. Poniosłem porażkę. Nie wiem, czy dobrze zrozumiałem trudną łacinę Augsteinera i wskazówki Blockhusa, które trącą jakimś zabobonem. Jutro znów zasiadam do dzieła Augsteinera. Może nowe passusy będą niosły informacje operacyjne. Może Augsteiner porzuci w końcu swą wyniosłą maskę filozofa i przyjmie postawę klasycznego spirytysty?

Wrocław, wtorek 2 września 1919 roku,
godzina siódma rano

Na małym podwórku podwrocławskiego Księża, przy Plesserstrasse 24, panował poranny ruch. Służąca pastora Gerdsa wieszała na galeryjce pościel, dozorczyni, pani Bauert, pucowała drewniane schody prowadzące do warsztatu ślusarskiego mieszczącego się na tyłach małego budynku. Z ustępu wyszedł emerytowany listonosz, Konrad Dosche. Do jego stóp natychmiast przypadł mały rudy kundel i zaczął okazywać dziką radość. Smugi słońca przecinały podwórko, skrzypiała pompa, nad pościelą ubijaną mocarnymi dłońmi służącej pastora wznosiły się drobiny kurzu, na podwórko wyszedł starszy pan. Skóra jego twarzy i dłoni była poorana głębokimi bruzdami, oczy przekrwione, oddech świszczący. Usiadł ciężko na ławce i zagwizdał na rudego psiaka. Ten podbiegł do niego i zaczął się łasić, łypiąc co chwila wzrokiem na swojego pana. Dosche podszedł do starszego mężczyzny i podał mu rękę.

– Witam pana serdecznie, drogi panie Mock. – Z twarzy Doschego promieniowała radość. – Jak się spało?

– Źle – odpowiedział krótko Willibald Mock. – Coś nie dawało mi zasnąć...

– To chyba nieczyste sumienie – roześmiał się Dosche – które pana gryzło po wczorajszej partii szachów...

– Co mam zrobić – Willibald Mock potarł oczy, których obwódki pokryte były grudkami ropy – żeby mi pan uwierzył, że nie przestawiłem tego gońca, kiedy był pan w klozecie?

– No dobrze, dobrze – Dosche uspokajał przyjaciela, nie przestając się uśmiechać. – A jak tam pana syn? Wyspał się już? Już wstał?

– Właśnie idzie. – Ulga odmalowała się na twarzy starego.

Przez podwórko maszerował raźno Eberhard Mock. Podszedł do ojca i pocałował go w policzek. Stary nie poczuł dużego stężenia alkoholowej woni. Odetchnął. Eberhard podał rękę Doschemu. Zapadło kłopotliwe milczenie.

– Idę właśnie do apteki – przerwał je Dosche. – Mój pies ma rozwolnienie. Straszne rozwolnienie. Kupić coś panom?

– Jeśli pan tak miły, panie Dosche – odparł ojciec – proszę nam kupić po drodze bochenek chleba od Malgutha. Koniecznie od Malgutha.

– Wiem, wiem, panie Mock. – Kiwnął głową Dosche i powiedział do swojego psa: – Ty tu zostajesz, Rot. Pod opieką pana Mocka. Na podwórku możesz srać, ale nie pod ławką!

Dosche ruszył ku Rybnikerstrasse. Ojciec bawił się z Rotem. Mrucząc, targał go lekko za kark, a pies warczał i wyginał się, łapiąc delikatnie zębami za dłoń starego. Eberhard usiadł obok ojca i zapalił pierwszego papierosa. Uśmiechnął się do nocnych wspomnień. Uświadomił sobie, że nie zdążył zapytać dziewczyny o klientów w skórzanych majtkach. Nic nie szkodzi – pomyślał – wczoraj wieczorem byłem po pracy. Od dzisiejszego dnia rozpoczynam właściwe śledztwo. Dziś ją o to zapytam.

– Jest tak wcześnie, a ojciec już nie śpi. – Wydmuchnął dym prosto w słońce.

– Starzy ludzie wcześnie wstają. Nie włóczą się po nocy i śpią we własnych łóżkach.

– Wczoraj piłem mało. Przez najbliższe tygodnie prowadzę bardzo trudną sprawę. Zostałem oddelegowany do komisji morderstw. Już nie spisuję dziwek. Powinien ojciec być z tego zadowolony.

– Chlejesz i zadajesz się z dziwkami. – Nieświeży poranny oddech starego owionął go jak chmura. – Ożeniłbyś się. Mężczyzna powinien mieć syna, który podawałby mu kufel piwa po pracy.

Mock położył rękę na twardych ramionach ojca i oparł głowę o mur. Wyobraził sobie sielankową scenę: oto jego przyszły syn, Herbert Mock, podaje mu kufel piwa i odwraca się z uśmiechem do matki, która stoi obok pieca kuchennego. Kobieta kiwa z aprobatą głową, chwali Herberta: „dobry synek, dał tatusiowi piwka", i miesza w dużym garnku stojącym na fajerkach. Jest wysoka i postawna, obfite piersi napinają czysty fartuch, spódnica dotyka jasnych wyszorowanych desek podłogi. Mock głaszcze po włosach małego Herberta, podchodzi ku żonie i obejmuje ją wpół. Rude włosy okalają jej delikatną twarz, fartuszek jest fartuchem pielęgniarki, z garnka, w którym gotują się strzykawki, dochodzi smakowity zapach. Mock unosi pokrywkę i widzi wywar z kości. „Kości na klej do butów" – słyszy głos ojca. Na powierzchnię wywaru wypływają duże kulki – ludzkie oczy.

Poczuł pieczenie na wardze, potrząsnął głową i wypluł niedopałek. Spod melonika spłynęła strużka potu. Rozejrzał się. Wciąż siedział na ławce pod murem. Willibald ginął już w bramie przelotowej. Mock wstał, podniósł – ku zadowoleniu dozorczyni – niedopałek i ruszył za ojcem. Ten chciał dojść do domu, ale się zmęczył. Usiadł na ławce, pod byłym sklepem rzeźniczym swojego zmarłego brata Eduarda. Ciężko oddychał. Rot przywarował koło niego i wywiesił różowy język. Mock podbiegł do ojca, dotknął jego ręki i powiedział:

– Wyprowadźmy się stąd. Tutaj mnie dręczą koszmary. Od początku, kiedy odziedziczyliśmy to mieszkanie po śmierci stryja Eduarda, dręczą mnie majaki senne, od pierwszej nocy w tym parszywym sklepie rzeźniczym... Dlatego piję, rozumie ojciec? Kiedy jestem pijany w pestkę, nic mi się nie śni...

– Każdy pijak ma jakieś wytłumaczenie...

– To nie jest przewrotne tłumaczenie. Dziś spałem poza domem i nie miałem złych snów, w ogóle żadnych. A teraz, tylko tu przyszedłem, zdrzemnąłem się na chwilę i znów przyśniło mi się coś złego...

– Rumianek i ciepłe mleko. To pomaga – mruczał ojciec. Zaczął spokojnie oddychać i powrócił do swej ulubionej, poza grą w szachy, czynności: do przyjacielskiego drażnienia Rota.

– Kupię psa – powiedział cicho Mock. – Przeprowadzimy się do centrum i ojciec będzie mógł spacerować z psem po parku.

– Jeszcze czego! – Stary chwycił psa za przednie łapy i z przyjemnością słuchał jego warkotu. – Miałby rozwolnienie jak Rot. Na pewno by nabrudził w domu... A zresztą przestań wygadywać głupoty. Idź do pracy. Bądź punktualny. Ciągle ktoś musi po ciebie przychodzić, ktoś ma ci przypominać, że czas do pracy... Zobacz no, znów przyjechali.

Mock obejrzał się i zobaczył Smolorza wysiadającego z dorożki. Nie spodziewał się po nim żadnych dobrych wieści. Intuicja go nie zawiodła.

Wrocław, wtorek 2 września 1919 roku, godzina ósma rano

Do prosektorium przy Auenstrasse nie dochodził hałas uliczny, nie docierały promienie silnego wrześniowego słońca, nie snuł się dym i zapach ognisk palonych na pobliskich brzegach Odry, koło mostu Przepustkowego. W królestwie doktora Lasariusa panowała cisza przerywana jedynie zgrzytem wózków wiozących ciała i zalegała woń podobna do woni wygotowanej marchwi. Nikt tutaj jarzyn nie gotował. Z kulinariami mogło się kojarzyć jedynie ostrzenie noży.

Tak było i teraz. Asystent doktora Lasariusa naostrzył nóż, zbliżył się do leżącego na kamiennym stole nieboszczyka i dokonał cięcia – od obojczyka aż po owłosienie łonowe. Skóra rozeszła się na boki, ukazując warstwę pomarańczowego tłuszczu. Mühlhaus pociągnął gwałtownie nosem, Smolorz wybiegł z prosektorium szybkim krokiem i stojąc przed budynkiem, otworzył szeroko usta, by wciągnąć jak najwięcej powietrza. Mock stał na podeście, na którym zwykle gromadzili się studenci medycyny, wpatrywał się w otwarte ciało i chłonął informacje podawane przez patologa swojemu asystentowi.

– Mężczyzna, wiek około sześćdziesięciu pięciu lat – usłyszał Mock i zobaczył, jak asystent wpisuje tę informację pod nazwiskiem „Hermann Ollenborg". – Wzrost sto sześćdziesiąt centymetrów, waga siedemdziesiąt kilogramów. Woda w płucach. – Lasarius z cichym chrzęstem ostrza odciął rozdęte i twarde płaty płuc i małymi nożyczkami dokonywał cięć. – O, widzi pan – ukazał Mockowi suchy miąższ i wodę wypływającą z oskrzeli – to typowe dla śmierci w wyniku utonięcia.

Asystent Lasariusa podniósł nieco czaszkę zmarłego, zanurzył czubek noża za jego uchem i dokonał kolejnego cięcia. Chwycił następnie naciętą skórę na potylicy i białawą błonę i naciągnął obie warstwy na oczy, których nie było. Zostały bowiem wykłute.

– Niech pan pisze – zwrócił się do niego Lasarius. Krew powoli wypełniała jamę w ciele. – Krwotok wewnętrzny do prawej jamy opłucnowej. Na płucach cięcia zadane ostrym narzędziem...

Nogi i ręce trupa zaczęły podrygiwać. Asystent Lasariusa piłował czaszkę, wprawiając w ruch leżące ciało. Mock przełknął ślinę i wyszedł na zewnątrz. Mühlhaus i Smolorz stali z odkrytymi głowami w porannym wrześniowym słońcu i patrzyli przed siebie na ceglaste budynki wydziału medycznego uniwersytetu i na liście żółknące na starym platanie. Mock zdjął melonik, poluzował dopinany kołnierzyk i podszedł do nich.

– Wędkarz znalazł ciało pod śluzą szczytnicką – powiedział Mühlhaus i wyciągnął fajkę z kieszeni surduta, którego anachronizm był obiektem drwin całego Prezydium Policji.

– Znaleziono przy nim jakąś kartkę o mnie albo do mnie? – zapytał Mock.

– „Błogosławieni, którzy nie widzieli, a uwierzyli".

– Mühlhaus trzymał w wyciągniętej dłoni szczypczyki, a w nich tkwiła kartka, zwykła, z zeszytu w kratkę. Wcisnął na nos binokle, przybliżył ją do oczu i czytał dalej:

– „Mock, przyznaj się do błędu, przyznaj, że uwierzyłeś. Jeśli nie chcesz zobaczyć więcej wyłupanych oczu, przyznaj się do błędu". – Podał kartkę Mockowi. – Czy znał pan tego człowieka, Mock?

– Tak, to informator policyjny, niejaki Ollenborg. – Mock wsunął na dłoń rękawiczkę i przyglądał się uważnie kawałkowi papieru. Pismo było krzywe i powyginane, jakby je odrysowywał analfabeta. – Znał dobrze środowisko i stosunki panujące w porcie. Wczoraj go przesłuchiwałem w „sprawie czterech marynarzy".

– Pismo inne – wtrącił Smolorz. – Inne niż wczoraj.

– Macie rację. – Mock spojrzał z uznaniem na Smolorza. – Kartka przy „czterech marynarzach" zapisana była równym kaligraficznym pismem przez kogoś, kto chodził do szkoły. Ta przy Ollenborgu jest zapisana nierówno, nie-chlujnie i...

– To może znaczyć, że tekst pisały same ofiary. Któryś z „marynarzy" chodził do gimnazjum... Wyjaśnijcie mi coś, Mock. – Mühlhaus napełniał wszystkie kanały oddechowe tytoniem, aby zabić woń prosektorium. – Skąd się wzię-liście tutaj? Mnie powiadomił dyżurny Pragst. Zakazałem mu mówić o tym zgłoszeniu komukolwiek. O morderstwie wiedzieli tylko wędkarz, Pragst i ja. To jest bardzo dziwne – zamyślił się na kilka sekund. – Wczoraj ciała znaleziono kilka godzin po zabójstwie. Dzisiaj tak samo. Może ci chłop-cy wczoraj i wędkarz dzisiaj zostali jakoś pokierowani przez mordercę... Trzeba by ich dokładnie przesłuchać...

– Smolorz, pokażcie no panu komisarzowi – Mock od-sunął się, by przepuścić skrzypiący wózek z ciałem popy-chany przez potężnego sanitariusza – to, co dzisiaj do mnie przyszło...

– List w skrzynce Prezydium Policji – wydukał Smolorz. – W nocy ktoś wrzucił. Do asystenta kryminalnego Mocka. W kopercie to. – Podsunął Mühlhausowi pod nos kartkę wyrwaną z zeszytu do matematyki.

– Nawet mi tego nie czytajcie. – Mühlhaus z wściekłoś-cią wsysał powietrze do gasnącej fajki. – Wiem, co tam jest.

– Na kartce z koperty są takie same słowa jak na kartce przy zwłokach Ollenborga – mruknął Mock. – Oprócz tego krótki dopisek „miejsce znalezienia zwłok – śluza szczyt-nicka". On sam nam mówi, gdzie zostawia trupy.

Wrocław, wtorek 2 września 1919 roku,
godzina za dziesięć dziewiąta rano

Do sali odpraw komisji morderstw Prezydium Policji wpadały promienie upalnego wrześniowego słońca. Z ruchliwej Schuhbrücke wznosił się ku bezchmurnemu niebu stukot końskich kopyt, zgrzyt tramwajów i prychanie automobili. Wąskimi chodnikami sunęli gimnazjaliści. Każdy z nich niósł teczkę pod pachą albo oplatający zeszyty pasek przerzucony przez ramię. Pędzili ku gmachowi gimnazjum św. Macieja, by zdążyć na drugą godzinę lekcyjną. Niektórzy ich koledzy marudzili, stali pod pomnikiem św. Jana Nepomucena i rzucali kamieniami w pękające łupiny kasztanów. Jakiś zirytowany woźnica pokrzykiwał na interesantów Wyższego Sądu Krajowego, którzy tłumnie wtargnęli na ulicę. Do gimnazjalistów zbliżył się starszy mężczyzna w meloniku i zbeształ ich surowo. Pewnie rektor, pomyślał Mühlhaus. Zamknął okno i z żalem wrócił ze świata wspomnień szkolnych. Spojrzał na ponure, zmęczone i poirytowane oblicza swoich podwładnych. Poczuł przypływ zniechęcenia. Nie chciało mu się mówić do tych tępych skacowanych ryjów. Nie wiedział, jak zacząć.

– Panie komisarzu – Mock wybawił go z kłopotu zagajenia. – Może pan tych wszystkich ludzi zwolnić ze „sprawy czterech marynarzy". Oni nie są potrzebni do jej prowadzenia...

– To ja decyduję, Mock – powiedział wolno Mühlhaus – kto będzie ze mną pracował przy tej sprawie.

– Tak jest, panie komisarzu.

– A tak dla ciekawości – komisarz znów podszedł do okna, lecz już go nie otworzył – dlaczego sądzi pan, że „wszyscy są niepotrzebni"? I co to znaczy „wszyscy"? Wszyscy oprócz pana? To miał pan na myśli, co, Mock?

– Tak, to miałem na myśli.

– Proszę to wyjaśnić!

– Morderca, jak już ustaliliśmy, chce, bym wyznał jakiś błąd. Zabija w tym celu czterech chłopaków z workami na jajcach. Ma to być zabójstwo spektakularne. Takie, żeby o nim mówiono w całym mieście i żebym już nigdy nie mógł spokojnie zasnąć. Żeby na zawsze do mojego mózgu wdarł się obraz czterech zabitych chłopaków z wydłubanymi oczami.

– To już wiemy, Mock – odezwał się znudzony Reinert.

– Zamknij się, przyjacielu. To nie twoje nazwisko ten bydlak wypisuje w swoich liścikach.

– Nie przeszkadzajcie asystentowi kryminalnemu Mockowi, Reinert – warknął Mühlhaus. – Niech mówi dalej.

– Smolorz zauważył słusznie – Mock wpatrywał się uważnie w twarz Reinerta, przez którą przechodziły fale złości – że morderca będzie dalej zabijał, jeśli nie wyznam swojego błędu. I był, niestety, dobrym prorokiem. Panowie, ofiary nie mają ze sobą nic wspólnego...

– Owszem mają – Kleinfeld zabrał głos po raz pierwszy. – Są jakoś związane z wodą. Pierwsi czterej są marynarzami lub pseudomarynarzami. Byli to, jak zaproponował pan Mock, wyuzdani bywalcy domów publicznych. Jest jakiś powód, dla którego oddają się rozpuście w marynarskich czapkach na głowie i w skórzanych woreczkach na jajach. Następna ofiara to stary marynarz, tajny współpracownik policji. Sami marynarze, jedni nieprawdziwi, inni prawdziwi.

– Nie wiem, jak pan chciał uzasadnić, Mock – Mühlhaus nie odniósł się do wypowiedzi Kleinfelda – swoją osobliwą propozycję, aby wszyscy, oprócz pana, odeszli z ekipy śledczej. Nie interesuje mnie zresztą pana uzasadnienie. Ja nikogo nie zwolnię i nie odeślę do innych spraw. Panowie, jest nas teraz ośmiu. – Spojrzał na swoich ludzi i głośno ich policzył. – Holst, Pragst, Rohs, Reinert, Kleinfeld, Smolorz i Mock. Ośmiu, i tak pozostanie. A teraz do rzeczy... – podszedł do tablicy obrotowej i pod słowami napisanymi wczoraj przez Mocka: „niewierny Tomasz = Mock, Chrystus = morderca, zamordowani marynarze = znak dla Mocka", dopisał: „W którym burdelu morderca spotkał czterech marynarzy?" – Tym się zajmie pan Smolorz. Jako członek komisji obyczajowej zna wszystkie domy publiczne w tym mieście. Pomocą będą panu służyć moi wypróbowani ludzie: Holst, Pragst i Rohs. – Komisarz napisał poniżej: „Ostatnie chwile Ollenborga". – A tym zajmą się panowie Kleinfeld i Reinert. W piątek widzę wszystkich panów w tym pokoju o godzinie dziewiątej rano. To tyle na dzisiaj.

– A ja? – zapytał Mock. – Czym mam się zająć?

– Chodźmy, Mock – powiedział Mühlhaus. – Kogoś panu przedstawię.

Wrocław, wtorek 2 września 1919 roku, godzina dziewiąta wieczorem

Doktor Kaznicz był asystentem profesora Hoenigswalda. Specjalizował się w psychologii eksperymentalnej i mienił się uczniem Freuda i Wernickego. Prowadził na Uniwersytecie Wrocławskim wykłady i ćwiczenia z psychoanalizy. Te ostatnie miały charakter eksperymentów na studentach. Z doświadczeń tych wyciągał uniwersalne wnioski, co niektórych złośliwców ze świata naukowego skłoniło do stwierdzeń, że „psychologia uprawiana przez doktora Kaznicza jest nauką o studentach". Jego wnikliwe pytania, często dotyczące zachowań intymnych, najpierw mocno zirytowały Mocka. Później – rozumiejąc, że nie może dopuścić do dalszych ofiar – nie bronił się i wyznał, co wiedział o ludziach, których kiedykolwiek spotkał w życiu i z którymi wszedł w jakikolwiek kontakt, o ile taki kontakt mógł u tych ludzi wywołać chęć odwetu. Nie wspomniał nawet słowem o Wircie, Zupitzy i o pielęgniarce z królewieckiego szpitala Miłosierdzia Bożego. Asystent Kaznicza wszystko dokładnie zapisywał w grubym kajecie i błagał swojego mistrza wzrokiem o choć jedno akceptujące skinię-

67

cie głową. Mistrz nie szafował jednak żadnymi gestami wobec swojego współpracownika, a głową kiwał jedynie wtedy, kiedy Mock prezentował co śmielsze wyznania z dzieciństwa i młodości. Uśmiechał się wtedy zachęcająco i wypowiadał jedno i to samo słowo: „rozumiem". Mock słyszał to słowo wyraźnie, nawet kiedy leżał w swojej niszy sypialnej i całował butelkę koniaku. Obejmował ją i obdarzał czułością, jakiej od niego nie zaznała dotąd żadna kobieta, poza tymi z jego myśli i rojeń, poza pielęgniarką z Królewca, która nie wiadomo, czy w ogóle istniała. Za kotarą ojciec układał się do snu na trzeszczącym łóżku, a w niszy syn pieścił kochankę-gorzałkę. „Rozumiem", usłyszał Mock i przypomniał sobie co ciekawsze fragmenty psychologicznego wywiadu, jaki odbywał z nim, przez osiem godzin, doktor Kaznicz. Zapamiętał mądre spojrzenie psychologa i jego lekki uśmiech w gąszczu czarnej brody, kiedy Mock opowiadał o dręczeniu przez niego na dziedzińcu wałbrzyskiej podstawówki tłustego Ericha Huhmanna. Dwunastoletni Mock wraz z innymi dziećmi wbija palce w brzuch i piersi Huhmanna. Ten kuli się, szarpie, wygina, pod skórą jego policzków rozszerzają się ceglaste plamy, krew wypływająca z nosa barwi przypinany uczniowski kołnierz, porządnie wyprasowany przez matkę. Erich Huhmann pada na kolana wśród krzaków okalających dziedziniec, Erich Huhmann błaga o litość, Erich Huhmann błaga niebiosa o ognisty miecz zemsty, Erich Huhmann wbija szpile w ciała zamordowanych marynarzy.

Mock uznał za absurdalną myśl, że tłusty Huhmann, mszcząc się na nim za dawne poniżenia, mógłby gdzieś przenosić ciała zabitych i łamać im kości. Ludzie się zmieniają – pomyślał – mężnieją, stają się silni, podsycają dawną nienawiść. Nie zwracając uwagi na zrzędzenie ojca, któremu nie dawało zasnąć trzeszczenie synowskiego łóżka, sięgnął do wiszącej na krześle marynarki i wyjął z niej notes. Pociągnął potężny łyk alkoholu i zapisał nazwisko Huhmanna.

„Rozumiem", Mock usłyszał ponownie głos doktora Kaznicza i przypomniał sobie jeszcze jedno dzisiejsze zwierzenie. Gimnazjalista Eberhard Mock myje kolbę i próbówkę, a potem zasiada do kamiennego stołu w gabinecie chemicznym. Dostał najwyższą notę za udowodnienie, że sole niektórych metali ciężkich w reakcji strąceniowej nie rozpuszczają się w wodzie. Zawistne spojrzenia. Ciało nie znajduje oparcia, ręce wachlują na boki, buty suną do przodu po posadzce, dłoń chwyta się deski, na której stoją odczynniki, pęka szkło, rozlewa się śmierdząca ciecz, głowa uderza o kant krzesła, odsuniętego dla żartu przez Karla Gienckego. Potem Mock widzi siebie walącego na oślep deską: jej czubek jak szpic zagłębia się w głowę Gienckego, struga krwi na szyi złośliwego ucznia. Giencke traci przytomność, Giencke w szpitalu, Giencke na wózku inwalidzkim, Giencke już chodzi, „jak ten Giencke śmiesznie chodzi!"

I przedtem chodził śmiesznie – pomyślał Mock, wsuwając nogi w skórzane kapcie – nic się nie zmieniło. Wyszedł z niszy w koszuli nocnej, na którą narzucił pikowany szlafrok. W ręku trzymał butelkę koniaku. Podniósł klapę w rogu pokoju i zszedł do dawnego sklepu rzeźniczego. Spojrzał na mosiężną kratkę odpływową, przykucnął koło niej i nasłuchiwał pisku szczurów. Niczego nie usłyszał. Następnie usiadł na ladzie i przyłożył do ust butelkę. Po kilku łykach obwiązał jej szyjkę sznurkiem i schował do rury ściekowej, którą przykrył kratką. Ojciec nie znajdzie butelki i jej nie wyleje. Potem wszedł po schodach na górę. Zamknął klapę, myśląc o szczurach, które czasami widział na parterze. Usiadł ciężko na łóżku i zgasił świecę. Był pewien, że zaraz opadnie go pijacki sen: mocny, gęsty i wolny od koszmarów. Dobrze, że nic mu nie powiedziałem o moich snach, mało przychylnie pomyślał o mądrych oczach doktora Kaznicza i zasnął. Jego przypuszczenia były słuszne. Nic mu się nie śniło.

2 IX 1919

Heureka! Chyba znalazłem wskazówkę operacyjną, której tak szukałem. Dzisiaj natrafiłem na bardzo ciekawy passus u Augsteinera. Jest to cytat z listu Pliniusza Młodszego. W gimnazjum czytaliśmy jeden list Pliniusza Młodszego – błahy, uroczy i wakacyjny. Było to pod koniec roku szkolnego, po całorocznej lekturze obezwładniająco trudnego i nudnego jak flaki z olejem Liwiusza. Ten list był dla nas wytchnieniem, jeśli jakikolwiek tekst łaciński może być wytchnieniem, a nie tylko – nieludzko doskonałą gimnastyką mózgu. Była to piękna opowieść o chłopcu pływającym na delfinie. Nie wiedziałem, że tenże Pliniusz pisał również o duchach. Przytoczmy najważniejsze fragmenty tego listu w moim topornym przekładzie:

„Był w Atenach dom duży i przestronny, lecz zgubny i okryty złą sławą. W ciszy nocnej rozlegał się, najpierw jakby z oddali, następnie coraz bliżej, szczęk żelaza – a jeślibyś dokładniej się wsłuchał – łoskot kajdan. Wkrótce potem ukazywała się zjawa: chudy starzec ze skołtunioną brodą i najeżonymi włosami, brudny i wycieńczony. Miał łańcuchy na rękach i kajdany na nogach. Idąc, potrząsał nimi.

Przerażeni mieszkańcy bezsennie spędzali straszne i ponure noce. Za bezsennością szła choroba, za wzrastającą wciąż trwogą – śmierć. Także we dnie, chociaż duch odchodził, pamięć o nim dręczyła domowników. Zdawało im się, że widmo ciągle jeszcze snuje się przed ich oczami – strach nękał ich dłużej niż jego przyczyna. Niezamieszkany zatem i skazany na opuszczenie dom oraz wszystko, co w nim było, stało się jakby własnością owego straszydła.

Budynek został wystawiony na sprzedaż – jeśli ktoś, nieświadomy tak wielkich nieszczęść, zechciałby go kupić lub wynająć.

Przybył w tym czasie do Aten filozof Atenodor, przeczytał zawiadomienie o kupnie lub wynajęciu. Zaintrygowany niską ceną o wszystko dokładnie się wypytał i poznawszy całą prawdę – niemniej, a może tym bardziej – wynajął tajemniczy dom.

Gdy zaczął zapadać zmierzch, rozkazał posłać sobie w przedniej części domu, zażądał tabliczek do pisania, rylca i światła. Swoją rodzinę zaś umieścił w wewnętrznych pomieszczeniach. Starał się zająć myśli, oczy i rękę wyłącznie pisaniem, po to, aby żadne widma, o których słyszał, oraz niepotrzebne lęki nie powstały w bezczynnym umyśle.

Na początku wszędzie panowała cisza, lecz niedługo dał się słyszeć szczęk łańcuchów i łoskot poruszanych kajdan. Filozof nie podniósł wzroku, nie odłożył rylca i pozostawał głuchy na hałasy. One zaś nasiliły się i słychać je było już na progu, już wewnątrz pokoju...

Spojrzał, zobaczył i rozpoznał widziadło, o którym mu opowiadano. Upiór stał i kiwał palcem tak, jakby chciał przywołać do siebie Atenodora. Ten jednak sięgnął znów po rylec i woskowe tabliczki. Tymczasem duch dalej brzęczał kajdanami już prawie nad głową piszącego filozofa. Atenodor znów spojrzał na niego – ów dawał takie same znaki jak wcześniej. Wstał zatem, uniósł świecę i podążył za widmem. Szło ono wolnym krokiem, wlokąc za sobą ciężkie łańcuchy. Skręciwszy na podwórze domu, nagle rozpłynęło się w powietrzu. – Atenodor został sam. Narwał trochę liści i trawy – oznaczył nimi miejsce, w którym znikła zjawa.

Następnego dnia poszedł do urzędu i zażądał, by rozkopano podwórze dokładnie w tym miejscu. Znaleziono oplecione łańcuchami kości – nagie i ogryzione. Tylko one zostały; ciało z biegiem czasu zgniło w ziemi. Szczątki zebrano i oficjalnie pogrzebano. Od tego wydarzenia duchy przestały – na szczęście – nękać ten dom".

Jaki wniosek płynie z lektury tekstu Pliniuszowego? Element duchowy w człowieku może zostać wyabstrahowany i potem percypowany poprzez nakaz powrotu, który musi zostać odpowiednio zaprogramowany. Może to jest sposób na przestrzenne uaktywnianie wiązek energii duchowej? Zobaczymy. Dokonałem eksperymentu, czas zweryfikuje jego wyniki. Jak to zrobiłem? Odizolowałem tego człowieka i zmusiłem go do pisemnego przyznania się do cudzołóstwa. Jest to dla niego straszne wyznanie, ponieważ jest on do szczętu przesiąknięty mieszczańską moralnością. Przyprowadziłem tego człowieka w wiadome miejsce późną nocą. Był zakneblowany i związany. Uwolniłem jego prawą dłoń. Przywiązałem go do krzesła. Wtedy jeszcze raz mu kazałem zdementować to, co wcześniej napisał, i obiecałem, że jak będzie mi posłuszny, to dam ten drugi list jego żonie. Gorączkowo coś nabazgrał. Zabrałem mu drugi, dementujący list i wsunąłem do kratki odpływowej. Widziałem jego wściekłość i ból. „Ja tu wrócę", mówiły jego oczy. Wtedy wyniosłem tego człowieka do powozu i pojechaliśmy. Potem go zabiłem i zostawiłem tam, gdzie niechybnie zostanie znaleziony. Jego duch wróci i skieruje uwagę mieszkańców ku kratce odpływowej.

Wrocław, środa 3 września 1919 roku,
godzina druga po południu

Lekarz chorób płciowych, doktor Cornelius Rühtgard, przyjmował pacjentów w środy w swoim pięciopokojowym mieszkaniu na Landsbergstrasse 8 przy Parku Południowym. Mieszkanie to zajmowało całe pierwsze piętro wolno stojącej kamienicy, jego okna wychodziły zatem na cztery strony świata. Za oknami jednej z dwu łazienek rozciągał się widok na park. Właśnie podziwiała go młoda kobieta, która po gruntownym badaniu wciągała na siebie *dessous* o bardzo długich nogawkach. Doktor Rühtgard siedział w gabinecie i zapisywał owej kobiecie salwarsal. Uśmiechał się pod nosem, wspominając jej żarliwe zapewnienia, że w ciągu ostatniego roku, czyli od momentu śmierci jej męża na wojnie, nie odbyła z nikim aktu płciowego. Stan jej zdrowia wskazywał wyraźnie na coś zupełnie innego, a termin ostatniego i fatalnego w skutkach oddania się wspomnianej czynności doktor Rühtgard mógł ustalić z dokładnością co do kilku dni. Udając, że wierzy w jej przysięgi, lekarz odprowadził ją do drzwi. Potem wrócił do gabinetu i wyjrzał na ulicę. Jego pacjentka podeszła do eleganckiego daimlera, parkującego pod latarnią. Nie wsiadła do samochodu, lecz wyraźnie podenerwowana tłumaczyła coś osobie siedzącej wewnątrz auta. Rühtgard wiedział, co będzie dalej, już prawie słyszał ryk wściekłości zarażonego i pisk opon ruszającego gwałtownie automobilu.

Usłyszałby ten dźwięk z całą pewnością, gdyby nie hałasy i fortepianowa kakofonia dochodzące z salonu, sąsiadującego z gabinetem. Otworzył gwałtownie drzwi do salonu i jego oczom ukazał się osobliwy widok. Przy fortepianie siedzieli jacyś dwaj młodzieńcy i walili na cztery ręce w delikatne klawisze, na których jego zmarła kilka lat temu żona malowała krystaliczne pejzaże *Wariacji Goldbergowskich* i wykonywała precyzyjne cięcia ze zbioru *Das wohltemperierte Klavier*. Przy fortepianie skakała objęta wpół przez jakiegoś draba córka doktora Rühtgarda, dziewiętnastoletnia Christel. I ona, i jej partner stroili głupie miny, z których wynikało, że barbarzyńskie akordy sprawiają im niewysłowioną przyjemność.

73

Rühtgard pociągnął nosem i poczuł woń potu, której nienawidził na równi z wszami dręczącymi go jeszcze przed rokiem na froncie wschodnim i z krętkami bladymi, które siały spustoszenie w ciałach jego pacjentów. Woń potu była mocno wyczuwalna i jej źródło szybko zlokalizował – ciemne plamy pod pachami jednego z grajków. Ci szybko zauważyli doktora i wstali, kłaniając się uprzejmie. Tancerz przerwał swe podrygi, skinął głową i strzelił z obcasów. Christel stała jeszcze uśmiechnięta i zaróżowiona od ruchu, który jedynie ślepiec mógłby nazwać tańcem. Doktor Rühtgard nie był ani ślepy, ani pozbawiony zmysłu powonienia. Toteż jego reakcja była gwałtowna.

– Co to za tańce Hotentotów? – krzyknął. – Co to za ryki dzikich zwierząt? Żegnam panów! Ale już!

– Papo, przepraszamy. – Christel była przestraszona jego gwałtowną reakcją. – Po prostu trochę się wygłupialiśmy...

– Milcz, proszę. – Doktor nie mógł oddychać. – I udaj się do swojego pokoju. A panów żegnam! Czy mam dwa razy powtarzać?

Młodzieńcy ulotnili się szybko w odróżnieniu od woni, którą wydzielali. Rühtgard otworzył okno i z ulgą zaczerpnął świeżego powietrza przesyconego zapachem późnego lata. Usiadł w fotelu i spojrzał na Christel. Była zupełnie niepodobna do jego żony. Córka nie miała tego ciepła, miękkości i kruchości, które tak kochał. Christel była buntownicza, wysportowana, kanciasta, silna i niezależna. Prawdopodobnie już zdeflorowana, pomyślał z bólem, wyobrażając ją sobie pod samcem o ostrym zapachu.

– Christel – powiedział najłagodniej, jak mógł – salon to nie cyrk. Jak mogłaś pozwolić tym śmierdzącym Hererom na niszczenie fortepianu, na którym grała twoja matka?

– A co by papa powiedział – prychnęła – gdyby jeden z tych dzikusów został papy zięciem?

Nie czekając na odpowiedź, wyszła do swojego pokoju, a Rühtgard zasępił się i zapalił cygaro. Rozejrzał się po salonie, by znaleźć ukojenie w pięknie swojego mieszkania, które z pełnym umeblowaniem wynajmował od roku za sporą sumę tysiąca marek miesięcznie. Pięć pokoi i dwie łazienki. Księgi sprzed stu lat. Obrazy z osiemnastego wieku. Tureckie dywany i arabskie kobierce. A wśród tych dzieł sztuki jego wysportowana, mleczna córka z tępym bykiem, który jedyne, co potrafi, to zwalić się pomiędzy jej rozłożone nogi. Rühtgard palił cygaro i przechadzał się po mieszkaniu. Musiał z kimś porozmawiać. Przypomniał sobie, że oprócz córki, służącej i niego samego ktoś jeszcze jest w drugiej łazience. Ktoś, do kogo ma pełne zaufanie. Zapukał do drzwi łazienki i – słysząc gromkie „proszę!" – wszedł do środka. W wannie, której dno wyłożone było prześcieradłem, leżał dobrze zbudowany brunet z papierosem w zębach. Był to asystent kryminalny Eberhard Mock.

Wrocław, środa 3 września 1919 roku,
godzina trzecia po południu

Mock i Rühtgard siedzieli przy szachownicy i snuli misterne strategie debiutu. Mock uniósł piona z e4 i postawił go na e6.

– Ty to masz dobrze, Ebi – mruknął Rühtgard, przesuwając piona z b7 na b5. – Po wczorajszym pijaństwie nie poszedłeś do pracy... I nic złego cię za to nie spotka...

– Byłem w pracy. Krócej niż zwykle. Przez pięć godzin poza rozmową z psychologiem nic nie robiłem. To się wiąże ze sprawą, którą prowadzę. – Mock się zasępił. – Nie będę o tym mówić. Powiedz mi – ożywił się nagle – czy to, z czym do ciebie przyszedłem, to coś groźnego? Czy złapałem coś od tej dziewczyny?

– Swędzenie bez żadnych dodatkowych symptomów – doktor uśmiechnął się – nic nie znaczy. Może być jedynie rozpaczliwym wołaniem o higienę.

– Gdybyś mieszkał tam, gdzie ja – Mock wprowadził w ruch skoczka – też nie składałbyś codziennie danin Hygiei.

– Ładnie powiedziane. – Rühtgard zmarszczył czoło. – A jak tam twoje ofiary dla Hypnosa?

– Źle sypiam – Mock stracił ochotę na mitologiczne żonglerki. – Mam koszmary. Dlatego piję albo zadaję się z ladacznicami. Kiedy jestem zalany, nie śni mi się nic. Kiedy jestem z jakąś dziwką, nie śpię w domu. A koszmary mam tylko w nim. Niestety, nie mogę się z niego wyprowadzić, bo ojciec nie chce. Tam mieszkają jego dwaj jedyni przyjaciele: emerytowany listonosz i pies listonosza.

– Przepraszam, że mieszam się w nie swoje sprawy, ale czemu nie poprosisz Franza, by choć na jakiś czas wziął ojca do siebie?

– Ojciec ma trudny charakter. Irmgard, żona Franza – jeszcze trudniejszy... Przecież ją znasz. Cicho i grzecznie wysysa krew z mojego brata. Franz pije, a mój dziesięcioletni bratanek, Erwin, ciągle choruje. To wszystko wyjaśnia.

– Tak, wszystko jasne. – Rühtgard zaatakował skoczka gońcem. – Wiesz co, Ebi? Myślałem o twoich koszmarach i przyszło mi do głowy proste rozwiązanie. Nie jedz kolacji i powstrzymaj się na jakiś czas od kobiet. Ja przestrzegam diety wegetariańskiej, nie jem w ogóle wieczorem i jestem wstrzemięźliwy seksualnie. Dziwisz się? W moim zawodzie to nietrudne. Widziałem trochę syfilitycznych łon. Poza tym jestem od ciebie o siedem lat starszy. Zobaczymy, czy będziesz takim ogierem w wieku lat czterdziestu trzech... Jeśli już mam jakieś sny, są to tylko przyjemne marzenia o treści erotycznej. A, jeszcze jedno... Nie będziesz musiał się martwić żadnym swędzeniem i moczyć się w mojej wannie.

Wiesz, ile płacę stróżowi za podgrzewanie wody? – Uśmiechnął się. – A teraz mów szczerze: ile zjadłeś wczoraj wieczorem?

– Dużo. – Mock zagroził gońcowi bocznym pionem. – Faktycznie dużo. Ale ja nie mogę zasnąć, kiedy jestem głodny.

– No to nie śpij. Nie będziesz miał koszmarów. – Medyk zamyślił się głęboko. – Tak czy inaczej, pozbędziesz się koszmarów sennych, kiedy zaczniesz inaczej żyć.

– Nie wierzę w to – Mock poczuł niepokój o swojego skoczka – że koszmary mam z przejedzenia...

– To nie jest kwestia wiary. – Rühtgard milczał dłuższą chwilę i zastanawiał się nad decydującym ciosem. – Udowodnię ci, ile może zdziałać właściwa dieta. Ale najpierw musisz sam uwierzyć, że koszmary senne mają początek w twych przeciążonych i ciężko pracujących jelitach. Przekonam cię o tym, jeśli będziesz mi posłuszny. – Zadał decydujący mocny cios. – Poddajesz się czy jeszcze walczysz?

– Mówisz o szachach czy o twojej terapii głodówkowej?

– O jednym i drugim.

Mockowi nie chciało się grać i na znak poddania położył króla na szachownicy.

*Wrocław, środa 3 września 1919 roku,
godzina dziesiąta wieczorem*

W sali tanecznej hotelu „Król Węgierski" w jednym z dyskretnych *separés* ober zbierał ogromne zamówienie. Składał je szpakowaty elegancki mężczyzna, którego szczupła sylwetka mogłaby wskazywać na zupełnie inne upodobania żywieniowe niż te, które ober zapisywał w swoim służbowym notesie. Drugi mężczyzna – milczący i młodszy o kilka lat od zamawiającego – kiwał głową, akceptując kulinarne decyzje swojego towarzysza.

– Tak, jak ci mówiłem, Eberhardzie – powiedział zamawiający, odprawiając kelnera niedbałym gestem. – Najpierw część bolesna terapii. Wiesz, jak odzwyczaja się młodocianych palaczy od nałogu? Każe się im wciągnąć dym do płuc i zakaszleć. Spróbuj to zrobić, no spróbuj...

Eberhard zaciągnął się papierosem i zakaszlał. Poczuł ból w płucach, a do ust napłynęła mu gorzka żółć. Oddychał przez dłuższą chwilę zadymionym powietrzem, a papieros dopalał się w wielkiej popielnicy. Orkiestra grała fokstrota, na parkiecie dwie zgrabne fordanserki tańczyły same ze sobą, migały żarówki dokoła sceny, a samotni i podstarzali mężczyźni kolejnymi kieliszkami wyzwalali w sobie odwagę do tańca i do rozpusty. Spoza zasuniętych kotar lóż dochodziły chichoty i posapywania – „pewnie damy wciągają nosem biały proszek", powiedział kelner do kelnera. W loży Eberharda rozlegał się charkot – „pewnie się dusi jakiś astmatyk", odparł kelner kelnerowi.

– Daj spokój, Cornelius – wystękał Eberhard. – Ale mnie urządziłeś...

– W ten sposób poczułeś wstrętny smak tytoniu – powiedział Cornelius, przyglądając się fordanserkom. – Ale nie ten nałóg chcemy u ciebie zniszczyć... Chcemy wyeliminować u ciebie nałóg kolacyjny, wieczorne pochłanianie gór mięsa... Dzisiaj doświadczysz na własnej skórze, a właściwie na własnej wątrobie strasznych skutków obżarstwa. Twój mózg odbierze sygnały od utrudzonych trzewi i odpowie tym, czym może cię skarcić – sennym koszmarem... Mock, jesteś teraz głodny?

– Jestem wściekle głodny. – Mock włożył dłoń do popielnicy i wcisnął niedopałek w kupkę sypkiego popiołu. – Zrobiłem tak, jak kazałeś. Nie jadłem nic od popołudniowej kawy i ciastek u ciebie.

- No to jedz teraz do woli, do syta. - Cornelius obserwował, jak kelner zastawia stół przekąskami. - Przypomnij sobie nasze rozmowy w okopach pod Dyneburgiem. Nie rozmawialiśmy wtedy o niczym innym... Tylko o jedzeniu... O kobietach nie mieliśmy odwagi... Nie znaliśmy się jeszcze tak dobrze. - Cornelius ujął za smukłą szyjkę litrową karafkę wódki i napełnił kieliszki. - Godzinami potrafiłeś opisywać śląskie rolady, ja odwzajemniałem się charakterystyką flądry po krzyżacku, która tak smakowała średniowiecznym rycerzom.

Mock wlał w siebie piekący strumień cytrynówki Krsinsika i zanurzył nóż w gruby sześcian masła przystrojony gałązkami pietruszki. Posmarował nim kromkę pszennego chleba, po czym wdarł się widelcem w delikatne wnętrze galaretki z nóżek. Prostopadłościenne i romboidalne bryły galarety, w których zastygły ósemki jajka, ząbki czosnku i pasma wieprzowiny, ginęły w ustach Mocka. Kiedy przełknął, dotknął widelcem krawędzi obu pustych kieliszków, wywołując szlachetny dźwięk.

- Zack, zack - powiedział Mock, patrząc na oleistą konsystencję zamrożonej, nalewanej przez siebie cytrynówki - twoje zdrowie Rühtgard. Zdrowie fundatora.

Potem opróżnił kieliszek, trzymając go za kruchą stopkę, i zabrał się do smażonych śledzi leżących na podłużnym półmisku w kałuży octowej marynaty. Z radością rozgniatał zębami ich płaty, ciesząc się z tego, że rozmiękłe od octu ości są giętkie i nieszkodliwe.

- Tak było - dwie setki wódki wyraźnie zaznaczyły się w głosie Rühtgarda. - O kobietach rozmawialiśmy znacznie później. Kiedy już się nie wstydziliśmy własnych uczuć. Kiedy...

- Poznaliśmy, czym jest przyjaźń. - Mock zaskrzypiał widelcem o pusty półmisek i rozparł się wygodnie na kanapie. - Kiedy zrozumieliśmy, że w świecie szrapneli, odłamków, robactwa tylko ona ma sens. Nie ojczyzna, nie zdobywanie kolejnych przyczółków *barbaricum*, lecz koleżeństwo...

– Nie bądź taki patetyczny, Mock, mój stary kamracie.

– Rühtgard uśmiechnął się na widok dwóch kelnerów, którzy ustawiali na stole srebrne półmiski przykryte kopułami ozdobionymi dwugłowym orłem austriackim. – Patrz – tu podniósł przykrycie i najwyraźniej miał zamiar nasadzić je sobie na głowę – takie nosiliśmy hełmy...

Mock roześmiał się donośnie, widząc, jak gorąca, ściekająca spod przykrycia kropla tłuszczu toczy się na kark Rühtgarda. Kiedy ten uderzył się gwałtownie w to miejsce, jak po ugryzieniu komara, Mock napełnił puste kieliszki, zwiększając stopniowo odległość pomiędzy butelką a naczyniem. Ostatnie krople wpadły do kieliszka z odległości niemal dziesięciu centymetrów.

– Patos to najgorsze tło tego, co przeżyliśmy w ciągu tych dwóch lat. – Rühtgard wstał i zasunął kotary w ich loży. – Tło fałszywe. Przyjaźń i koleżeństwo nie rodzą się w obliczu śmierci. Wtedy nie ma przyjaciół. Każdy stoi sam przed śmiercią i śmierdzi ze strachu. Nasze koleżeństwo cementowało się w codziennym upokorzeniu, w codziennej pogardzie, jakiej doświadczaliśmy. Wiesz, kiedy to zrozumiałem?

– Kiedy? – zapytał Mock, podnosząc pokrywy półmisków.

– Kiedy musieliśmy srać na rozkaz. – Rühtgard przerwał, by stuknąć się z Mockiem i przełknąć gryzący płyn. Jego przełyk podołał temu z trudem. – Przychodził kapitan Mantzelmann i kazał jednocześnie srać całemu plutonowi. Nawet mnie, sanitariuszowi. Wtedy, kiedy on decydował, był czas na sranie. Kucaliśmy w okopach, a lodowaty wiatr siekł nas po tyłkach. Mantzelmann wyznaczał czas srania. Szkoda, że nie wyznaczył nam czasu umierania. Mock, do jasnej cholery! – krzyknął. – Tylko nas dwóch jest na tym świecie! Ty i ja!

– Cicho, nie pij więcej. – Mock zawiązał pod szyją wykrochmaloną serwetę. – Nie jesz kolacji, to nie możesz dużo pić. Trzy setki w zupełności wystarczą.

Na talerzu Mocka wylądowały cztery zarumienione szyje gęsie. Pokroił ten specjał w plastry, a następnie poukładał je na chrupiących talarkach ziemniaków. W otoczce gęsiej skóry zamknięty był farsz z cebuli, wątróbki i gęsiego smalcu. Mock nałożył na te piramidy miękkie pierścienie duszonej cebuli i przypuścił zmasowany atak. Jadł powoli i metodycznie. Najpierw zanurzał sztućce w półmisku, w którym grube kawały pieczeni wieprzowej pływały w gęstym zawiesistym sosie podbitym mąką i śmietaną. Na nabity na widelec kawałek pieczeni nakładał ziemniaczano-drobiowy pagórek. Po pochłonięciu tej skomplikowanej kompozycji nasuwał na widelec, jak na szuflę, warstwę kapusty zasmażanej ze skwarkami. Talerze powoli pustoszały.

– O kobietach rozmawialiśmy później. – Rühtgard zapalił papierosa. – Kiedy Ruscy zaczynali śpiewać swoje dumki. Wtedy my wpatrywaliśmy się w rozgwieżdżone niebo i każdy z nas myślał o ciepłych kobiecych ciałach, o miękkich piersiach, o gładkich udach...

– Corneliusie, przestań fantazjować. – Mock odsunął puste talerze, zapalił papierosa i lunął z karafki kolejne dwa strzały. – Opowiadaliśmy sobie nie o kobietach, lecz o kobiecie. Każdy z nas o jednej kobiecie. Ja opowiadałem ci o swoim romantycznym ideale, o tajemniczej, rudowłosej i nieznanej Lorelei z królewieckiego szpitala, ty natomiast mówiłeś tylko o...

– Mojej córce, Christel. – Rühtgard wypił, nie czekając na Mocka. – O mojej małej księżniczce Christel, która teraz kokietuje mężczyzn, która rozsiewa wokół siebie zapach rui...

– Daj spokój. – Mock teraz poczuł dotkliwe pragnienie. Odsunął kotarę, aby przywołać kelnera z pienistym kuflem.

– Twoja mała księżniczka jest już dorosłą panną i powinna wyjść za mąż.

Rühtgard zrzucił marynarkę, a następnie zaczął rozpinać kamizelkę.

– Mock, bracie! – krzyknął. – Nasza przyjaźń jest jak przyjaźń Patroklosa i Achillesa! Zamieńmy się na kamizelki jak bohaterowie Homerowi na zbroje!

Mówiąc to, Rühtgard zrzucił kamizelkę i ciężko usiadł. Po chwili spłynął nań sen czarny, brat śmierci. Mock wyszedł z loży i zaczął rozglądać się za kelnerem. Zamiast niego ujrzał pijany uśmiech dziewczyny o semickiej urodzie, która kołysała się na parkiecie – samotna, z torebką wiszącą na szyi. Widział też rozlaną wódkę, poplamione obrusy, biały pył kokainy, zauważył jakiegoś żołnierza, który pod szynelem chował ulotki, widział swojego przyjaciela, doktora Rühtgarda, który niegdyś w mieście nad Pregołą uratował mu życie. Strzelił z palców i pojawił się młody kelner.

– Bądź tak dobry – Mock z trudem wypowiadał sylaby i przerzucał banknoty w pugilaresie – i sprowadź dorożkę dla mnie i dla mojego przyjaciela... A potem pomóż mi go tam zanieść...

– Nie mogę tego uczynić, wielmożny panie – powiedział chłopak, chowając do kieszeni banknot dziesięciomarkowy – ponieważ nasz dyrektor, pan Bilkowsky, nie pozwala wynajmować fiakrów. Ich konie zanieczyszczają chodnik przed lokalem. Dla ważnych gości – a do takich należy szanowny pan, już drugi raz widzę szanownego pana, wczoraj i dzisiaj, i jego przyjaciel – sprowadzamy automobil... Właśnie niedawno szofer przyjechał pod nasz lokal i chyba wciąż jest wolny...

Młody kelner zniknął. Mock wrócił do *separé*, zapłacił za kolację oberowi, a potem długo zawiązywał trzewiki, w której to czynności bardzo mu przeszkadzał brzuch wydęty przez ciężkostrawne specjały. Sapiąc i ciężko dysząc, odtransportował doktora Rühtgarda do pięknego opla, którego dach ozdabiała chorągiewka z austriackim orłem i nazwą hotelu „Król Węgierski". Automobil ruszył przez miasto. Noc była ciepła. Wrocławianie szykowali się do snu. Tylko jeden z nich szykował się do spotkania z upiorami.

Wrocław, czwartek 4 września 1919 roku,
godzina druga w nocy

Wiatr wydymał firankę w otwartym oknie. Mock siedział przy stole i przysłuchiwał się pochrapywaniu ojca. Za oknem, na kwadratowym podwórku snop światła z gazowej latarni oświetlał pompę, przy której stała służąca pastora Gerdsa i przeciągała się leniwie, wpatrując się z uśmiechem w okno Mocka. Potem pogłaskała ramię pompy i przylgnęła do niego całym ciałem. Pompa zagrała wśród nocy zardzewiałą pieśń. Woda lała się do wiaderka, a służąca pastora uśmiechała się nadal do okna Mocka, huśtając się na dźwigni ramienia. Kiedy wiaderko było już pełne, zsunęła się niżej i ukucnęła, trzymając się rękami górnej części ramienia pompy. Koszula nocna napięła się na jej pośladkach. Spomiędzy nich wystawał uchwyt pompy. Raz jeszcze zerknęła z uśmiechem w okno asystenta kryminalnego, wzięła wiaderko i ruszyła w stronę bramy przelotowej. Mock nasłuchiwał. Wiaderko stuknęło o oszkloną witrynę dawnego sklepu rzeźniczego. Dzwonek brzęknął bardzo delikatnie. Na schodach Mock usłyszał lekkie kroki. Wstał i przyjrzał się śpiącemu twardo ojcu. Potem cicho

83

wszedł do swej niszy sypialnej, położył się na łóżku i zadarł koszulę nocną aż na pierś. Czekał w napięciu. Zaskrzypiała klapa w podłodze. Czekał. Skrzydło okna, targnięte wiatrem, uderzyło o ścianę. Huk. Klapa w rogu pokoju uderzyła głucho o podłogę. Ojciec mruknął coś przez sen. Mock wstał, aby zamknąć okno, i wtedy usłyszał to, czego się obawiał. Ze schodów spadało blaszane wiadro. Każdy stopień wydobywał z niego przenikliwy dźwięk. Puste wiadro zazgrzytało na płytkach piaskowca i wpadło w kałużę.

– Musisz się tak tłuc, do jasnej cholery? – Ojciec otworzył oczy i natychmiast je zamknął. Przewrócił się na drugi bok i zachrapał.

Mock skulił się, aby ukryć swe podniecenie, okrył się na powrót koszulą nocną i – idąc na palcach – podszedł do klapy. Wiedział, jak ją otwierać, żeby nie skrzypiała. Tyle razy to robił, kiedy wracał pijany i nie chciał wysłuchiwać ojcowskiego: „chlejesz i chlejesz". Uchylił klapę i spojrzał w czeluść rzeźniczego sklepu. Lekkie kroki na schodach. Z czarnego kwadratu wyłoniła się głowa i szyja. Resztki wypomadowanych włosów ułożone były w misterny lok. Szyję oplatała łuskowata egzema. Głowa odchyliła się do tyłu, aby ukazać zastygłą czerwoną ławę, która wypłynęła z oczu. Usta otworzyły się i wypluły bańkę krwi. Za nią pojawiły się inne i pękały bezgłośnie. Dyrektor Julius Wohsedt wyglądał o wiele mniej korzystnie niż podczas chrzcin statku „Wodan".

Mock odsunął się gwałtownie od klapy i potknął o koszyk z drewnem. Machając rękami, zrzucił butlę nafty.

– Ebi, obudź się do cholery! – Ojciec potrząsał jego ramieniem. – Patrz, co zrobiłeś!

Eberhard rozejrzał się dokoła. Siedział wśród skorup rozbitej butli. Na nogach i pośladkach czuł pieczenie kilku ranek. Na powierzchni nafty wiły się nitki jego krwi. Klapa była zamknięta.

– Chyba jestem lunatykiem, ojcze – wychrypiał, wyrzucając z siebie woń czterech setek wódki.

– Chleje i chleje. – Stary machnął ręką i poczłapał do łóżka. – Posprzątaj to, bo śmierdzi i nie da mi spać. Trzeba będzie wietrzyć. – Otworzył okno i spojrzał w niebo. – Jesteś pijakiem, a nie lunatykiem. Dzisiaj nie ma księżyca, idioto. – Ziewnął i wlazł w ciepły schron kołdry.

Mock wstał, zdjął wiszącą na ścianie apteczkę, którą jego ojciec własnoręcznie skonstruował, wprowadzając się do tego mieszkania. „Żeby nie przyczepił się żaden inspektor – argumentował wtedy stary. – Każdy warsztat powinien mieć apteczkę. Tak mówi prawo pracy". Wbijając gwoździki w jasne deski, nie chciał nawet słyszeć, że to mieszkanie nie jest warsztatem rzemieślniczym, a on sam już dawno nie jest szewcem.

Mock pozbierał odłamki butli, zdjął koszulę nocną i wytarł nią podłogę. Nagle poczuł przenikliwe zimno. Nic dziwnego – pomyślał – przecież jestem nagi. Narzucił na siebie stary płaszcz, który mu służył podczas zimowych wyjść do wychodka, z kuchni wziął świecę wtopioną w żelazny lichtarz i otworzył klapę. Poczuł mrowienie na plecach. W słabej poświacie stojącej przed sklepem latarni widział stopnie schodów. Pusto i ciemno. Przeklinając pod nosem własną bojaźliwość, oświetlał sobie drogę świeczką. Na dole nie było ani wiadra, ani śladu rozlanej wody. Mock ukucnął i przyjrzał się kratce odpływowej w podłodze. Nasłuchiwał szczurzych pisków. Nic. Cicho. Po ścianie przesunął się cień. Mock poczuł przypływ adrenaliny, zjeżyły mu się włosy i zaczął się pocić. Przez Plesserstrasse przeszedł listonosz Dosche ze swoim psem o rozregulowanych kiszkach. Mock poczuł podmuch zimnego wiatru. Nagle przypomniał sobie własną babkę Hildegardę, która w puchowej pierzynie upatrywała remedium na wszystko. W wypucowanej kuchni w Wałbrzychu otulała pierzyną małego Franza i małego Eberharda, mówiąc: „Schowajcie głowy pod pierzynę. W pokoju zimno. A tam, gdzie zimno, są złe duchy. To znak od nich".

Mock usiadł na ladzie i otworzył apteczkę. Zwilżył kawałek waty wodą utlenioną i przy wątłym świetle świecy wytarł nią trzy ranki na swym udzie i pośladku. Potem wstał i zbliżył się do kratki odpływowej. Podważył paznokciem jedną z płytek i przesunął ją, odsłaniając kwadratową dziurę. Mock znał remedium na wszystko – na złe duchy i na zimno. To remedium chował pod płytką. Poczuł w dłoni znajomy kształt płaskiej butelki. Wyciągnął ją, nie używając świecy, która dopalała się na ladzie. Tę czynność potrafił wykonać nawet po ciemku. W dziurze usłyszał szelest. Czyżby szczur?, przemknęło mu przez myśl. Podniósł lichtarz. W głębi tkwił pognieciony papier. Kartka w kratkę, wydarta z zeszytu od matematyki. Podniósł ją w kierunku płomienia. Zaczął czytać. Były rzeczy na tym świecie, na które Mock nie znał lekarstwa.

Wrocław, czwartek 4 września 1919 roku, godzina czwarta rano

Mock siedział obok Smolorza w dwuosobowym, zadaszonym gigu, zrobionym przed laty na zamówienie policji w fabryce powozów Hermanna Lewina, i błogosławił solidność robotników budowlanych kładących bruk na Kaiser-Wilhelm-Strasse. Dzięki ich dobrze wykonanej pracy nie musiał trzymać się za brzuch i przeklinać swojego obżarstwa, jak to robił od godziny – od momentu kiedy po znalezieniu listu Juliusa Wohsedta w kratce odpływowej dawnego sklepu Eduarda Mocka na wpół ubrany wybiegł na ulicę i złapał dorożkę. Wypite w nocy cztery setki wódki zostały zneutralizowane przez góry tłustego jadła i nie powinny – w zaprawionym w alkoholowych bojach ciele Mocka – burzyć się i pienić. A jednak dały znać o sobie, kiedy fiakier pędził wyboistymi ulicami Księża Małego, gwałtownie skręcał, hamował i kiedy w końcu stanął na dobre, ponieważ stara szkapa poślizgnęła się na mokrej kostce brukowej i upadając, złamała dyszel. Mock, przeżywając żołądkowe katusze, dotarł w końcu do komisariatu XV rewiru przy Ofenerstrasse 30, zadzwonił do adwokata, pana Maxa Grötzschla, który, przeklinając nocne telefony, zszedł kilka pięter niżej, by przekazać wiadomość swojemu sąsiadowi Kurtowi Smolorzowi. Mock pożyczył z komisariatu służbowy bicykl, na którym zawiózł swój wypełniony ołowiem brzuch na Schuhbrücke, do Prezydium Policji. Tam na koźle dwuosobowej szybkiej bryczki stojącej na dziedzińcu czekał na niego woźnica, Kurt Smolorz.

W ciągu tych dwóch nocnych godzin Mock nie miał czasu, by jeszcze raz przeczytać list, który znalazł w kanalizacji swego domu. Ręce miał albo zajęte roztrzęsionym brzuchem, albo kierownicą bicykla. Teraz, kiedy Smolorz bardzo umiejętnie powoził po zroszonych ciepłym deszczem kostkach bruku, Mock mógł jeszcze raz przeczytać osobliwy tekst.

„Do Eleonore Wohsedt, Schenkendorfstrasse 3. Ta świnia ma na głowie kaptur kata" – Mock podniósł kartkę do oczu i z trudem odczytywał pospieszne bazgroły. Zadania nie ułatwiały mu pasy światła i cienia przesuwające się po kartce, kiedy powóz mijał latarnie stojące wokół Kaiser-Wilhelm-Platz. „Nie poznałbym go. Torturował mnie. Zmusił, abym się przyznał, że jestem cudzołożnikiem. To nieprawda, moja droga żono, Eleonoro. List, który od niego dostaniesz, był wymuszony. Nie mam i nigdy nie miałem kochanki. Kocham tylko Ciebie. Julius Wohsedt".

Zbliżali się do skrzyżowania z Kürassierstrasse. Po obu jej stronach biegły szerokie jezdnie, a między nimi był chodnik obsadzony z obu stron klonami i platanami. Ten rodzaj arteryj komunikacyjnych wylągł się w zmilitaryzowanych umysłach niemieckich architektów, którzy ów pas zieleni zaprojektowali z myślą o konnych przejażdżkach oficerów. Właśnie taki potężnie zbudowany jeździec w mundurze kirasjerów jechał przez ulicę poświęconą jego formacji. Z wyraźną złością przepuścił rozpędzoną bryczkę, rzucając Mockowi nieprzyjazne spojrzenie. Mock jednak tego nie dostrzegł, ponieważ był zbyt zajęty obserwacją grupki pijaków, którzy wysypali się z knajpy ukrytej w podwórzu za farbiarnią Kellinga. Kilku mężczyzn przypatrywało się bójce dwóch kobiet, które okładały się torebkami. Mock kazał Smolorzowi zatrzymać się. Kobiety przestały się bić i spojrzały na policjantów. Ironicznie i wyzywająco. Przez warstwę pudru pokrywającą twarz jednej z nich wykłuwały się igły porannego zarostu. Mock machnął ręką i kazał Smolorzowi jechać dalej, by po skręcie w prawo, w Schenkendorfstrasse, zarządzić postój. Smolorz przywiązał lejce do latarni i zadzwonił. Niepotrzebnie. W wielkim rozświetlonym elektrycznością domu nikt nie spał. A z całą pewnością nie spała pani Eleonora Wohsedt. Otulona kraciastym pledem stała w towarzystwie dwóch służących przed wejściem i wpatrywała się bezradnie we wchodzących po schodach policjantów. Kamerdynerzy byli gotowi do odparcia ataku. W oczach mieli życzliwość kobry. Pani Wohsedt cała się trzęsła. W wełnianym kocu i bez sztucznej szczęki wyglądała na przekupkę, która zaraz zacznie przytupywać, by odpędzić zimno. Wrześniowy poranek był chłodny i krystaliczny.

– Policja kryminalna. – Mock podsunął pani Wohsedt legitymację pod nos i wpatrywał się przez kilka sekund w łagodniejące oblicza służących. – Asystent Mock i wachmistrz Smolorz.

– Tak czułam. Wiedziałam, że panowie przyjdą. Stoję tak od dwóch dni i czekam na niego – powiedziała pani Wohsedt i rozpłakała się. Cicho i obficie. Jej potężne i miękkie ciało wtórowało oczom. Pociągając nosem, zgarniała palcami łzy i wcierała je w skórę skroni. W głowie Mocka pojawiła się nagle myśl, która była tak obrzydliwa i absurdalna, że poczuł wstręt do samego siebie. Szybko ją wyparł.

– Czemu nie zgłosiła pani zaginięcia męża, jeśli zniknął przedwczoraj? Dokąd mógł pójść? – Mockowi wciąż ta obrzydliwa myśl nie dawała spokoju.

– On czasami nie wracał. Wychodził wieczorem na spacer z naszą suczką i jechał z nią do stoczni. Pracował w biurze przez całą noc i przychodził do domu na obiad następnego dnia. Przedwczoraj wyszedł na spacer z psem – alt obniżył się do szeptu – około szóstej po południu. I nie wrócił na obiad...

– Jakiej rasy jest pies? – zapytał Smolorz.

– Bokserka. – Pani Wohsedt ścierała ostatnie łzy.

Mock wyobraził sobie scenę: mała dziewczynka bawi się z dwiema suczkami bokserkami, a za przepierzeniem na żelaznym łóżku igrają ze sobą pokryci egzemą ludzie – tłusty, trójfałdzisty kark Wohsedta spoczywa między kształtnymi piersiami Johanny.

– Czy to jest pismo pani męża? – Mock pokazał jej kartkę, którą znalazł w ścieku. Teraz spoczywała ona między arkuszami przezroczystej sztywnej kalki. – Niech pani przeczyta, tylko proszę dotykać kartki przez kalkę.

Pani Wohsedt włożyła okulary i zaczęła czytać, poruszając zapadniętymi ustami. Po chwili jej oblicze rozjaśniło się.

– Tak, to jego pismo – powiedziała cicho i nagle krzyknęła z radością: – Ja mu ufałam! Ja mu ufałam i nie zawiodłam się! Więc to, co napisał w tamtym liście, to nieprawda...

– W jakim liście? – zapytał Mock.

– W tym, co dostałam dzisiaj. – Pani Wohsedt zaczęła się kręcić w kółko. – To nieprawda, nieprawda...

– Proszę się uspokoić. – Mock chwycił ją za ramiona i spojrzał groźnie na kamerdynerów gotowych do skoku.

– W tym, w tym. – Wyjęła spod pledu kopertę, wyrwała się z rąk Mocka i dalej wirowała w tańcu radości. Na jej szyi odsłoniła się łuskowata egzema.

– Macie rękawiczki, Smolorz – Mock zapalił pierwszego dzisiaj papierosa – to weźcie ten list od pani Wohsedt i głośno przeczytajcie.

– „Moja droga żono – Smolorz uczynił, co mu kazano. – Mam kochankę, którą utrzymuję. Mieszka ona na Reuscherstrasse..."

– „List, który od niego dostaniesz, był wymuszony – głos pani Wohsedt przechodził w śpiew. – Nie mam i nigdy nie miałem kochanki. Kocham tylko Ciebie. Julius Wohsedt".

– „Możesz to łatwo sprawdzić – czytał dalej Smolorz. – Ma egzemę taką jak ja. Julius Wohsedt".

– Kiedy pani dostała ten list? – zapytał Mock.

– Około ósmej. – Usta pani Wohsedt wykrzywiły się w podkówkę. Najwyraźniej doszła do passusu o torturach. – Czekałam na Juliusa na tarasie. Niepokoiłam się, że jeszcze go nie ma.

– Przyszedł listonosz i dał pani list?

– Nie, do parkanu zbliżył się jakiś obdartus na bicyklu. To on rzucił kopertę na ścieżkę. Potem szybko odjechał.

– Panie Mock – Smolorz nie pozwolił szefowi zadać pytania o wygląd „obdartusa". – Tu jest coś jeszcze...

90

Mock spojrzał na pokratkowaną kartkę papieru. Przesunął czubkiem języka po szorstkim podniebieniu i poczuł silne pragnienie. Z jego organizmu uwalniały się lekkie opary alkoholu, głowa wciągała ciężkie kwasy kaca.

– Umiecie mówić, Smolorz? – zasyczał Mock. – Po cholerę mi to pokazujecie? Przecież przed chwilą to przeczytaliście.

– Nie wszystko. – Jasna i piegowata twarz Smolorza zaróżowiła się. – Na odwrocie coś jeszcze...

– No to czytajcie to, do cholery!

– „Błogosławieni, którzy nie widzieli, a uwierzyli. Mock, przyznaj się do błędu, przyznaj, że uwierzyłeś. Jeśli nie chcesz zobaczyć więcej wyłupanych oczu, przyznaj się do błędu". – Smolorz spurpurowiał. – Jest tu jeszcze dopisek: „Park Południowy".

– A nie mówiłam, a nie mówiłam – pani Wohsedt wydobywała wysokie śpiewne dźwięki. – Przecież mówiłam panom, że wyszedł z psem do Parku Południowego...

– Długo już spaceruje – mruknął Smolorz, a Mock zaczął wypierać z całych sił obrzydliwą myśl, która zaświtała mu w głowie.

Wyszli z domu dyrektora portu i zajęli miejsca w bryczce. Kiedy ruszyli w stronę Kaiser-Wilhelm-Strasse, Smolorz powiedział do Mocka:

– Może to głupie, panie Mock, ale nie dziwota, że dyrektor miał inną.

Mock milczał i nawet sam przed sobą nie chciał się przyznać, że oto została zwerbalizowana owa obrzydliwa myśl, która dręczyła go od momentu, kiedy ujrzał panią Wohsedt.

Wrocław, czwartek 4 września 1919 roku,
godzina piąta rano

W Parku Południowym było o tej porze zupełnie pusto. W alejce prowadzącej od strony Kaiser-Wilhelm-Strasse pojawiła się kobieca postać w długiej sukni. Obok niej dreptał i szarpał się na boki duży pies. Zimny, bladoróżowy blask bogini Eos wyostrzył obraz: głowę kobiety okrywał czepek, a jej ciało nie sukienka, lecz długi płaszcz, spod którego wymykały się troczki nocnej koszuli. Szła żwawym krokiem, nie pozwalając psu zatrzymać się na dłużej i zrealizować podstawowego celu, jaki mu przyświecał podczas porannych spacerów. Minęła staw i przebiegła w podskokach po kładce. Jej ruchy przyśpieszył widok stojącego pod drzewem mężczyzny w kaszkiecie. Przypadła do niego i rzuciła mu się w ramiona. Pozostawiony sam sobie brodacz monachijski z ulgą przyjął decyzję swej pani. Mężczyzna podkręcił wąsa, odwrócił kobietę i podciągnął jej nocną koszulę. Kobieta pochyliła się, oparła się rękami o drzewo i z ulgą stwierdziła, że nie pali się żadne światło w ogromnym budynku hotelu i restauracji „Park Południowy". Nagle pies warknął. Człowiek w kaszkiecie przerwał rozpinanie spodni i rozejrzał się dookoła.

Około pięćdziesięciu metrów od nich przedzierało się przez krzaki dwóch mężczyzn. Obaj mieli meloniki na głowach i papierosy w zębach. Niższy przystawał co chwila, chwytał się dłońmi za brzuch i stękał głośno.

– Cicho, Bert – szepnęła kobieta i pogłaskała psa. Bert warczał cicho i obserwował dwóch ludzi, którzy strząsali ze swych ubrań grube krople rosy.

Niższy zdjął melonik i otarł pot z czoła. Szli dalej w stronę stawu, na którym pojawiły się tłuste łabędzie. Nagle niższy przystanął i powiedział coś głośno, a kobieta zrozumiała to jako: „o cholera!", a jej partner: „o kurwa!". Stękający

92

mężczyzna podał melonik i płaszcz wyższemu, po czym – przyciskając mocno udo do uda – wdarł się między krzaki i ukucnął. Niespełniony kochanek postanowił kontynuować odwieczną czynność ludzkości, ale jego partnerka była odmiennego zdania. Przywiązała psa do drzewa, a potem schowała się za nim. Wychylając nieco głowę, obserwowała z niepokojem kucającego mężczyznę. Ten przesunął palcami po policzku, potem uważnie się im przyjrzał, a następnie swój wzrok wzniósł w górę. Jeszcze raz wyrzucił z siebie to słowo, które służąca i jej amant tak odmiennie percypowali, lecz jego głos był teraz wzmocniony przerażeniem. W koronie starego platanu kołysał się powieszony za nogi człowiek. Pies zaskowyczał, kobieta krzyknęła, a jej partner zobaczył przed nosem pistolet trzymany przez piegowatą dłoń pokrytą rudymi włoskami. Poranna schadzka zakończyła się kompletną klapą.

Wrocław, czwartek 4 września 1919 roku,
godzina wpół do szóstej rano

Mock dobrze znał prawe skrzydło gmachu restauracji „Park Południowy". W skrzydle tym mieścił się hotel, w którym dwa pokoje były zawsze zarezerwowane. Kiedy niecały rok temu wraz z Corneliusem Rühtgardem zostali – ku swojemu szczeremu zadowoleniu – wysłani polskim pociągiem do Warszawy, gdzie Polacy ich rozbroili, obaj poczuli pomyślny wiatr w plecach i ruszyli przez Łódź i Poznań do śląskiej metropolii, która – jak zapewniał Mock – ma się do Królewca tak, jak tłusty karp do suchego dorsza. Po przybyciu do Wrocławia obaj zakwaterowali się u Franza, brata Mocka, i jeszcze tego samego dnia wszyscy odwiedzili restaurację „Park Południowy". Siedzieli nad stawem przy kamiennych schodkach prowadzących do wody.

Jesienne słońce było wyjątkowo silne. Rozmowa się nie kleiła, ponieważ przerywał ją co chwila ośmioletni bratanek Mocka, Erwin, którego szybko znudziły i opowieści wojenne stryja, i karmienie obojętnych łabędzi. Wszyscy udawali zmartwienie przegraną wojną, lecz w rzeczywistości myśleli o swoich sprawach: Franz o oziębłej żonie, Irmgard o skłonnościach małego Erwina do płaczu i melancholii, Erwin o pistolecie, który, jak sądził, był ukryty w nierozpakowanym plecaku stryja, Rühtgard o swej córce Christel, która w tym roku zdawała maturę na hamburskiej pensji dla dobrze urodzonych panien i którą miał sprowadzić do Wrocławia, a Eberhard Mock – o swej umierającej w Wałbrzychu matce, obok której siedział stary szewc, Willibald Mock, i starał się robić wszystko, by jego żona nie dostrzegła łez płynących w bruzdach jego twarzy. Franzowie pożegnali się szybko i ruszyli na pobliską pętlę tramwajową. Mock i Rühtgard siedzieli w milczeniu. Prysł gdzieś nastrój wesołego korowodu przez eleganckie knajpy Warszawy, pachnące cebulą łódzkie spelunki i zaparowane restauracje Poznania. Kiedy przechylali drugi tego dnia kufel piwa, podszedł do nich obdarzony imponującymi wąsami ober. Wymieniając popielnicę, cmoknął i puścił do nich perskie oko. Mock wiedział, co to znaczy. Nie wahając się długo, zapłacili i poszli na pierwsze piętro hotelu, gdzie w towarzystwie dwóch młodych dam świętowali koniec wojny.

Ten sam ober siedział teraz w recepcji. Nie mrugał i nie cmokał. Powieki i usta miał sklejone snem. Mock nawet nie pokazywał mu legitymacji. W ciągu roku ober Bielick poznał dobrze asystenta kryminalnego Mocka z komisji obyczajowej Prezydium Policji i nie było mu do śmiechu.

– Ilu ludzi z obsługi jest w hotelu, a ilu gości? – powiedział bez wstępów Mock.

– Z obsługi jestem tylko ja. O szóstej ma przyjść strażnik, kucharki i pokojówka – powiedział Bielick.

– A ilu gości?

– Dwóch.

– Są sami?

– Nie. Jeden pod czwórką jest z Kitty, drugi pod szóstką z Augustem.

– Od której tu są?

– Ten od Kitty od północy, tamten drugi – od wczorajszego popołudnia. August, biedaczyna – zachichotał Bielick – nie będzie mógł siedzieć.

– Dlaczego mnie okłamałeś, że z obsługi jesteś tylko ty? – Mock mówił bardzo łagodnie, lecz głos mu drżał. – Przecież jest jeszcze Kitty i August. – Zapalił papierosa i przypomniał sobie o istnieniu choroby zwanej przepiciem. – Dawno u was nie byłem, Bielick – mruknął. – Nie wiedziałem, że macie tu burdel dla pedałów.

– Powiadomiłem o tym bezpośrednio pana radcę Ilssheimera. – Bielick był trochę zakłopotany. – A on wyraził zgodę.

– Idę złożyć wizytę Kitty i Augustowi. Daj mi klucze!

Mock, pobrzękując kluczami, wszedł po schodach na pierwsze piętro. Wchodząc po bordowym dywanie, nie zauważył, że Bielick sięgnął po słuchawkę telefonu. Na półpiętrze Mock stanął i spojrzał przez okno. Konary platanu ruszały się. Policjant odcinający trupa był niewidoczny. Widoczny był doskonale Smolorz przesłuchujący niespełnionych kochanków. Widoczny był również Mühlhaus, któremu Smolorz pokazywał hotel. Widoczne było spadające ciało – tłuste o czerwonym nabrzmiałym karku. Z tej odległości nie widać było egzemy.

Mock wszedł na pierwsze piętro i otworzył drzwi oznaczone numerem cztery. Pokój był urządzony jak elegancki osiemnastowieczny buduar. Wisiały w nim lustra w złoconych ramach, przed którymi stały gumowe gruszki z pudrem, było w nim wielkie łoże z baldachimem i potężny pająk żyrandola, który wciąż się palił. Obok łóżka stała suknia. Stała, ponieważ trzymała się na fiszbinowej rogówce, z której spływała jej dolna część. W łóżku leżały dwie osoby. Szczupły i niewielki mężczyzna przytulał się do obfitych kobiecych piersi wciśniętych w gorset. Ich posiadaczka pochrapywała ciężko, otwierając usta, nad którymi przyciągał wzrok wyrysowany węglem pieprzyk. Kobieta miała na głowie piętrową perukę, obficie przypudrowaną. Wyglądała, jakby przeniesiono ją żywcem z czasów Ludwika XIV.

Mock zgasił światło, podszedł do krzesła, na którym wisiało ubranie mężczyzny, i wyjął jego portfel. Usiadł ciężko przy stoliku do kawy. Z jego marmurowego blatu strącił łokciem damską bieliznę i spisał personalia mężczyzny: „Horst Salena, spedytor, Marthastrasse 23, dwoje dzieci". Potem wstał, ściągnął z leżących kołdrę i przyjrzał się mężczyźnie. Leżał na wznak, a jego żebra sterczały wysoko nad kalesonami. Był zbyt chudy i niepozorny. Mógł zrobić wszystko, ale nie wciągnąć stukilogramowe ciało Wohsedta na wysokie drzewo. Obudzili się obydwoje. Kobieta przeklęła coś pod nosem i naciągnęła na siebie kołdrę.

Mock spojrzał uważnie w wystraszone oblicze spedytora.

– Zmiataj stąd, Salena, ale już!

Salena bezszelestnie się ubrał i oddalił szybko, prawie wciągając oddech. Mock wyszedł na korytarz, zamknął Kitty w jej pokoju, a sam przystąpił do forsowania drzwi pomieszczenia, w którym rezydował August. Klucz nie pasował. Mock sklął pod nosem recepcjonistę Bielicka i z wściekłą miną zszedł na dół do recepcji. Wyglądał tak groźnie, że recepcjonista bez słowa przesunął po ladzie właściwy klucz. Mock zabrał go i wbiegł na górę. W korytarzu trzasnęło okno. Usłyszał głuchy odgłos upadającego ciała. Wyciągnął mauzera i rzucił się do okna. Przez trawnik, kuśtykając, biegł radca kryminalny Josef Ilssheimer. Był bez melonika i w niedbale narzuconym na ramiona płaszczu. Mock przetarł oczy ze zdumienia i pobiegł do pokoju Augusta. Otworzył drzwi. Młody mężczyzna w szlafroku nie był wcale wystraszony i patrzył na intruza z uśmiechem. Mock rozejrzał się i spostrzegł na wieszaku melonik. Zdjął go i uważnie obejrzał. Na przepoconej taśmie wewnątrz widniały wyszyte inicjały „J. I." – Josef Ilssheimer skaczący z okna Augusta. Mock już wiedział, dlaczego recepcjonista Bielick nie zawiadomił go o modyfikacji usług w hotelu „Park Południowy". Mock przełknął cierpką ślinę. Zdawało mu się, że porysowała mu suche gardło. Położył melonik na podłodze i wbił w niego kilkakrotnie swój obcas. Potem kopnął go w kąt pokoju. Przestało go dzisiaj cokolwiek dziwić. Po tym, jak znalazł w rurze kanalizacyjnej u siebie w domu list Wohsedta, po tym, jak odkrył jego ciało wiszące na drzewie w Parku Południowym, nie zdziwiłoby go nic, nawet żonaty ojciec czwórki dzieci radca Ilssheimer w ramionach Augusta. Dziwiło go jednak, dlaczego August wciąż się uśmiecha. Podszedł do niego i przyglądał się ruchowi swojej otwartej dłoni – jak odciska się na policzku Augusta, jak cofa się, zostawiając piekący czerwony ślad.

– Z czego się, kurwa, śmiejesz? – zapytał Mock i nie czekając na odpowiedź, wyszedł z pokoju.

W saloniku Kitty było już posprzątane, a kobieta – ubrana. Zapomniała jedynie zdjąć piętrową perukę. Siedziała przy stoliku, skromnie opuszczając oczęta. Mock usiadł naprzeciwko niej i zabębnił palcami po marmurowym blacie osadzonym w srebrnej koronie. Niezła podróbka osiemnastowiecznego stołu – pomyślał – wszystko tu osiemnastowieczne.

– Od której z nim byłaś, Kitty?

– Z kim, panie asystencie kryminalny?

– Z tym, którego wygoniłem.

– Chyba od szóstej. Wtedy tu przyszedł. Zapłacił za całą noc z góry. Dobry klient. Kupił karafkę wiśniówki i postawił kolację. Dobry klient. Mieszkał tu niedaleko...

„Dobry klient". Tak mówiono o Mocku, kiedy przepijał wypłaty w „Królu Węgierskim". Tak o nim mówiono, kiedy sprowadzał sobie dwie dziewczyny do numeru i płacił im sowicie, choć – w swym upojeniu – nie mógł ruszyć ręką, nogą ani niczym innym. Kłaniano mu się, kiedy wchodził do ulubionych żydowskich knajp na Antonienstrasse i stał godzinami przy barze – milczący, wściekły i ponury. Ta dziwka też mu się kłaniała z daleka, kiedy spacerował w niedzielę wraz z ojcem po Parku Południowym. Tak było jeszcze kilka miesięcy temu. Potem zaczęły się sny Mocka i apatia ojca przerywana jedynie zabawami z psem listonosza Doschego. Dobry klient knajp i burdeli. Dobry klient, któremu nikt nie współczuł – żaden oberżysta i żadna dziwka. No bo i dlaczego mieli mu współczuć? Przecież nie wiedzą nic o tym, że jakaś bestia zabija ludzi i pisze liściki do niego! Nie są tym zainteresowani i pilnują własnego nosa. Sami mają swoje kłopoty. Mock odpędził niewesołe myśli i zapytał machinalnie Kitty:

– Mieszkał tu gdzieś niedaleko?

– Tak. Kiedyś przyszedł do mnie na numerek z psem.

– Jak to z psem?

– Wyszedł z psem na spacer i przyszedł do mnie. Pies leżał koło łóżka, a my na łóżku...

– No, mam nadzieję, że pies nie leżał z wami... A przychodził do ciebie gruby mężczyzna imieniem Julius? Na szyi miał paskudną egzemę...

– Moi klienci nie przedstawiają się... A takiego z egzemą sobie nie przypominam... Nie... Takiego nie było... Nie przyjęłabym zresztą takiego...

– Jesteś wymagająca, Kitty. – Mock wstał. – A mnie byś przyjęła? – Podszedł do okna i obserwował Mühlhausa przesłuchującego niedoszłych kochanków i Lasariusa kucającego przy trupie. Mühlhaus zapytał o coś Smolorza, a ten wskazał ręką na hotel. Komisarz ruszył żwawo w stronę budynku, tak jakby widział stojącego za firanką Mocka.

– W każdej chwili, panie Mock – Kitty uśmiechnęła się zalotnie. Mock z bólem pomyślał, że ta piękna kobieta w przekrzywionej peruce była kiedyś małym dzieckiem, które ktoś tulił i całował. – Chce pan nago czy w jakimś przebraniu? Mam jeszcze strój rzymski... I różne dodatki bieliźniane... Również dla klientów...

Mock przyglądał się dziewczynie w milczeniu. W głowie huczały mu słowa: „w przebraniu...", „w jakimś przebraniu..."

– Posłuchaj, Käthe – zwrócił się do niej jej właściwym imieniem. – Dawno tu u was nie byłem. Nie wiedziałem, że bywają tu pedały. Nie wiedziałem nic o przebraniach... Kto to wymyślił? Wasz nowy szef?

– Tak, pan Nagel.

– A August też się przebiera dla klientów?

– Rzadko – Käthe uśmiechnęła się złośliwie. – Ale niektórzy sobie tego życzą.

– A za kogo się przebiera August?

– Za gladiatora, robotnika – zamyśliła się. – A bo ja wiem, za kogo jeszcze... Najczęściej za gladiatora... Kiedyś jeden pijany klient wrzeszczał – i tu Kitty wykrzyknęła, udając pijacki bełkot: – „Chcę gladiatora!"

Mock wierzył w podpowiedzi intuicji i w tak ostatnio modny w awangardowej sztuce automatyzm myślowy, doceniał ciągi skojarzeń, choćby były najdziwniejsze, wierzył w profetyczną wartość sekwencji obrazów. Nie uważał manifestów Duchampa za nieprawdziwe i zdegenerowane. Wierzył w przeczucia i przesądy policyjne. Wiedział, że również teraz intuicja podsunęła mu to pytanie o przebieranki Augusta. Zamknął oczy i starał się wywołać u siebie jakieś asocjacje. Nic. Pragnienie. Kac. Zmęczenie. Nieprzespana noc. Kitty, udając pijaną, krzyknęła: „Chcę gladiatora!" Dama w *separé* wrzeszczała zdeformowanym przez alkohol głosem: „Chcę furmana! Teraz! Już!" Mock usłyszał dźwięki fokstrota. Tak to działo się kilka dni temu, kiedy ociężały od dżinu obejmował szczupłą kibić fordanserki. To było w „Królu Węgierskim". To tam młody kelner, pomagając nieść Rühtgarda, wyjaśniał Mockowi: „Nasz dyrektor, pan Bilkowsky, nie pozwala wynajmować fiakrów. Ich konie zanieczyszczają chodnik przed lokalem". Dama wołała: „Chcę furmana!" Wtedy kelner odpowiedział... Co odpowiedział? Tak, odpowiedział: „Już, w tej chwili służę szanownej pani".

– Powiedz mi, Käthe – Mock wiedział, już czuł trop, którego się uchwyci – czy August przebiera się za furmana? A może za marynarza?

Kitty pokręciła przecząco głową i ze zdziwieniem obserwowała, jak Mock – mimo jej negatywnej odpowiedzi – uśmiecha się radośnie i wybiega z pokoju, omal nie rozbijając wysokiego przysypanego pudrem lustra.

Wrocław, czwartek 4 września 1919 roku,
godzina szósta rano

Mock zderzył się z Mühlhausem w drzwiach hotelu. Nowy szef komisji morderstw miażdżył zębami ustnik fajki i okręcał wokół palców szpakowatą brodę. Chwycił Mocka pod ramię i poprowadził bardzo wolno w stronę miejsca znalezienia zwłok. Rozśpiewane ptaki zapowiadały gorący wrześniowy dzień. Nad platanami pojawiło się żółte koło słońca.

– Pospacerujemy trochę, Mock. Lubi pan poranne spacery po parku?

– Tylko wtedy, kiedy na drzewach nie wiszą trupy.

– Widzę, że jest pan w dobrym humorze, Mock. W wisielczym humorze. – Mühlhaus wyjął z ust fajkę i strzyknął w krzaki brązową śliną. – Niech pan mi powie, czy mamy do czynienia z mordercą seryjnym?

– Nie znam się na teorii kryminalistyki i nie wiem, czy taka w ogóle istnieje i jak definiuje morderstwa seryjne...

– A tak na pana gust...

– Sądzę, że tak.

– Ofiary morderstw seryjnych mają coś ze sobą wspólnego. Po pierwsze, morderca zostawia je w takich miejscach, gdzie na pewno zostaną odkryte. Trupy marynarzy na jazie, trup wiszący na drzewie w ulubionym miejscu spacerów... A po drugie, co mają wspólnego ofiary „wroga Mocka", jak się powszechnie nazywa tego zbrodniarza?

– Gdzie „powszechnie"?

– Na razie u nas, w Prezydium Policji... Niedługo we wrocławskich gazetach i w całych Niemczech. Mimo tajności działań prędzej czy później nastąpi przeciek do prasy. Nie każdego możemy trzymać w szachu jak tę służącą w parku i jej ukochanego. Stanie się pan sławny...

– Jakie zadał mi pan pytanie? – Mock chciał uczynić z Mühlhausem to, co wcześniej z Augustem, i pójść, pobiec, polecieć tam, gdzie stręczyciele oferują męskie prostytutki poprzebierane w marynarski strój. Zamiast tego musiał dreptać koło Mühlhausa i wąchać gryzącą i podwędzaną woń tytoniu Badia. Czuł, że swędzą go palce i plecy. Wiedział, że nie pomoże tu żadne drapanie. Uczucie to przenikało go dość często i nigdy nie mógł znaleźć dla niego właściwego słowa. Teraz przypomniał sobie fragment Liwiusza, w którym występował łaciński przymiotnik, który doskonale oddawał obecny stan jego ducha – *impotens* (oszalały z niemocy).

– Zadałem panu pytanie, co mają wspólnego ze sobą ofiary „wroga Mocka"?

– Ta osobliwa nazwa zbrodniarza jest już odpowiedzią. Po co pan pyta o to, co już dawno wiemy?

– Mógłbym odpowiedzieć panu ostro: „to ja tu zadaję pytania, Mock", ale tego nie zrobię. Zabawię się w Sokratesa, a pan sam dojdzie do prawdy...

– Nie mam czasu... – powiedział Mock, odszedł gwałtownie od Mühlhausa i ruszył zdecydowanie wzdłuż stawu.

– Stać! – krzyknął Mühlhaus. – To rozkaz! – Mock zatrzymał się, skręcił w stronę stawu, ukląkł na trawie nad samym brzegiem i zaczerpnął wody w dłonie. – Nie macie czasu, co? No to od dzisiaj macie dużo czasu. W komisji obyczajowej nie ma tyle roboty. Nie pracujecie już u mnie. Wracacie do Ilssheimera.

– Dlaczego? – Po twarzy Mocka spływały strużki wody. Widział przez nie zmrużone kreski oczu Mühlhausa. Wyobraził sobie swoją przyszłość w komisji obyczajowej. Oto biseksualista Ilssheimer zwalnia z pracy swojego demaskatora, a jako argument podaje niedopatrzenie obowiązków z powodu pijaństwa.

– Zatrudniłem pana z dwóch powodów. Po pierwsze, morderca chce czegoś od pana. Myślałem, że pan wie, czego on chce, i wtedy pan ruszy za nim jak wściekły pies, mszczący się za śmierć niewinnych ludzi...

– Wściekły pies zemsty. – Mock ocierał z policzków krople wody. – Zna pan poezje Auweilera?

– Tymczasem pan nie wie, o co chodzi mordercy. Psychologiczny seans z doktorem Kazniczem nie przyniósł żadnych postępów w śledztwie...

– I dlatego pan mnie zwalnia? – Mock obserwował strzelające w niebo słupy magnezji w oddalonym o kilkadzie-

102

siąt metrów miejscu znalezienia zwłok. Odszedł stamtąd Smolorz i niosąc notatki z przesłuchania niespełnionych kochanków, ruszył w stronę Mocka i Mühlhausa. – Wściekły pies zemsty okazał się już bezużyteczny, co?

– Nie dlatego, Mock. – Mühlhaus znów go wziął pod ramię. – Nie dlatego. Nie odpowiedział mi pan na pytanie. Nie będę się bawił w Sokratesa, a pan nie będzie moim Alkibiadesem...

– Tak, zwłaszcza że ten ostatni dość kiepsko skończył...

– Po drugie, co łączy ofiary? Nienawiść mordercy do Mocka. To łączy wszystkie sześć ofiar. Co łączy dwie ostatnie ofiary? – Mühlhaus podniósł głos i spojrzał na zbliżającego się Smolorza. – No mów pan, do cholery, co łączy dwie ostatnie ofiary? Starego marynarza Ollenborga i kapitana portu rzecznego Wohsedta?

– Obu przesłuchiwał pan asystent kryminalny Mock – powiedział Smolorz.

– Macie rację, wachmistrzu. – Mühlhaus spojrzał na Smolorza z uznaniem. – Ta świnia chce nam powiedzieć: „Zabiję każdego, kogo przesłuchasz, Mock. Nikogo nie przesłuchuj, Mock. Nie prowadź śledztwa, Mock". Już pan wie, dlaczego odsuwam pana od śledztwa? Kogo pan jeszcze przesłuchiwał, Mock? Kogo pan zatruł? Kto jeszcze zginie w tym mieście?

Wrocław, czwartek 4 września 1919 roku, kwadrans na siódmą rano

Pod hotel „Park Południowy" podjechał policyjny furgon aresztancki. Wyszło z niego dwóch mundurowych. Wbiegli raźno do hotelowego budynku, pobrzękując przypasanymi szablami. Po chwili wyszli, trzymając pod ręce Kitty. Ta wyrywała się i szarpała, usiłując ich ugryźć.

Jednemu z nich przekrzywiło się czako na głowie. Mühlhaus, Mock i Smolorz obserwowali uważnie całą scenę. Kitty z nienawiścią wlepiła oczy w Mocka. Wtedy on podszedł do niej i szepnął:

– Zrozum, Käthe, to dla twojego dobra. Kilka dni posiedzisz w pojedynczej, najlepszej, ogrzewanej celi, a potem wyjdziesz. – Przysunął się do niej i szepnął jeszcze ciszej: – A potem ci wszystko wynagrodzę...

Na Kitty ta obietnica nie zrobiła najmniejszego wrażenia. Plunęła w stronę Mocka. Plwocina trafiła go w rękaw marynarki. Rozejrzał się dookoła. Wszyscy policjanci uśmiechali się pod wąsem, licząc na brutalną reakcję asystenta kryminalnego. Zawiedli się. Mock podszedł do Kitty, zdjął z jej głowy perukę i przygładził nieco przetłuszczone włosy.

– Odwiedzę cię, Käthe, w celi – powiedział. – Wszystko będzie dobrze.

Mundurowi bez najmniejszych problemów wsadzili Kitty do aresztanckiego furgonu. Jeden z nich wszedł za nią pod plandekę, drugi zajął miejsce na koźle i zaciął konia batem.

– Panie komisarzu – Mock ścierał dużym liściem ślinę z rękawa – możemy na mordercę zastawić pułapkę. Przecież on musi mnie śledzić. Skąd by wiedział, kogo ma zabić? Wystarczy, że kogoś przesłucham, a potem tego kogoś weźmiemy pod lupę. Na przykład Kitty. Wypuśćmy ją na wolność. Nie spuścimy jej z oka dzień i noc i w końcu dorwiemy tego bydlaka. A poza tym... ja chcę pracować u pana. Nie muszę oczywiście prowadzić tej sprawy, mogę inną...

– Nie jestem jarmarcznym kaznodzieją. Nie mówię dwa razy. – Mühlhaus złożył na czworo notatkę Smolorza. – Poza tym my teraz nie mamy żadnej innej sprawy poza „sprawą czterech marynarzy". Cała policja w mieście ma

„sprawę czterech marynarzy", a właściwie „sześciu mary-narzy", licząc Ollenborga i Wohsedta. Kapitan portu Wohsedt miał również honorowy tytuł kontradmirała. Do widzenia panom.

Mühlhaus ruszył do opla parkującego pod hotelem. Wsiadł do środka, a za nim wtoczył się obarczony staty-wem fotograf Ehlers. Ludzie doktora Lasariusa wrzucali no-sze ze zwłokami na swój wóz. W horchu zawarczał silnik i strzelił obłokiem spalin z rury wydechowej. Auto ruszyło, ale nie zajechało daleko. Zatrzymało się przy Mocku i Smo-lorzu.

– Niech pan mi tylko wytłumaczy jedno – z okienka wy-chyliła się broda Mühlhausa – dlaczego na ciele Wohsedta nie ma śladu tortur, a w liście do pana napisał on, że... chyba tak się wyraził, „człowiek w kapturze kata torturował mnie"?

– Może mu chodziło o tortury psychiczne – na twarzy Mocka pojawiły się zmarszczki, które bezlitośnie odsłaniało żółte słońce. – Wohsedt nie był człowiekiem trudnym do złamania...

– Jest pan tego pewien?

– Oczywiście. Wystarczył jeden termin medyczny, a na-tychmiast zgodził się na współpracę ze mną. Prawie posikał się ze strachu.

– Jaki to był termin?

– „Gruźlica skóry po ugryzieniu gruźlika" – powiedział Mock i w tym momencie zbladł. Smolorz wiedział dla-czego. Była jeszcze jedna osoba, którą Mock skazał na śmierć, ponieważ ją przesłuchiwał w „sprawie czterech ma-rynarzy".

Wrocław, czwartek 4 września 1919 roku,
wpół do ósmej rano

W ostatnim z wewnętrznych podwórek przy Reuscherstrasse mieściła się fabryka cygar Thiemann & Co. Ponieważ pracowała pełną parą do godzin nocnych, wydzielała smrodliwe opary i burzyła terkotem maszyn popołudniowy spokój mieszkańców oficyn, ci nie ustawali w swych skargach, protestach, a nawet manifestacjach i próbach blokady zakładu. W tej sytuacji właściciele kamienic, potomkowie Niepolda, wpłynęli na dyrekcję fabryki, by swój zakład otwierała godzinę później, a zamykała godzinę wcześniej. Pracująca tu od dwudziestu lat, jeszcze za czasów starszego pana Thiemanna, Hildegarda Wilck nie mogła się przyzwyczaić do nowej organizacji pracy i łomot jej drewniaków było słychać wśród wewnętrznych podwórek niezmiennie już przed siódmą rano. I dziś – jak co dzień – pięćdziesięcioletnia panna Wilck stała przed zamkniętą pralnią i gawędziła z dozorczynią, panią Annemarie Zesche. Ich niekończące się rozmowy były obiektem żartobliwej krytyki ze strony mieszkającego na parterze stolarza Siegfrieda Franzkowiaka, który nie mógł się nadziwić elokwencji obu niewiast. „Jak te baby potrafią długo gadać o niczym", mawiał do siebie.

Dzisiaj stolarz Franzkowiak nie był w nastroju do żartów. Przez pół nocy nie mógł spać, ponieważ mieszkająca nad nim mała Charlotte Voigten płakała. Płaczowi dziecka towarzyszyło wycie psa. Franzkowiak pukał kilkakrotnie w nocy do drzwi jednopokojowego mieszkania, które matka Charlotte, Johanna, zajmowała od dwóch miesięcy wraz ze swoją córką i psem. Matki nie było, co nie dziwiło stolarza, gdyż cała kamienica wiedziała, że nocne miasto było naturalnym miejscem jej pracy. Zawsze jednak ktoś z dobrych ludzi zajmował się dzieckiem – nierzadko była to żona Franzkowiaka – a nadzwyczaj ufna dziewczynka dawała się zawsze ukoić swoim opiekunom. W końcu koło czwartej nad ranem dziecko usnęło. W mieszkaniu zapanowała cisza, a Franzkowiak z radością złożył utrudzoną głowę obok swej ślubnej. Nic dziwnego, że rozzłościł się nie na żarty, kiedy teraz, po kilku godzinach snu, usłyszał jazgot obu kobiet.

– Niech no pani powie, pani Zesche, w jakich to czasach żyjemy. Dziecko śpi za parawanem, a matka z obcym chłopem...

– Musi z czegoś żyć, droga panno Wilck. Pani pierze, a ona żyje z chłopów...

– Te chłopy to zwirze jakieś, pani Zesche, one by tylko chędożyły...

– A wy byście tylko gadały! – wrzasnął stolarz Franzkowiak, wychylając się z okna swego mieszkania. – Pospać, cholery, człowiekowi nie dadzą!

– A ten to co! – Hildegarda Wilck miała o mężczyznach wyrobione zdanie. – Widziałam, jak do niej chodzi! To zwirz jakiś! Nie lepszy od innych!

– A ty pilnuj swojej dupy, a nie czyjejś! – Pani Franzkowiak wychyliła się również z okna, idąc w sukurs swojemu mężowi. – Obydwoje pomagamy tej biednej kobicie! Trza być człowiekiem, nie bydlakiem!

Krzyki na podwórzu obudziły najwidoczniej dziecko, bo nagle rozległ się płacz małej Charlotte, a potem brzęk otwieranego okna. Nad parapetem pojawiła się główka dziewczynki, która wołała coś, szlochając, ale zostało to wytłumione przez wycie psa. Na podwórku gromadzili się ludzie. Charlotte przysunęła do okna krzesło i stanęła na nim. Na jej okrągłej buzi łzy wyżłobiły brudne koleiny. Koszulka nocna była żółta od moczu.

Od strony ulicy rozległ się warkot automobilu. Duży horch wjechał na ostatnie podwórko. Kierowca, ciężko zbudowany brunet, ścisnął trąbkę klaksonu i wyskoczył z auta. Przeraźliwy dźwięk wypełnił studnię podwórka – teraz za sprawą pasażera auta, rudowłosego wąsacza. Ucichło dziecko, ucichli ludzie, ucichł nawet pies. Dwaj mężczyźni wbiegli do bramy. W tej ciszy słychać było wyraźnie głos pani Wilck:

– Widzi pani, pani Zesche? To jeden z jej gachów. Widzi pani, jaką ma mordę od wódy?

W kamienicy rozległ się huk rozwalanych drzwi, szmer sypiącego się tynku, strachliwy pisk psa. Do parapetu podbiegł ów brunet i wziął dziecko na ręce. Charlotte spojrzała na niego ze strachem i próbowała się odpychać sztywnymi rączkami. W jej płaczu obdarzony dobrym słuchem Siegfried Franzkowiak dosłyszał westchnienia ulgi. Usłyszał również komentarz pani Zesche:

– Widzi pani, droga panno Wilck, jak się dziecko uspokoiło? To pewnie ojciec małej. Widzi pani, jaki podobny? I nawet łzy mu się leją po gębie.

– Jej ojciec zginął na wojnie, cholero jedna! – ryknął stolarz Franzkowiak.

Wrocław, czwartek 4 września 1919 roku,
godzina czwarta po południu

Mock obudził się w celi aresztanckiej numer trzy w Prezydium Policji przy Schuhbrücke 49. Czuł się ciężki i zmęczony. Zamknął oczy i próbował sobie przypomnieć sen. Udało mu się to bez większego trudu. Sen był zamglony, nierealny i melancholijny. Łąka, las i murawa poprzecinana strumieniami wody. Była tam też jakaś postać: piękna, rudowłosa, o łagodnych oczkach i suchych, miękkich dłoniach. Mock sięgnął po dzbanek niesłodzonej mięty, którą przygotował mu strażnik, Achim Buhrack. Łyknął i z radością stwierdził, że napój ten nie jest mu potrzebny. Kac ulotnił się – i tu Mock poczuł przypływ krwi do głowy – wraz z porannymi przeżyciami. Przypomniał sobie kroplę krwi, która z głowy Wohsedta spłynęła mu na policzek, kiedy kucał nad stawem w Parku Południowym, zapamiętał słowa komisarza Mühlhausa: „Już pan wie, dlaczego odsuwam pana od śledztwa? Kogo pan jeszcze przesłuchiwał, Mock? Kogo pan zatruł? Kto jeszcze zginie w tym mieście?", pamiętał dobrze rozpacz dziewczynki, która najpierw go odpychała, a potem się do niego przytuliła, przeżywał po raz kolejny scenę przesłuchania mieszkańców ciemnych wewnętrznych podwórek przy Reuscherstrasse, „nikt nic nie wie, ona często wychodziła w nocy, ale zawsze wracała, wczoraj też wróciła koło czwartej", pamiętał, jak Smolorz wyrywał mu siłą przestraszone dziecko i mówił: „Złapiemy go, z Mühlhausem czy bez, ale go złapiemy, teraz jest za wcześnie, zrobimy to po południu". Ostatnie sceny, jakie sobie odtworzył, były wykrzywione i niejasne – Smolorz wpycha go do samochodu i mówi: „Nie spał pan całą noc, niech pan się prześpi, małą zajmie się stolarz", dzban mięty i cela aresztancka numer trzy.

Mock wstał z pryczy i wykonał kilka przysiadów. Podszedł do drzwi celi i uderzył w nie kilkakrotnie. Stary strażnik Achim Buhrack otworzył drzwi i powiedział z silnym śląskim akcentem:

– Pierwszy raz widzę policjanta, który nie jest pijany, a śpi w celi numer trzy.

– Niektórzy czasami nie mają gdzie się wyspać. – Mock przesunął dłonią po twardej szczecinie policzka. – Mam do was jeszcze jedną prośbę, Buhrack... Jest tu może jakaś brzytwa...

Wrocław, czwartek 4 września 1919 roku,
godzina szósta po południu

W „Królu Węgierskim" przebywało jeszcze niewielu gości. Tylko jedno *separé* było od niedawna zajęte i zasłonięte ciężką kotarą. Kilka – sądząc po wysokich głosach – dam nie mogło się odpowiednio w nim usadowić. Kotara falowała, poręcz oddzielająca lożę od reszty lokalu co chwila dzwoniła, jakby ktoś w nią uderzał prętem.

– Nie mogą znaleźć miejsca dla swych parasolek – szepnął do Mocka Adolf Manzke, młody kelner, który wczoraj pomagał mu przetransportować do auta nieprzytomnego Rühtgarda. Manzke nie był zachwycony tym, że Mock nie zamawia dziś alkoholu, lecz jego obawy o napiwek rozwiał pierwszy banknot dwudziestomarkowy, którym stały klient zapłacił za sznycel wiedeński, nie żądając w zamian reszty.

– Jak się nazywacie, młody człowieku? – zapytał Mock i usłyszawszy odpowiedź, kontynuował. – Wyjaśnijcie mi coś, Manzke. Wczoraj zażądałem fiakra, a wy ściągnęliście tu automobil, który zwykle odwozi wstawionych klientów. Czy tak było?

– Tak było – odparł Manzke i pochylił się jeszcze niżej nad Mockiem, widząc, że ten składa w czworo wielki banknot dwudziestomarkowy.

– Konie dorożkarskie brudzą wam chodnik przed lokalem. Czy tak powiedzieliście?

– Tak jest – kelnerowi drętwiał już kark. – Panie... panie... Nie znam nazwiska ani tytułu...

– Mówcie do mnie Periplektomenos – Mock przypomniał sobie dżentelmena-sybarytę z Plautowej komedii *Żołnierz samochwał*. – Jak zatem wytłumaczycie zachowanie pewnego kelnera z waszego lokalu, który uczynił zadość żądaniu pewnej damy? Dama poprosiła o furmana, a on obiecał zaraz spełnić jej prośbę. Wyjaśnijcie mi to, Manzke.

– Może chciał tego furmana sprowadzić z daleka, a dama była odpowiednio hojna – kelner spoglądał na złożony banknot, który Mock przekładał między palcami. – A zresztą trzeba by o to zapytać tego kelnera...

– Tak, Manzke, macie rację. – Mock wsunął mu banknot do kieszonki kamizelki. – Ale ja nie wiem, który to kelner... Pomożecie mi go znaleźć?

Manzke kiwnął zdrętwiałą głową i ruszył między stoliki. Muzycy ukłonili się publiczności i dmuchnęli w trąby. Kilka fordanserek, z których jedna, czarnowłosa, uśmiechnęła się szeroko do Mocka, zaczęło się kołysać w takt muzyki, nie opuszczając swych krzeseł. Trzech podstarzałych mężczyzn, którzy tymczasem – tak jak Mock – zajęli miejsca wokół parkietu, w drugim kręgu, lustrowało dziewczyny poprzez smugi wypuszczanego dymu. Jeden z nich zdecydował się w końcu i podszedł do czarnowłosej fordanserki. Ta wstała powoli, nie szczędząc Mockowi rozczarowanego spojrzenia.

Asystent kryminalny zabrał się do pasztetu z gęsi. Konsumowanie delikatnego mięsnego miąższu przerwał mu kelner Manzke. Na stoliku położył serwetę i szybko się ulotnił. Pod serwetą był czysty odcinek z taśmy kasowej. Na odcinku tym napisano: „Pocałuj mnie pan w dupę". Mock przetarł oczy i zapalił papierosa. Spojrzał jeszcze raz na skrawek papieru i usłyszał dzwony w uszach. Zdusił niedopałek, wstał i ruszył wzdłuż stolików. Wszedł do sali barowej i – wiedziony alkoholowym instynktem – szybko zlokalizował bar. Stał przy nim Manzke i przyjmował od barmana wysmukłe pieniste szklanice. Widząc Mocka, rzucił się w stronę rozwachlowanych drzwi prowadzących do kuchni. Mock był szybszy. Kelner Manzke nie zdołał sam otworzyć drzwi. Uczynił to niejako mimowolnie, ciężarem swojego ciała, które zostało pchnięte przez Mocka. Wpadł do przedsionka kuchni, lecz tutaj – zamiast uciekać przed rozwścieczonym Mockiem – stanął za stołem, przy którym siedział łysy kelner bez marynarki i liczył swe napiwki. Manzke spojrzał wymownie na łysinę kolegi, zdziwionego całym zamieszaniem, i przeprosił Mocka za nieprzyniesienie na czas butelki dżinu. Nikt nie powiedział ani słowa. Asystent kryminalny wyszedł z przedsionka kuchni i skierował się ku drzwiom toalety. Stojąc w małej kabinie, urwał świstek papieru toaletowego i napisał na nim: „Łysy, gruby kelner". Wyszedł, uregulował rachunek, dając dyskretnie Manzkemu spory napiwek. Wręczył mu również świstek papieru toaletowego i pokazał oczami Smolorza, który siedział w sali barowej. Manzke popłynął ku Smolorzowi, Mock – ku wyjściu z lokalu. Trzeba by tego Manzkego zatrudnić w policji – pomyślał – na razie jako tajnego współpracownika; sprytnie mi wskazał kelnera sprowadzającego damom furmanów.

Wrocław, czwartek 4 września 1919 roku, godzina ósma wieczorem

Kelner Helmut Kohlisch skończył dziś pracę o ósmej. Był zmęczony i zły. Przeszedł przez kuchnię i wspiął się na schody wąskiej wewnętrznej klatki schodowej, która prowadziła do składów i spiżarń. Nastroju nie poprawiała mu ani plama po piwie na koszuli, ani myśl o tym, co zaraz zobaczy w swoim zapleśniałym, jednopokojowym mieszkaniu przy ulicy Rzeźniczej, wciśniętym między sklep kolonialny i drukarnię. Oto ujrzy Lisbeth, swoją osiemnastoletnią córkę w zaawansowanej ciąży, jej bezrobotnego męża Josefa, komunistycznego agitatora, którego ma na oku każdy policjant, i swoją suchotniczą żonę, Luisę, wlewającą chochlą zupę do talerzy. Byłoby to pożywne danie, gdyby zawierało w sobie coś więcej niż wodę, kilka grudek ziemniaków i smętne kawałki kapusty. Wszyscy posiorbują zupę, a wzrokiem wdzierają się do jego kieszeni w poszukiwaniu napiwków.

Kohlisch wszedł do pokoju służbowego i rozebrał się do podkoszulka i kalesonów. Służbowy frak złożył bardzo starannie, a spodnie zdecydował się powiesić dopiero wtedy, gdy ich kanty będą idealnie do siebie przylegały. Strój służbowy zawisł na wieszaku. Poplamioną przez gliniarza koszulę zmiął i schował do teczki. Otworzył szafę i w jej wnętrzu zobaczył jednego ze swoich dzisiejszych klientów. Zanim się zdążył zdziwić, otrzymał pierwszy cios. Napastnik trafił go w szczękę, a on poleciał daleko w stronę pustych skrzynek. Usiłował napiąć mięśnie, by zamortyzować uderzenie plecami o stos skrzynek, lecz nie musiał. Ktoś chwycił go mocno pod pachy i założył na szyję podwójnego nelsona. Czuł, że słabną mu mięśnie karku. Pod wpływem nacisku pochylił głowę ku podłodze. Z szafy wygramolił się rudowłosy klient, z kieszeni wyjął chustkę i ocierał nią piegowatą i zaróżowioną twarz. Kohlisch rzucał się na boki, usiłując wyrwać się napastnikowi. Doprowadził jedynie do tego, że ten zwiększył nacisk i zmusił Kohlischa do kontemplowania własnych pocerowanych skarpetek. Wtedy przypomniał sobie, że z podwójnego nelsona można się wyśliznąć, unosząc ręce ku górze z jednoczesnym padem na kolana. Uczynił tak i udało mu się. Klęczał przez chwilę na podłodze. Wtedy otrzymał drugi cios. Z tyłu. Usłyszał trzask skrzynki na swej głowie i poczuł strużki krwi płynącej po łysinie. Dopiero potem odezwał się ból. Na kilka sekund ogarnęła go ciemność. Napastnik z tyłu nasadził mu na głowę pozbawioną dna skrzynkę, a potem wepchnął ją na jego ramiona. Kohlisch był unieruchomiony. Klęczał przed rudowłosym klientem, a skrzynka krępowała jego tułów na wysokości brzucha. Usiłował odwrócić się, lecz atakujący od tyłu chwycił go za uszy i skierował jego twarz w stronę rudowłosego.

– Posłuchaj, Kohlisch – usłyszał za plecami. – Nic ci nie zrobimy, jeśli będziesz grzecznie odpowiadał na pytania.

Wtedy Kohlisch ryknął i natychmiast tego pożałował. Obcas buta rudowłosego trafił go w usta i skruszył dolny ząb. Ślina zmieszana z krwią poplamiła podłogę. Kohlisch kiwał się przez chwilę w dybach ze starej skrzynki, po czym runął. Wokół słyszał szum. Ktoś obwiązał mu głowę jego koszulą wydzielającą mocny zapach piwa.

– Nie będziesz już krzyczał?

– Nie będę – powietrze uchodziło ze świstem przez dziurę po zębie.

– Obiecujesz?

– Tak.

– Powiedz „obiecuję".

– Obiecuję.

– Skąd sprowadzasz męskie dziwki bogatym damom?

– Jakie dziwki?

– Męskie. Przebierańcy. Jeden furman, drugi marynarz, trzeci robotnik...

– Nie wiem, o czym pan...

Następny cios był bardzo dotkliwy. Kohlisch prawie słyszał zgrzyt jakiegoś przedmiotu po swej kości policzkowej. Ktoś stanął mu na brzuchu ciężkim butem. Z ust i nosa Kohlischa wydostała się wydzielina. Koszula owijająca jego głowę zwilgotniała.

– To był kastet. Chcesz jeszcze raz poznać jego siłę czy może zaczniesz mówić?

– Baronowa zamawia chłopaków...

Ktoś wytarł dokładnie jego twarz koszulą. Opuchlizna na policzku zasłoniła mu obraz, jaki mógł widzieć lewym okiem. Prawym ujrzał rudowłosego, który odrzucił ze wstrętem mokrą koszulę. Trzask zapałki i wydech dymu.

– Nazwisko tej baronowej!

– Nie znam. – Kohlisch spojrzał na rudowłosego i krzyknął: – Nie bij mnie, ty skurwysynie! Powiem wszystko, co o niej wiem!

Rudowłosy nasunął kastet na palce i spojrzał pytająco ponad trzęsącym się ciałem Kohlischa w stronę, skąd dochodził zapach dymu. Otrzymał odpowiedź na swe nieme pytanie, ponieważ zdjął kastet. Kohlisch odetchnął.

– No to co wiesz o baronowej? – usłyszał od tego niewidocznego.

– Wiem, że jest baronową, bo tak do niej mówią.

– Kto się tak do niej zwraca?

– Koleżanki.

– Jak się nazywa baronowa?

– Już mówiłem... Nie wiem... Naprawdę nie wiem... Zrozum, człowieku – zawył Kohlisch, widząc kastet na ręce rudowłosego. – Przecież ta kurwa mi się nie przedstawia, kiedy chce chłopaczka...

– Przekonałeś mnie – przesłuchujący splunął na podłogę. Zasyczał papieros. – Musisz mi jednak powiedzieć coś, po czym mogę ją zidentyfikować.

– Herb – wyjęczał Kohlisch. – Herb na karocy... Topór, gwiazda i strzała...

– Dobrze. Zidentyfikujcie ten herb w *Herbarzu szlachty śląskiej*, który jest u nas w archiwum. – Kohlisch domyślił się, że polecenie to wydano rudowłosemu. – A teraz jeszcze jedno, Kohlisch. Wyjaśnij mi, co rozumiesz przez zdanie „baronowa zamawia chłopaków"?

– Baronowa przyjeżdża i dzwoni stąd dokądś – Kohlisch prawie szeptał. – Pod lokal podjeżdża dorożka z przebierańcami. Baronowa lub jakaś z jej koleżanek życzy sobie na przykład furmana... Wtedy ja idę po niego do dorożki... Niby go sprowadzam... To taka zabawa... Kohlisch przestał mówić. Nikt go o nic nie pytał. Trzasnęły drzwi w pomieszczeniu służbowym. Kohlisch rzucił się swym tłustym ciałem i objął wzrokiem pokój oraz porozrzucane bezładnie skrzynki. W pomieszczeniu stało dwóch mężczyzn. Kohlisch widział ich po raz pierwszy w życiu. Jeden z nich, niewysoki o wąskiej lisiej twarzy, ręką wydał polecenie drugiemu – olbrzymowi o krzaczastych brwiach. Ruch ręki wyrażał: „Zajmij się nim!"

Olbrzym wydobył z siebie nieartykułowany dźwięk, podszedł do Kohlischa, zsunął mu z ramion prowizoryczne dyby i przyłożył do nosa chustkę o słodkomdlącym, a jednocześnie ostrym zapachu, kojarzącym się ze szpitalem.

– To dla twojego dobra, przez kilka dni pomieszkasz u nas – to było ostatnie, co usłyszał Kohlisch tego dnia.

Wrocław, czwartek 4 września 1919 roku, godzina dziewiąta wieczorem

Willa baronostwa von Bockenheim und Bielau stała na końcu Wagnerstrasse. Pod potężną żelazną bramę, ozdobioną herbem, na którym bluszcz owijał się wokół tarczy z widniejącymi na niej toporem i gwiazdą przebitą w połowie pierzastą strzałą, podjechały dwa automobile. Z ogrodu położonego na tyłach domu dochodziły okrzyki dzieci i dźwięki fortepianu. Odgłosom tym przysłuchiwał się rudowłosy mężczyzna, który wysiadł z pierwszego auta. Po chwili nacisnął guzik dzwonka i przytrzymał go dłuższą chwilę. Z willi wymaszerował majestatycznie kamerdyner we fraku. Jego okolona bokobrodami twarz promieniowała spokojem, a długie bociane nogi w prążkowanych spodniach posuwały się tanecznym krokiem. Zbliżył się do bramy i obrzucił rudowłosego – jak sądził domokrążcę – pogardliwym wzrokiem. Wyciągnął ku intruzowi srebrną tacę i pozwolił, by tamten wsunął rękę między kraty i położył na niej bilet wizytowy z nazwiskiem „Josef Bilkowsky, hotel «Król Węgierski», Bischofstrasse 13". Na wizytówce widniał napis „Verte". Kamerdyner wracał powoli, unosząc wysoko nogi. Po kilku sekundach zniknął za masywnymi odrzwiami.

Rudowłosy wsiadł do automobilu i odjechał. Po chwili na podjeździe willi zjawiła się elegancko ubrana para. Trzydziestokilkuletnia kobieta miała na sobie czarną suknię Chanel w ekstrawaganckie pasy w meandry, kapelusz z białą chryzantemą oraz etolę, a nieco starszy mężczyzna – frak i białą kamizelkę, która odbijała światła latarni stojących na podjeździe. Podeszli do bramy i rozejrzeli się. Mężczyzna otworzył bramę i wyszedł na chodnik. Poza jednym automobilem, stojącym w pewnym oddaleniu, Wagnerstrasse była pusta. Kobieta wbiła w stojące auto nieco rozbawiony wzrok. Spojrzenie jej towarzysza było niezbyt przyjazne. Obydwoje dostrzegli wewnątrz samochodu czterech mężczyzn. Za kierownicą siedział mały człowieczek w nasuniętym na nos kapeluszu. Obok niego rozpierał się dobrze zbudowany brunet. Dym z jego papierosa wił się we wnętrzu auta. Mrużyli przed nim oczy dwaj mężczyźni siedzący z tyłu. Jeden z nich miał owiniętą twarz, jakby bolały go zęby, drugi – ledwo się mieścił na tylnej kanapie. Brunet odwrócił się do nich, złapał zabandażowanego za szyję i wskazał palcem na elegancką kobietę.

Zapytał o coś. Człowiek o bolących zębach skinął twierdząco głową. Brunet dotknął ramienia kierowcy i automobil ruszył gwałtownie. Po chwili zniknął z oczu wytwornie ubranej parze. Kobieta w czarnej sukni i mężczyzna we fraku weszli z powrotem na teren willi. Kamerdyner spojrzał na nich zdziwiony. Pan we fraku był lekko poirytowany, pani w czarnej sukni – obojętna.

Wrocław, czwartek 4 września 1919 roku, kwadrans po dziewiątej wieczorem

W willi baronostwa von Bockenheim und Bielau kinderbal z okazji ósmych urodzin jedynej córeczki barona, Rüdigera II, zbliżał się do końca. Rodzice zaproszonych dzieci siedzieli pod baldachimami opatrzonymi herbem baronostwa i moczyli usta i języki w kieliszkach szampana Philippiego. Panie rozmawiały o wiedeńskim sukcesie *Tkaczy* Hauptmanna, panowie o groźbach Clemenceau, postulujących zmiany w niemieckiej konstytucji. Nadmuchani nowoszlachecką godnością swych państwa służący poruszali się powoli i uroczyście. Pierwszy z dwójki famulusów niósł tacę z pustymi, drugi – z pełnymi kieliszkami. Dzieci – ubrane w marynarskie ubranka albo tweedowe kostiumy i kaszkiety *à la* lord Norfolk – biegały po ogrodzie, skupiając na sobie uwagę bon. Kilka dziewczynek stało koło fortepianu i śpiewało *Odę do radości* Beethovena w szybkim rytmie wybijanym na klawiszach przez długowłosego muzyka. Lampiony – podobnie jak rozmowy – powoli wygasały. Panowie podjęli decyzję o zapaleniu pożegnalnego cygara, panie – o ostatnim łyku szampana, który – jak to ujęła jedna z dam – „swymi bąbelkami dodawał ciekawej goryczy słodkim wiedeńskim struclom".

Pani domu, baronowa Mathilde von Bockenheim und Bielau, odstawiła kieliszek na tacę podsuniętą przez kamerdynera Friedricha. Patrzyła z miłością na swoją córkę Louise, która przebiegała na przełaj przez ogród, nie chcąc stracić z oczu małego latawca widocznego w poświacie lampionów. Baronowa kątem oka spostrzegła puste kieliszki na tacy. Odwróciła się z irytacją. Czyżby ten staruszek Friedrich nie zauważył, że już swój odstawiła? Czyż nie wie, że należy się zająć innymi gośćmi? Może coś mu się stało? Jest taki stary... Spojrzała z niepokojem na Friedricha. Stał przed nią i spoglądał wzrokiem, w którym była gotowość do oddania życia za swą panią.

– Czy chciałeś czegoś ode mnie, Frédéric? – zapytała bardzo łagodnie.

– Tak, wielmożna pani. – Friedrich spojrzał na małą Louise von Bockenheim und Bielau, za którą biegła z rozłożonymi rękami guwernantka, wołając z silnym angielskim akcentem: „Nie biegaj tak szybko, mała baronówno, jeszcze za bardzo się spocisz!".

– Nie śmiałem przerywać tej chwili kontemplacji, kiedy podziwiała pani to żywe srebro, małą baronównę...

– Nie usłyszałeś mojego pytania, Frédéric? – powiedziała jeszcze łagodniej baronowa.

– Telefon do pani baronowej – oznajmił Friedrich. – Dzwoni ten człowiek, który wręczył wielmożnej pani dziwną wizytówkę kilka minut temu.

– Powinieneś darować sobie słówko „dziwną", drogi Frédéric – zasyczała baronowa. – Nie jesteś tutaj od wygłaszania komentarzy.

– Tak jest, wielmożna pani – Friedrich ukłonił się, a jego oczy wyrażały już nieco mniejszą gotowość oddania życia za swą chlebodawczynię. – Co mam powiedzieć telefonującemu panu?

– Porozmawiam z nim. – Przeprosiła na chwilę towarzyszki konwersacji i popłynęła przez ogród, rozdając dokoła uśmiechy. Najserdeczniejszym obdarzyła męża, barona Rüdigera II von Bockenheim und Bielau.

Wchodząc po schodach na górę willi, spojrzała jeszcze raz na wizytówkę z napisem „Verte!". Na odwrocie widniały słowa: „W sprawie dorożkarzy i furmanów". Pani baronowa przestała się uśmiechać. Weszła do swojego buduaru i podniosła słuchawkę.

– Nie przedstawię się – usłyszała męski zachrypnięty głos. – Będę pani zadawać pytania, a pani odpowie zgodnie z prawdą. W przeciwnym razie pan baron pozna sekretne życie swojej żony... Dlaczego pani milczy?

– Bo nie zadałeś mi żadnego pytania. – Baronowa wyjęła papierosa z kryształowej papierośnicy i zapaliła go.

– Proszę mi podać adresy mężczyzn, którzy towarzyszą pani po wizytach w hotelu „Król Węgierski". Są przebrani – jeden za furmana, inny za dorożkarza. Mnie interesują tylko ci, którzy są przebrani za marynarzy.

– Lubisz marynarzy, co? – Baronowa roześmiała się cicho i perliście. – Chcesz, by cię wyruchali, co? – Podniecały ją wulgaryzmy. Chciała usłyszeć przekleństwa z zachrypniętego od tytoniu gardła swojego rozmówcy. Lubiła przekleństwa i zapach taniego tytoniu.

– Wiesz coś o tym, co? Odpowiesz mi, stara szmato, czy mam się połączyć z panem baronem? – w głosie mężczyzny pobrzmiewała nowa nuta.

– Już jesteś połączony – odpowiedziała baronowa. – Odezwij się, kochanie, do tego nędznego szantażysty!

– Tu baron Rüdiger II von Bockenheim und Bielau – w słuchawce rozległ się niski głos. – Nie próbujcie szantażować mojej małżonki, mój dobry człowieku. To niskie i podłe.

Baron Rüdiger II von Bockenheim und Bielau odłożył słuchawkę i wyszedł ze swojego gabinetu. Po drodze spotkał żonę i pocałował ją w czoło.

– Pożegnajmy gości, mój kochany poranku – powiedział.

Wrocław, czwartek 4 września 1919 roku,
godzina jedenasta wieczorem

Baronowa Mathilde von Bockenheim und Bielau siedziała w buduarze przy sekretarzyku i pisała list-przestrogę do swej przyjaciółki i bywalczyni „Króla Węgierskiego", Laury von Scheitler, której szlachecki tytuł i herb był pierwszej świeżości – podobnie jak jej własny. Po napisaniu krótkiego listu spryskała jego rewers perfumami i włożyła do koperty. Następnie targnęła za dzwonek i – wcierając w alabastrową skórę twarzy krem, kupiony wczoraj w „Domu Piękności" Hoppego za astronomiczną sumę trzystu marek – usiadła przed lustrem toaletki. Czekała na kamerdynera Friedricha. Usłyszała pukanie do drzwi.

– *Entré!* – zawołała i wcierała dalej krem w pełny dekolt.

Spojrzała w lustro i zobaczyła dwie dłonie na swojej delikatnej skórze. Jedną z nich, szorstką i sękatą, poczuła na ustach, druga szarpnęła ją za włosy. Baronowa doznała rozdzierającego bólu skóry głowy i wylądowała na szezlongu. Usiadł na niej okrakiem rudowłosy mężczyzna. Kolanami przycisnął do sofy jej ramiona, jedną dłonią ponownie zakrył usta, a drugą wymierzył mocny policzek.

– Będziesz cicho? Czy jeszcze raz?

Baronowa von Bockenheim und Bielau usiłowała kiwnąć głową. Rudowłosy dobrze zrozumiał jej ruch.

– Adres tych marynarzy – usłyszała baronowa i zdała sobie sprawę, że nie z tym mężczyzną rozmawiała przez telefon. – Dziwek męskich przebranych za marynarzy. Ale już!

– Alfred Sorg – powiedziała cicho. – Tak się nazywa mój marynarz, dam ci jego numer telefonu. On sprowadza również innych mężczyzn.

Rudowłosy sapnął i z widocznym żalem zszedł z baronowej. Wstała, napisała na kartce numer telefonu i spryskała

121

jej rewers perfumami. Napastnik wyrwał kartkę. Otworzył okno i wyskoczył na trawnik. Baronowa obserwowała go, jak wspina się na ogrodzenie. Usłyszała warkot silnika i pisk opon. Pociągnęła jeszcze raz za szkarłatną szarfę i usiadła przed lustrem. Nałożyła na dłonie grubą warstwę kremu.

– Wiem, że ty go wpuściłeś, Frédéric – powiedziała łagodnie, kiedy pojawił się koło niej kamerdyner. – Od jutra nie chcę cię widzieć w moim domu.

– Nie wiem, o czym wielmożna pani baronowa raczy mówić – głos Friedricha był pełen powagi i zatroskania.

Baronowa odwróciła się do swego służącego i zajrzała mu głęboko w oczy.

– Tylko w jeden sposób możesz uratować swoją posadę, Frédéric – zwróciła twarz do lustra i westchnęła. – Daję ci ostatnią szansę.

Mijały sekundy i minuty. Baronowa rozczesywała włosy, a Friedrich stał wyprężony jak struna.

– Słucham jaśnie wielmożną panią – jego głos wyrażał teraz niepokój.

– Stracisz posadę – spojrzała z zadowoleniem na swe odbicie i podarła list do baronowej von Scheitler – jeśli do rana nie sprowadzisz mi tego rudego potwora.

Wrocław, czwartek 4 września 1919 roku, północ

W piwiarni „Pod Trzema Koronami" przy Kupferschmiedestrasse nr 5–6 unosiła się ciężka woń będąca mieszaniną tytoniowego dymu, smażonego smalcu, przypalonej cebuli i ludzkiego potu. Woń ta wzbijała się pod łukowate sklepienie lokalu i zasnuwała mgłą pseudoromańskie okna, które wychodziły na podwórze domu „Pod Błękitnym Orłem". Ciężkiej atmosfery piwiarni nie poprawiały nieliczne podmuchy chłodnego powietrza nocy, kiedy otwierały się drzwi wpuszczające nowych klientów. W piwiarni ruch odbywał się tylko w jedną stronę. Nikt z niej teraz nie wychodził. Gdyby ktoś wyszedł, byłby przez innych uznany za zdrajcę. W piwiarni „Pod Trzema Koronami" odbywało się zebranie wrocławskiego oddziału freikorpsu.

Mock i Smolorz stanęli na końcu sali i przyzwyczajali oczy do gryzącej mgły. Przy ciężkich stołach siedzieli ociężali od piwa mężczyźni. Stukali kuflami o dębowe, mokre od piany blaty, pstrykali palcami na obera i uciszali się wzajemnie. Mieli różne nakrycia głowy, które dla wprawnego policyjnego oka równie precyzyjnie charakteryzowały stan społeczny swych właścicieli, jak odznaczenia wojskowe. Przy stołach siedzieli zatem robotnicy w płóciennych czapkach z lakierowanymi daszkami lub w ceratowych cyklistówkach. Ich klasę społeczną podkreślały dodatkowo pozbawione kołnierzyków koszule z podwiniętymi rękawami. Nieco z boku trzymali się drobni kupcy, restauratorzy i urzędnicy. Z kolei ich znakiem rozpoznawczym były meloniki, a dodatkowym atrybutem sztywne kołnierzyki, z których wiele już domagało się wizyty w pralni. Ci pili mniej i nie stukali kuflami, lecz za to wypuszczali ze swych cygar i fajek największe bomby dymu. Trzecią, najliczniejszą grupę stanowili młodzi ludzie noszący na głowach hełmy i – doskonale znane Mockowi – okrągłe polowe czapki bez daszka, zwane *Einheitsfeldmützen*.

Na tych ostatnich asystent kryminalny zwracał baczną uwagę. Jego uważny wzrok przebijał dymną zasłonę i taksował ich szare mundury, do których tu i ówdzie przyszpilone były medale. Właśnie posiadacz jednego z nich, młody i przystojny człowiek, wyszedł na podest, na którym w czasie wolnym od zebrań freikorpsu kilku muzykantów umilało gościom piwiarni pochłanianie kotletów mielonych będących specjalnością lokalu. Teraz na podium znalazł się posiadacz medalu, przypominającego Mockowi tak zwany Krzyż Bałtycki, który on sam otrzymał za walki w Kurlandii. – Kamraci! Współtowarzysze walki! – wydzierał się kawaler Krzyża Bałtyckiego. – Nie możemy dopuścić, by komuniści zatruwali nasz naród. Aby nasz dumny ród germański był zhańbiony przez bolszewickich Azjatów i ich sługusów!

Mock wyłączył zmysł słuchu. Gdyby tego nie uczynił, wszedłby na podium i wymierzył młodemu człowiekowi, którego zapał do walki był równie autentyczny jak jego Krzyż Bałtycki, siarczysty policzek. Znał dobrze mówcę, wiedział, że całą wojnę przepracował jako dzielny informator policji politycznej, zażarcie ścigającej każdy przejaw defetyzmu i upadku morale wśród cywilów. Kiedy Mock iskał wszy w okopach, kiedy wraz z Corneliusem Rühtgardem wystawiali tyłki na lodowaty podmuch północnego wiatru i srali na rozkaz kapitana Mantzelmanna, kiedy wypompowywali z głów Kałmuków fontanny krwi, kiedy patrzyli w melancholijne oczy umierających rosyjskich jeńców, kiedy wyciągali z zainfekowanych ran tłuste larwy, wtedy ów mówca, Alfred Sorg, chodził po knajpach i dzielnie słuchał rozgoryczonych ludzi, ochoczo łapał za kołnierz bluźniących przeciwko cesarzowi wyrostków i prowadził ich na najbliższy komisariat, mężnie szantażował młode żony, które złorzeczyły Rzeszy; wtedy Sorg odważnie stawiał tym tęskniącym za swoimi mężami kobietom wybór: albo więzienie, albo chwila zapomnienia o wszystkim – a przede wszystkim o swej wierności wobec męża.

Ktoś trącił Mocka w łokieć i wręczył mu stos ulotek, mówiąc „podaj dalej". Mock przyjrzał się im. Zachęcały do wstąpienia do Garde-Kavallerie-Schützen-Division. Na jednej z nich członek freikorpsu wskazywał palcem urocze miasteczko, nad którym rozpościerał skrzydła wyliniały biały polski orzeł z ohydnymi szponami i wstrętnym rozwartym dziobem. Inny freikorpser zamierzał się bagnetem na tę bestię. Pod rysunkiem był cytat z Ernsta von Salomona: „Niemiecki kraj płonął w skołatanych umysłach. Niemcy zawsze byli tam, gdzie walczono, gdzie uzbrojone ręce sięgały po niemiecką własność, niemiecki kraj promieniował tam, gdzie walczący w jego obronie przelewali ostatnią krew".

Ciekawe, czy niemiecki kraj był w okopach pod Dyneburgiem – myślał Mock – ciekawe, czy von Salomon, pisząc o ostatniej krwi, widział moich towarzyszy broni, którzy umierali na dyfteryt, a z ich nogawek wypływała krwista biegunka. Policjant spojrzał na drugą ulotkę, na której widniał prezydent amerykański wydmuchujący bańki mydlane. Jedna z nich opatrzona była napisem: „Mrzonki prezydenta Wilsona".

– Czyń to, co musisz! – grzmiał z podium agent policyjny Alfred Sorg. – Zwyciężaj albo umieraj i Bogu pozostaw ostateczną decyzję!

Mock starał się nie słuchać i z niedowierzaniem przyglądał się pięciostrzałowym karabinom mauzer 98 ostentacyjnie opartym o stoły. Przypomniał sobie, jak pewien zwiadowca pod Dyneburgiem doniósł dowódcy pułku von Thiedemu o zebraniu rosyjskich szpiegów w żydowskiej karczmie. Mock wraz ze swoim plutonem zwiadowczym otworzyli drzwi do lokalu. Buchnął hałas. Dowódca plutonu, kapral Heinze, kazał strzelać. Mock naciskał spust mauzera 98, który zionął gęstym ogniem. Zapadła martwa cisza. Opadł dym. Komuniści albo byli płci żeńskiej, albo mieli najwyżej dziesięć lat. Kapral Heinze śmiał się później do rozpuku, śmiał się również wtedy, gdy bagnet wwiercał mu się w trzewia. Któryś z ludzi z jego plutonu, pacyfikującego kwaterę rzekomych szpiegów, stracił szacunek do swojego führera. Kiedy Heinzego znaleziono z rozoranym brzuchem leżącego w błocie obok własnej kwatery, Mock, jako policjant w cywilu, dostał zadanie poprowadzenia śledztwa. Sprawcy nie znaleziono. Mock był dość opieszały. Po miesiącu został przez dowódcę pułku von Thiedego zdegradowany za nieumiejętne prowadzenie dochodzenia. Ponieważ Mock odniósł lekkie rany, von Thiede odesłał go do Królewca, mając nadzieję, że ten buntowniczo nastawiony policjant już nie wróci do jego pułku. Tam Mock wypadł z okna, a potem, jako rekonwalescent, trafił wraz z sanitariuszem Corneliusem Rühtgardem rzeczywiście gdzie indziej – do kapitana Mantzelmanna, miłośnika zimnej higieny Północy.

Mówca usiadł przy pierwszym stole obok młodej dziewczyny, której widok wprawił Mocka w drżenie. Znał ją doskonale – to jej poświęcone były wojenne opowieści jego przyjaciela Rühtgarda. Zagryzł wargi i stłumił w sobie ponowną chęć spoliczkowania Alfreda Sorga. Dziewczyna, wpatrzona w ognistego mówcę, biła brawo równie entuzjastycznie jak wszyscy w piwiarni „Pod Trzema Koronami" – wszyscy oprócz dwóch policjantów z wydziału III b, którzy w poszukiwaniu fałszywych marynarzy wpadli w gniazdo freikorpsu. Mock nie okazywał entuzjazmu, ponieważ ogarnęły go niewesołe myśli, Smolorz nie bił brawa, gdyż miał unieruchomione ramię. Obejmował je obiema rękami człowiek z bokobrodami kamerdynera i szeptał mu coś na ucho. Smolorz go poznał i uważnie wysłuchał.

*Wrocław, piątek 5 września 1919 roku,
godzina pierwsza w nocy*

Po zebraniu freikorpsu z piwiarni wytaczali się goście, którzy byli napompowani w równym stopniu patriotyzmem i piwem. Jeden z nich pił niewiele, ponieważ tej nocy miał plany, których realizacji przeszkodziłaby zbyt duża ilość alkoholu. Alfred Sorg obejmował smukłą kibić towarzyszącej mu dziewczyny i czuł, że demon w jego spodniach zaczyna się kapryśnie domagać ofiary. Sorg pomyślał o swych kieszeniach, w których nie było nic, czym można by opłacić pokój na godziny, oraz o swej nędznej izdebce, w której za chwilę będą chrapać dwaj członkowie ukrywającej się w Bawarii tak zwanej brygady Erhardta.

Rozejrzał się po ulicy i dostrzegł między domami ciemną szczelinę prowadzącą na podwórze. Ta ciemna wilgotna szpara wzbudziła u niego ciąg asocjacyj, które go znów podnieciły. Przystanął, objął dziewczynę i wycisnął na jej ustach piwny pocałunek. Rozchyliła wargi i nogi. Sorg wsunął jednocześnie język do jej ust i kolano pomiędzy uda. Uniósł ją i po chwili skryli się obydwoje w wąskiej szczelinie pomiędzy domami. Sorga nie zdziwił wilgotny powiew podwórza, zdumiała natomiast ostra woń czosnku, którą poczuł.

Sekundę później oprócz wrażeń olfaktorycznych odebrał wrażenia czuciowe i dźwiękowe. W jego uchu rozdzwoniły się kuranty, a małżowina zaczęła puchnąć od silnego ciosu. Sorg został wypchnięty ze szczeliny i znalazł się na podwórzu, na tyłach trafiki Franza Krziwanie, przed gniewnym obliczem. Nie było mu ono całkiem nieznane.

Stał przed krępym, dobrze zbudowanym mężczyzną, którego wzrost stanowił pośrednie ogniwo między niskim człowieczkiem o lisiej twarzy i wysokim drągalem, który ochładzał swą ozdobioną rudymi wąsami twarz ruchami melonika. Ze szczeliny wyszedł olbrzym, przytrzymując szarpiącą się dziewczynę.

– Spokojnie z nią, Zupitza – powiedział krępy. – Zaprowadź panią do auta i staraj się odwracać od niej swój oddech.

– Ty gnoju, ty Żydzie! Co z nią chcesz zrobić? – Sorg postanowił pokazać wszystkim, że jest prawdziwym mężczyzną, i rzucił się na Zupitzę. – Zostaw ją, bo cię...

Zupitza nawet nie zainteresował się agresorem. Sorg runął na ziemię, potykając się o nogę mężczyzny o lisiej twarzy. Chciał wstać, lecz otrzymał mocny cios w drugie ucho. Zupitza zniknął wraz z dziewczyną. Sorg upadł na klepisko podwórza i przez chwilę zastanawiał się nad różnicą pomiędzy oboma ciosami. Już wiedział. Drugi był zadany butem i wymierzony przez kogoś innego. Usiadł na bruku i wpatrywał się w krępego mężczyznę, który wycierał chustką do nosa czubek swojego lśniącego trzewika. Sorg znał skądś posiadacza eleganckich butów, ale nie wiedział skąd.

– Posłuchaj mnie, bohaterze wojenny. – Chrypa jego oprawcy również wydała mu się znajoma. – Teraz mi coś powiesz. Przekażesz kilka informacyj. Zapłacę ci za nie.

– Dobrze – powiedział szybko Sorg. Przypomniał sobie swojego rozmówcę. Rok 1914. Początek wojny. Szantażował pewną mężatkę, która nie mogła objąć tępym umysłem wydarzeń historycznych, a dopiero co wypowiedziana wojna kojarzyła jej się jedynie z brakiem w domu jej zmobilizowanego męża. Sorg obiecał, że nie wspomni nikomu o jej antypaństwowych wypowiedziach, jeśli obdarzy go tym, w co ją natura hojnie wyposażyła. Niewiasta zgodziła się i tego samego dnia poszła do komisji obyczajowej wrocławskiej policji na skargę. Tam znalazła pełne zrozumienie. Nazajutrz o umówionej godzinie Sorg usłyszał pukanie do drzwi. Podbiegł do nich z przygotowanym do przyjęcia ofiary demonem, otworzył je i zobaczył kilku na czarno ubranych mężczyzn. Jeden z nich, krępy brunet, zaatakował go z taką furią, że Sorg omal nie postradał życia pod lśniącymi, wypastowanymi butami.

– Niech pan pyta.

– Przebierasz się za marynarza i ruchasz damy z wyższych sfer?

– Tak.

– Załatwiasz tym damom innych przebierańców? Furmanów, dorożkarzy, gladiatorów...

– Nie ja, ktoś inny.

– Jedna dama powiedziała, że dzwoni do ciebie, a ty załatwiasz.

– Tak jest. Ale ja dzwonię do kogoś i załatwiam innych bawidamków.

– Dostajesz za to forsę?

– Tak, mam prowizję.

Przesłuchujący podszedł do wciąż siedzącego na bruku Sorga i chwycił go za włosy. Sorg poczuł kwaśną woń kaca.

– Do kogo dzwonisz po chłopaczków?

– Do Norberta Rissego. – Sorg nie chciał już czuć zapachu kaca i szybko wyrzucał z siebie słowa. – Tego pedała. Urzęduje na statku „Wölsung". To pływający burdel.

– Masz – przesłuchujący rzucił mu kilka banknotów. – Wynajmij sobie pokój w hotelu „Sieh dich für" na Kleingroschenstrasse i weź jakąś tanią dziwkę. Nie stać cię na pannę, która ci towarzyszyła.

Mężczyźni odchodzili, a Sorg wciąż siedział na bruku.

– Pojedziecie teraz na ten statek, Smolorz – usłyszał Sorg. – Macie dowiedzieć się wszystkiego o czterech marynarzach. Tu macie ich zdjęcia. – Sorg zobaczył kątem oka, jak jego oprawca wręcza Smolorzowi kopertę i odchodzi szybkim krokiem.

– Panie Mock! – zawołał Smolorz i wskazał na Sorga. – A co z tym? Przecież pan go osobiście przesłuchiwał... Jeszcze ten bydlak go zabije...

– Nic mu nie będzie... Widzi pan gdzieś tu mordercę, Smolorz? – Mock zawrócił i zbliżył się do ofiary. Kucnął i zerwał mu z munduru Krzyż Bałtycki. Podszedł do szczeliny między kamienicami i pochylił się nad ujściem kanału ściekowego. Zapluskały cicho podziemne wody miasta.

– Kupi sobie nowy na pchlim targu – skwitował Smolorz.

– Jedźcie, Smolorz, do tego Rissego, a ja zabieram dziewczynę – powiedział Mock, nie komentując spostrzeżenia swojego podwładnego. Po chwili na tyłach trafiki Krziwaniego pozostali jedynie Sorg i Smolorz.

– Co za sprawiedliwość – powiedział do siebie Smolorz, ściskając w ręku wizytówkę, którą otrzymał w gospodzie od człowieka z bokobrodami o manierach kamerdynera. – On z dziewczyną, a ja – do pedała.

Sorg milczał i badał palcem dziurę w materiale munduru – w miejscu, gdzie wisiał przedtem Krzyż Bałtycki.

Wrocław, piątek 5 września 1919 roku,
godzina wpół do drugiej w nocy

Wirth zapuścił silnik. Mock opadł ciężko na tylną kanapę auta, tuż koło dziewczyny. Jego ubranie było przesiąknięte zapachem tytoniu, przebijało też z niego wspomnienie alkoholu i drogiej wody kolońskiej. Dziewczyna była zaintrygowana człowiekiem, z którym jeszcze nigdy nie rozmawiała, choć widywała go często w swoim domu. Jej zainteresowanie wzrosło przez okoliczności ich spotkania: ciemna noc, pocałunki w zaułku i ludzie o wyglądzie morderców. Nagle ogarnął ją niesmak. Jej myśli zaprzątał kat Alfreda, który – upokorzony i pobity – próbuje dojść do siebie w jednym z najbardziej zakazanych zakątków tego miasta! Odwróciła się z obrzydzeniem od Mocka.

– Nic nie powiem twojemu ojcu, Christel. – Mock chciał położyć rękę na ramieniu dziewczyny, lecz w porę się powstrzymał.

– Może pan mówić wszystko, co się panu podoba – warknęła Christel Rühtgard i zapatrzyła się na cmentarz wojskowy na rogu Kirschallee i Lohestrasse. – Nie obchodzi mnie, co myślicie o mnie pan i mój ojciec...

– Nie powiedziałem tego – sapnął Mock – aby zaskarbić twoją sympatię lub uspokoić cię po miłosnej scenie w cuchnącym zaułku...

– To po co pan to powiedział? – oczy Christel płonęły.

– Bo nie wiedziałem, jak zacząć rozmowę. – Mock spojrzał na jej wydatne piersi i odsunął się nieco, przestraszony swoimi myślami.

– Niech pan w ogóle jej nie zaczyna! Nie mam o czym z panem rozmawiać.

Zapadła cisza. Mock był zmęczony i najchętniej przełożyłby rozkapryszoną pannicę przez kolano i wymierzył jej porządnego klapsa. Myśl, której się przed chwilą przestraszył, była bardzo niewinna w porównaniu z tym, co Mock wyobraził sobie jako następstwa gorącego klapsa. Przykleił policzek do zimnej szyby i wpatrywał się tępo w Park Południowy, do którego dojeżdżali. Zamykały mu się oczy. Pod powiekami przesuwały się światła piwiarni „Pod Trzema Koronami", potem ciche cmentarze. Gdzieś w oddali szumiały drzewa, świstał stolarski hebel, płakało małe dziecko, które przyciskało swoją mokrą od łez buzię do twarzy zmęczonego mężczyzny. Teraz obejmowało go rączkami za szyję i usiłowało coś powiedzieć, szarpało go za ramię, wykrzywiając ze zdenerwowania usta i wołało podniesionym głosem:

– Panie Mock, niech się pan obudzi! Kierowca pyta, dokąd jedziemy!

Mock przetarł oczy, wyjął z kieszeni zegarek i spojrzał na poirytowaną twarz Christel Rühtgard.

– Chciałem cię odwieźć do domu – mruknął. – Abyś nie była narażona na zaczepki pijaków.

– Takich jak pan?

Mock wysiadł z horcha i rozejrzał się dokoła. Byli przy końcu Hohenzollernstrasse. Z prawej strony wiatr rozwiewał korony drzew Parku Południowego. Z lewej spali snem

131

sprawiedliwych syci mieszkańcy nowoczesnych domów jednorodzinnych i okazałych willi. Nikt z nich nie otrzymywał koszmarnych przesyłek z rąk obłąkanych morderców, nikogo nie obejmowało za szyję dziecko, które nagle zostało osamotnione, a może osierocone, nie kazano im odprawiać makabrycznej pokuty za wyimaginowane błędy. Mock obszedł automobil, otworzył drzwi i podał ramię dziewczynie. Ta wzgardziła jednak jego uprzejmością i sama zwinnie wyskoczyła na trotuar.

– Takich jak ja – odpowiedział jej. – Tacy są szczególnie niebezpieczni.

– Niech pan nie robi z siebie demona – powiedziała panna Rühtgard i ruszyła w stronę parku. – Mam niedaleko stąd do domu. Nie życzę sobie, by pan mnie odprowadzał.

– Niedaleko stąd – krzyknął za nią – moi ludzie dziś znaleźli człowieka powieszonego za nogi na drzewie!

Christel Rühtgard zatrzymała się i spojrzała na Mocka z taką niechęcią, jakby to on własnoręcznie ustrajał drzewa nieboszczykami. Stali przez chwilę w milczeniu.

– W tym parku nie jest tak bezpiecznie jak na promenadzie nad fosą w niedzielny poranek – powiedział Mock. – Kiedy ludzie idą po kościele na lody. Tutaj nocami straszy, a trupy wiszą na drzewach albo wypływają ze stawu.

– Naprawdę nie powie pan nic mojemu ojcu o mnie i o Fredzie? – zapytała cicho Christel.

– Pod warunkiem że cię odprowadzę do domu.

Wrocław, piątek 5 września 1919 roku,
godzina druga w nocy

Szli w milczeniu ciemnym parkiem, w którym tu i ówdzie pojawiała się wyspa światła padającego od nielicznych latarń. Mock zapalił papierosa.

– Nie wie pan, jak zacząć rozmowę – zaśmiała się cicho panna Rühtgard. Szła dumna i wyprostowana. Irytacja ustąpiła lekkiemu rozbawieniu.

– Wiem, jak zacząć, ale nie wiem, czy pani zechce ze mną rozmawiać na temat, który mnie interesuje.

– Nie będę z panem rozmawiać na temat Alfreda Sorga. Czy interesuje pana jakiś inny temat?

– Jesteś inteligentną młodą damą. Z tobą można rozmawiać o wszystkim. – Mock zdał sobie sprawę, że powiedział jej komplement, i zawstydził się jak uczniak. – Jednak aby poruszać różne kwestie, trzeba się lepiej poznać...

– Chce mnie pan lepiej poznać? Nie wystarczy panu to, co mówi o mnie mój ojciec?

– Pamiętam, co mówił o tobie twój ojciec w okopach pod Dyneburgiem. Byłaś jego jedyną szansą na przeżycie. Ocaliłaś go, droga Christel. – Mock przystanął i potarł mocno podeszwą buta o nawierzchnię alejki. Kiedy stwierdził, że wszedł w pamiątkę, jaką zostawiają w parkach Bert i jego bracia, stłumił przekleństwo. Potem wytarł podeszwę o trawę i wrócił do przerwanego wątku. – Nie tylko zresztą jego. Ocaliłaś sporo żołnierzy rosyjskich. Gdyby nie ty, twój ojciec rzuciłby się sam z karabinem na rosyjskie okopy i pozabijał wielu, po czym sam by zginął...

– Dlaczego pan sądzi, że miał myśli samobójcze? – Christel obserwowała w słabym świetle, jak Mock wyciąga kraciastą chusteczkę do nosa i ściera pył z zakurzonego noska trzewika.

– Wielu z nas miało myśli samobójcze – mruknął. – Wielu z całej siły wytężało wyobraźnię i nie widziało końca wojny. Twój ojciec widział. Ty byłaś dla niego końcem wojny.

– Opowiadał panu o mnie?

– Nieustannie.

– A pan go słuchał uważnie? Współczuł pan z nim? O ile wiem, nie ma pan własnych dzieci... Ileż można słuchać o czyichś dzieciach, o chłopcach, których rozsadza energia i o obrażalskich dziewczynkach?

– Nie byłaś dla niego obrażalską dziewczynką. – Mock wyjął tym razem białą wykrochmaloną chustkę i otarł nią czoło pod melonikiem. Wrześniowa noc była prawie upalna. – Byłaś ideą ukochanego dziecka. Ideą w sensie platońskim. Wzorem, archetypem... Po rozmowach z nim zazdrościłem mu... Sam chciałem mieć takie dziecko...

– A po dzisiejszym wieczorze – Christel spojrzała na Mocka rozpaczliwie – dalej chciałby pan mieć taką córeczkę?

– Jeden wieczór nie przekreśla całego życia. – Mimo że Mock powiedział to bardzo szybko, był pewien, że dziewczyna usłyszała „nie" w jego odpowiedzi. – Nie wiem, jak jest między wami na co dzień...

Mock zaoferował jej ramię. Christel po chwili wahania ujęła go delikatnie pod łokieć. Szli wokół stawu.

– Pobił pan mojego przyjaciela – powiedziała cicho. – I powinnam pana nienawidzić. A jednak powiem panu, jaki jest na co dzień mój ojciec... On jest zaborczy. W każdym chłopcu, z którym się przyjaźnię, który mnie odwiedza, widzi rywala... Kiedyś mi powiedział, że po śmierci mojej mamy, miałam wtedy dwa lata, skakałam z radości... Cieszyłam się, bo umarła moja mama, moja rzekoma rywalka... Niech pan zwróci uwagę... Na jego biurku zawsze leżą książki Freuda. W jednej z nich tłusto podkreślił wywody twórcy psychoanalizy o kompleksie Elektry. Całe stronice pomazane obrzydliwym, rozmazanym tuszem...

– Zrozum swojego ojca. – Mock czuł się nieswojo z powodu bliskości dziewczyny. – Młode damy powinny się spotykać z młodzieńcami w towarzystwie przyzwoitek. Nie powinny uczestniczyć w zgromadzeniach, na których bywają podpici, rozochoceni mężczyźni z plebsu.

Christel puściła ramię Mocka i rozglądała się w roztargnieniu.

– Proszę mnie poczęstować papierosem – zażądała. Mock podał jej papierośnicę i strzelił zapałką.

– Mężczyźni zawsze pocierają zapałkę o draskę w swoją stronę, wie pan? Pan też tak zrobił. Jest pan stuprocentowym mężczyzną.

– Każdy by się czuł jak stuprocentowy mężczyzna, gdyby szedł w pogodną noc przez park w towarzystwie młodej i pięknej damy. – Mock nagle zdał sobie sprawę, że znowu emabluje córkę swojego najlepszego przyjaciela. – Przepraszam, panno Rühtgard, nie chciałem tego powiedzieć. Pełnię teraz przy pani funkcję raczej Cerbera niż Romea.

– Ależ ta druga rola jest zdecydowanie milsza dla każdej kobiety – roześmiała się panna Rühtgard.

– Doprawdy? – zapytał Mock i błogosławił ciemności parku, które ukryły jego rumieniec. Poszukiwał gorączkowo jakiegoś trafnego kalamburu, dowcipnej riposty, lecz pamięć go zawiodła. Mijały minuty. Panna Rühtgard paliła niewprawnie papierosa i przyglądała mu się z uśmiechem, czekając na odpowiedź. Ogarnęła go złość na samego siebie i na tę dzierlatkę, która owija go sobie wokół palca. Najbardziej złościło go to, że odpowiada mu taka rola.

– Przestań, moja droga – podniósł nieznacznie głos, rezygnując z formy „panno Rühtgard". – Nie jesteś kobietą. Jesteś jeszcze dzieckiem.

– Czyżby? – zapytała figlarnie. – Dzieckiem przestałam być w Hamburgu. Może chce pan wiedzieć, w jakich okolicznościach?

– Chcę wiedzieć coś innego – powiedział Mock wbrew sobie. – Czy znasz kolegów Alfreda Sorga, którzy w przebraniu oddają się do dyspozycji bogatym damom?

– Co to znaczy „do dyspozycji?" – zapytała panna Rühtgard. – Nie wiem, o czym pan mówi. Jestem jeszcze dzieckiem...

Mock przystanął i otarł pot z czoła. Odsunął się nieco od swojej towarzyszki. Zdawał sobie sprawę, że nadmiar papierosów nie poprawia woni jego oddechu. Ku jego irytacji Christel przysunęła się do niego, a jej oczy stały się wielkie i naiwne.

– Co to znaczy „do dyspozycji"? – ponowiła pytanie.

– Znasz czterech młodzieńców – Mock odsunął się od dziewczyny i przestał panować nad sobą – którzy przebierają się za marynarzy i dogadzają seksualnie bogatym damom? To koledzy twojego przyjaciela Alfreda Sorga. Może sam Alfred też się przebiera i je pieprzy? Czy przebiera się tak dla ciebie?

Mock ugryzł się w język. Było już za późno. Zapadła cisza. Znad stawu powiało chłodem. Gasły światła w restauracji „Park Południowy". Służąca czekała na pierwszy blask różanopalcej, by wyjść z Bertem na spacer. Trupy wisiały na drzewach i podnosiły się z wody. Mock czuł się podle i nie patrzył w stronę panny Rühtgard.

– Jest pan taki jak mój ojciec. On ciągle się dopytuje, kto mnie ostatnio wychędożył. – Jej twarz była skamieniała z gniewu. – Zaraz mu powiem, że pana to też interesuje. Zrelacjonuję całą naszą rozmowę. Wtedy zrozumie, że ludzie nie przestają być kobietami i mężczyznami, choćby nosili na piersi szyld z napisem „ojciec" albo „córka". Nawet pan, zwykle tak opanowany, dał się ponieść i napawał się słowem „dogodzić". Wydawał mi się pan całkiem inny...

– Przepraszam. – Mock zapalił ostatniego papierosa. – Użyłem wobec pani niewłaściwych słów, panno Rühtgard. Proszę mi wybaczyć. Niech pani nie mówi o naszej rozmowie ojcu. To nadwerężyłoby naszą przyjaźń.

– Powinien pan dać ogłoszenie do „Schlesiche Zeitung" – powiedziała w zamyśleniu Christel. – Brzmiałoby ono: „Pozbawiam ludzi złudzeń, Eberhard Mock".

Mock usiadł na ławce i – aby się opanować – zaczął przywoływać w myśli pierwsze wersety Lukrecjuszowego poematu *De rerum natura*, z którego pisał niegdyś pracę proseminaryjną. Kiedy dotarł do sceny miłosnych uniesień Marsa i Wenus, ogarnęła go wściekłość. Nagle zdał sobie sprawę, że nie podziwiał Lukrecjuszowych heksametrów, lecz zastanawiał się, jak splątani siecią Wulkana kochankowie wykonywali ruchy frykcyjne.

– Mam się czuć winny, że obnażyłem przed tobą tę kreaturę Sorga? – powiedział syczącym ze zdenerwowania głosem. – Że ocaliłem cię przed lekarzem chorób wenerycznych? Nie musisz się martwić kiłą, co? Przecież jesteś w bliskim kontakcie z jednym z najwybitniejszych specjalistów od „kawalerskich chorób"! Mam mieć wyrzuty sumienia, że wykazałem, iż twój rycerz na białym koniu jest *de facto* alkowianym popychadłem?

– Jakie to charakterystyczne! – krzyknęła panna Rühtgard. – Rycerz na białym koniu! Jakie stereotypy! Nie rozumie pan, że nie wszystkie kobiety czekają na księcia z bajki, lecz na kogoś, kto je...

– Kto je porządnie wychędoży – uzupełnił Mock z wściekłością.

– Nie to miałam na myśli – zaprzeczyła cicho panna Rühtgard. – Chciałam powiedzieć: „kto je pokocha". – Zgasiła papierosa o pień drzewa. – Fred jest miłym chłopcem, ale wiem, że to łajdak. Nie pozbawił mnie pan złudzeń co do niego, lecz co do siebie samego. Otworzyłam przed panem serce, a pan nie chciał mnie słuchać. Wygłosił pan piękną kwestię o przyzwoitkach. Nie chciał... Pan tylko mnie napomina i ostrzega. Jak prawdziwy policjant. Kiedy pan przestanie być policjantem? Po śmierci? Dobranoc, panie policjancie. Proszę mnie nie odprowadzać. Wolę towarzystwo topielców i wisielców. Bardziej niż pańskie.

Wrocław, piątek 5 września 1919 roku,
kwadrans na dziewiątą rano

Mock obudził się w celi aresztanckiej numer trzy. Przez zakratowane okienko wślizgiwało się światło poranka. Z dziedzińca Prezydium Policji dochodziły odgłosy zwykłej porannej krzątaniny. Zarżał koń, o bruk trzasnęło jakieś szkło, ktoś przeciwko komuś wezwał sto tysięcy piorunów. Mock z wysiłkiem usiadł na pryczy i przetarł oczy. Chciało mu się pić. Ku swojej radości dostrzegł dzban stojący na stołku obok pryczy. Dochodził z niego intensywny zapach mięty. Drzwi otworzyły się i stanął w nich strażnik Achim Buhrack. W dłoni dzierżył ręcznik i brzytwę.

– Jesteście nieocenieni, Buhrack – powiedział Mock. – O wszystkim pamiętacie. I o brzytwie, i o obudzeniu mnie na czas, a nawet o mięcie...

– Akurat ona była panu dziś niepotrzebna. – Oczy Buhracka wyrażały zdziwienie. – Dziś nie...

– Nie będzie mi potrzebna – Mock wręczył Buhrackowi dzbanek – ani dziś, ani nigdy. Przestanę się upijać i nie będę miał kaca. – Z drugiego dzbanka nalał wody do miednicy, wziął od Buhracka ręcznik i brzytwę. – Co, nie wierzycie mi, Buhrack? Słyszeliście już wiele takich deklaracji?

– Oj, wiele, wiele... – mruknął strażnik i wyszedł, zanim Mock zdążył mu podziękować.

Asystent kryminalny zdjął koszulę, umył się pod pachami i usiadł na pryczy. Z kieszeni wyjął torebkę talku. Zanurzył w niej dłoń i wtarł sobie talk pod pachy, a potem sypnął szczodrze do butów. Przez następnych dziesięć minut zdzierał zarost z twarzy, co nie było proste ze względu

138

na tępą brzytwę. Nie ułatwiało tej czynności użycie zwykłego mydła, które szybko wysychało i ściągało skórę. Mock z niechęcią włożył wczorajszą koszulę. Ojciec pewnie się martwi, pomyślał. Wyobraził sobie ojca skaczącego na jednej nodze ze skarpetką zwisającą z drugiej stopy. „Chleje i chleje", usłyszał gderliwy głos. Mock nagle zatęsknił do butelki i do głuchej, pustej nocy po wielkim pijaństwie. Włożył buty, wstał i wyszedł z celi. Uścisnął serdecznie dłoń Buhracka i ruszył ponurym korytarzem wśród porannych odgłosów z cel: sapania, stukania menażkami, ziewania i puszczania wiatrów. Z ulgą opuścił skrzydło aresztanckie i wspiął się na schody. Szedł powoli, zastanawiając się, jak na dym z pierwszego dziś papierosa zareaguje ciężka sadza zalegająca mu w płucach i pod czaszką.

Wrocław, piątek 5 września 1919 roku,
godzina dziewiąta rano

W gabinecie Mühlhausa wszyscy zjawili się punktualnie. Sekretarz Mühlhausa, von Gallasen, postawił na stole dzbanek z gorącą herbatą i dziewięć szklanek w wysokich metalowych koszyczkach. Wrześniowe słońce paliło w kark detektywów siedzących tyłem do okna i rozświetlało smugi dymu tytoniowego. Mock stanął w progu z niezapalonym papierosem w ustach i przyjrzał się obecnym. Poczuł silne ukłucie w piersi. Brakowało Smolorza.

– Co pan tu robi, Mock? – Mühlhaus uwolnił swe usta od nadmiaru fajkowego dymu. – Przecież pracuje pan znów w komisji obyczajowej. Wczoraj rano w Parku Południowym zakończyłem pańskie oddelegowanie do komisji morderstw. Czyżby pan zapomniał? Czy zameldował się pan dziś u swojego szefa, radcy Ilssheimera?

– Panie komisarzu – Mock bez zaproszenia usiadł między Reinertem a Kleinfeldem – na tym świecie zabijało się w imię Boga i cesarza. Morduje się ludzi, mając na ustach imię władcy. W ciągu ostatnich trzech dni w tym mieście mordowano w imię moje. Nazwisko Eberhard Mock stało się znakiem firmowym bydlaka. Zamordował on sześciu ludzi i być może osierocił małe dziecko, które płakało mi wczoraj na rękach. Proszę wybaczyć, ale nie chcę dziś spisywać alfonsów i sprawdzać dziwkom książeczek zdrowotnych. Będę tu siedział z wami i myślał nad zniszczeniem tego skurwysyna, który zabija w imię moje.

Zapadła cisza. Mock i Mühlhaus mierzyli się wzrokiem. Pozostali wpatrywali się znad parujących szklanek w szefa komisji morderstw. Mühlhaus odłożył fajkę, brudząc akta okruszkami jasnego tytoniu Virginia.

– O tym, kto tu będzie siedział – powiedział cicho – decyduję wyłącznie ja. Nie jest tajemnicą, iż uważam pana za świetnego policjanta. Że chcę pana widzieć w mojej komisji. Ale po „sprawie czterech marynarzy". Dopiero wtedy.

Mühlhaus wcisnął w fajkę szpikulec do czyszczenia i gwałtownie zakręcił nim w cybuchu.

– Niech pan odpocznie i wyjedzie stąd – ton Mühlhausa był, w odróżnieniu od wyrazu jego oczu, nadzwyczaj łagodny. – Na jakiś czas. Na czas dokończenia śledztwa. Nie chcę więcej trupów. Nie może pan zatem nikogo przesłuchiwać... Nie wiemy, czy ta świnia czegoś nowego nie wymyśli... Czy nie zacznie zabijać każdego, z kim pan porozmawia... Potem, kiedy zamknę ją w celi, powitam pana wśród moich ludzi. Rozmawiałem o tym z radcą Ilssheimerem. Chętnie się zgodził na pana przeniesienie. Ale teraz musi pan wyjechać. Niech pan nie myśli, że nie będzie nam pomagał w śledztwie. Wyjedzie pan z doktorem

Kazniczem. Będzie z panem rozmawiał i może natrafi na ślad mordercy w pańskich wspomnieniach.

Mock przyjrzał się kolegom siedzącym przy stole. Wszyscy kontemplowali barwę gorącego napoju wypełniającego ich szklanki. Nauczeni byli słuchać zwierzchników. Nie znali słów sprzeciwu, nie mieli poczucia winy, w ich wykrochmalone kołnierzyki dawno już nie płakało żadne dziecko. „Nie użalaj się nad sobą, Mock. Nie jesteś godzien nawet krztyny żalu".

– Wiemy wszyscy – Mock wciąż siedział – że morderca zaczął od zbrodni spektakularnej, a potem zabił jeszcze dwie osoby, które były przeze mnie przesłuchiwane. Posłuchajcie mnie, panowie! Proponuję...

– Nie interesuje nas to, co pan proponuje, Mock – przerwał mu Mühlhaus. – Pozwoli nam pan pracować, czy mam pana wyrzucić? Mam pana ukarać dyscyplinarnie?

Mock wstał i zbliżył się do Mühlhausa.

– Niech pan najpierw ukarze swojego sekretarza, von Gallasena. On też się pomylił. Przyniósł o dwie szklanki za dużo. Was jest siedmiu. Smolorza jeszcze nie ma, mnie już nie ma. – Podszedł do stołu i uderzeniem ręki zrzucił dwie puste szklanki, które wydały ostatnie brzęknięcia na kamiennej posadzce. Ukłonił się i wyszedł z gabinetu szefa komisji morderstw.

Wrocław, piątek 5 września 1919 roku,
wpół do dziesiątej rano

Okna dużego gabinetu radcy kryminalnego Josefa Ilssheimera wychodziły na Ursulinenstrasse – ściśle mówiąc – na dwuspadowy dach hotelu „Stadt Leipzig". Ilssheimer lubił obserwować pewnego pracującego tam urzędnika, który w wolnych chwilach wkładał do szuflady różnokolorowe ołówki w pewnym stałym i niezmiennym porządku, zamykał oczy i wyciągał jeden z nich na chybił trafił, po czym rysował na kartce kreskę, sprawdzając, czy wyciągnął właściwy ołówek.

Teraz Ilssheimer również obserwował zmagania urzędnika z własną pamięcią przestrzenną. Szefowi komisji obyczajowej znudziło się to jednak szybciej niż zwykle i przypomniał sobie, że od kilku dobrych minut przy okrągłym stole siedzi Eberhard Mock i czeka w milczeniu na rozkazy oraz wytyczne.

Ilssheimer ogarnął wzrokiem swój gabinet zawalony od podłogi do sufitu aktami spraw, które pod jego przewodnictwem prowadziła od dwudziestu lat komisja obyczajowa wrocławskiego Prezydium Policji. Był dumny z porządku, który tu panował, i nie pozwolił – mimo sugestii kolejnych prezydentów policji – na przeniesienie tych materiałów do głównego archiwum położonego na parterze gmachu.

– Przykro mi, Mock – rozpoczął Ilssheimer – że nie prowadzi już pan „sprawy czterech marynarzy". Z pewnością nie jest to dla pana miła sytuacja.

– Dziękuję za słowa pocieszenia.

– Nie zostanie pan jednak całkiem odsunięty od śledztwa. – Ilssheimer był nieco dotknięty, że Mock, zwracając się do niego, nie używa zwrotu „panie radco". – Będzie pan rozmawiał z doktorem Kazniczem. On wydobędzie od pana informację, która pomoże Mühlhausowi ująć mordercę.

– Już przeżyłem jeden seans psychoanalityczny z doktorem Kazniczem i to nic nie dało.

– Jest pan zbyt niecierpliwy, Mock. – Ilssheimer pochylił się nad swoim rozmówcą i zawiódł się: nie poczuł woni alkoholu. Rozpoczął spacer po swoim gabinecie z rękami założonymi do tyłu. – A teraz proszę mnie uważnie posłuchać. Wydaję panu polecenie służbowe. Jutro wyjedzie pan

142

do Kudowy wraz z doktorem Kazniczem. Pozostaniecie tam tak długo, jak będzie to potrzebne...

– Nie chcę mieć nic wspólnego z doktorem Kazniczem. – Mock przeczuwał, że nie obejdzie się w tej rozmowie bez ciężkich i bolesnych argumentów. – Nie chcę go widzieć. Czy sądzi pan, panie radco, że może ode mnie coś wyciągnąć człowiek, któremu nie ufam i którego nie lubię...

– Ja pana doskonale rozumiem, Mock. – Ilssheimer aż pokraśniał, słysząc swój tytuł. – Doktor jest również świadom pańskiej niechęci do swojej osoby. Dlatego postanowił zmienić metodę...

– O, to ciekawe – mruknął Mock. – Już nie będzie ze mną rozmawiać o tym, jak kradłem jabłka ze straganu, już nie będzie mnie pytał, co czułem, kiedy jako sześciolatek psikałem syfonem na przechodzących pod moim oknem ludzi?

– Nie. – Słowa Mocka wyraźnie rozbawiły radcę kryminalnego. – Doktor Kaznicz podda pana hipnozie. Jest świetnym specjalistą w tym zakresie.

– Nie wątpię. Niech jednak kogo innego poddaje swym metodom. Ja jestem policjantem i chcę prowadzić normalne śledztwo – Mock zapalał się z każdym słowem. – Giną ludzie, z którymi miałem kontakt w czasie prowadzenia śledztwa w „sprawie czterech marynarzy". Nie muszę z nikim rozmawiać osobiście, nie muszę nikogo przesłuchiwać. Może to robić kto inny... Mogę to robić przez telefon... Mam świetny i prosty pomysł...

– Nie rozumiecie, Mock, że nikt nie zamierza z wami dyskutować? Powtarzam, wydałem panu polecenie służbowe i nie obchodzi mnie, czy pan będzie na widok Kaznicza płakał i tupał nogami ze złości.

Zapadła cisza. Ilssheimer spojrzał przez okno na ćwiczącego swą pamięć urzędnika. Postanowił kontynuować.

– Pije pan bardzo dużo, Mock. – Oparł głowę na dłoniach i wbił wzrok w swego podwładnego. Były czasy, że przestępcy zwijali się pod spojrzeniem Ilssheimera. – Wielu policjantów nadużywa alkoholu, a ich zwierzchnicy to tolerują. Ale nie ja! – wrzasnął. – Ja nie toleruję alkoholizmu, Mock! Alkoholizm doprowadzi pana do dymisji! Rozumie pan, do stu diabłów?!

Ilssheimer wbijał swe czarne oczy w twarz Mocka. Dawniej spojrzeniem wypalał dziury w skamieniałych sumieniach bandytów. Nieco ironiczny wyraz twarzy Mocka mówił mu, że te czasy już dawno minęły.

Mock wstał i oswajał się z wzbierającą w nim falą gniewu. Po raz pierwszy od wielu lat poczuł, iż ma przewagę nad Ilssheimerem, że jedno jego słowo zniszczy szefa obyczajówki. Mock założył ręce do tyłu i podszedł do okna. To mi nie wyjdzie, to mi się nie uda, myślał, stosując zasadę pesymizmu obronnego. Podszedł do stojaka na kapelusze i zaczął obracać w palcach melonik szefa. Nowiutkie nakrycie głowy wyprodukowane, jak informowała wewnętrzna wstążka, w fabryce Hitzego.

– Kupił pan sobie melonik? – zapytał, świadomie pomijając tytuł. – A gdzie jest stary?

– Co to pana obchodzi, Mock? Zwariował pan? Niech pan nie zmienia tematu! – Ilssheimer nawet nie drgnął.

– Ja mam pana stary melonik. – Mock napawał się swoją przewagą. – Znalazłem go w pokoju Augusta z hotelu „Park Południowy".

– Nie rozumiem pana. – Oczy Ilssheimera stały się zamyślone i nieobecne. – Jako policjant z komisji obyczajowej przesłuchiwałem męską prostytutkę Augusta Strehla... To prawda... Musiałem u niego zostawić kapelusz...

– Nie tylko kapelusz. Zostawił pan radca również niezatarte wspomnienia w sercu Augusta. Do tego stopnia niezatarte – Mock zablefował, myśląc: I tak mi się nie uda

– że August je spisał. Bardzo ciekawe wspomnienia... – Mock oparł dłonie na biurku Ilssheimera i powiedział bardzo powoli: – Nie sądzi pan radca, że doktor Kaznicz nie będzie miał w najbliższych dniach zbyt wiele czasu? A poza tym, czy pan radca wie, że jestem mało podatny na hipnozę?

Ilssheimer spojrzał na urzędnika, który tym razem wyciągnął z szuflady nie ten ołówek, co chciał, i – zrozumiawszy swój błąd – z wściekłością rzucił segregatorem o ścianę.

– Rzeczywiście – powiedział Ilssheimer, a wyraz jego twarzy nie zmienił się ani na jotę. – Ostatnio doktor Kaznicz jest bardzo zajęty...

Wrocław, piątek 5 września 1919 roku, południe

Wirth i Zupitza zatrzymali swojego horcha koło sklepu z bezami w pobliżu uniwersytetu. Wyszli z automobilu i ruszyli w stronę osiemnastowiecznego gmachu Prezydium Policji. Po drodze Zupitza wszedł do gospody Opieli, gdzie kupił papierosy Silano. W przedsionku gmachu prezydialnego solidna bariera uniemożliwiała wejście na schody. Widniała na niej strzałka, która w sposób niepozostawiający najmniejszych wątpliwości kierowała wszystkich wchodzących do dyżurki, gdzie z marsowymi minami i nastroszonymi wąsami siedzieli dwaj woźni: Handke i Bender. Jeden z nich telefonicznie anonsował nieznane sobie osoby wchodzące do prezydium, drugi natomiast podejrzliwie świdrował je oczami, jakby w źrenicach miał rentgenowskie promienie. Wirtha i Zupitzy nie zatrzymali ani nie prześwietlali wzrokiem. Nie robili tego nigdy, gdy przyjście osób postronnych było zapowiedziane przez wysokiego urzędnika policyjnego. Bender i Handke, patrząc na niewysokiego eleganta i ponurego draba, skonstatowali, że przed godziną radca Ilssheimer nader trafnie przedstawił ich rysopisy.

– Znam skądś te mordy – mruknął Handke, obserwując przybyszy, znikających za oszklonymi drzwiami do głównego holu.

– Znamy różne zakazane ryje – odpowiedział Bender.

– Taka praca...

Wirth i Zupitza przeszli przez dziedziniec i weszli do przelotowej bramy, w którą właśnie wjeżdżał z Ursulinenstrasse aresztancki furgon. Stróż otwierający bramę obrzucił ich podejrzliwym spojrzeniem. Kręconymi schodami weszli na drugie piętro i stanęli przed solidnymi drzwiami opatrzonymi tabliczką: „Wydział III b. Kierownik: radca kryminalny, doktor Josef Ilssheimer, policjanci: asystent kryminalny Eberhard Mock, sekretarze kryminalni: Herbert Domagalla i Hans Maraun, wachmistrze kryminalni: Franz Lembcke i Kurt Smolorz". Zupitza zastukał mocno. Po kilku sekundach otworzył im łysiejący trzydziestolatek i – nie pytając o nic – poprowadził wąskim korytarzykiem. Po chwili znaleźli się przed obliczem Eberharda Mocka. W dużym gabinecie stały trzy biurka. Przy jednym z nich rozpierał się zaspany Mock, drugie stało puste, przy trzecim – najbliżej drzwi z tabliczką „Dr Josef Ilssheimer" – usiadł wprowadzający ich mężczyzna i kontynuował przerwaną rozmowę telefoniczną.

Mock wskazał przybyłym dwa ciężkie krzesła. Usiedli w milczeniu.

– Gorąco, co? – Mock zdobył się na mało oryginalne powitanie. – Mam do pana prośbę, Domagalla – zwrócił się do łysiejącego trzydziestolatka, rozmawiającego przez telefon. – Czy mógłby pan przynieść moim gościom wody sodowej?

Domagalla bez śladu zdziwienia kiwnął głową, odłożył słuchawkę i wyszedł z pokoju.

– Słuchać mnie teraz uważnie. – Mock wstał od biurka i potarł ze złością źle ogolony policzek. – Tworzycie wraz ze mną grupę śledczą. Oprócz nas jest w niej Smolorz. Naszą bazą od jutra będzie wasz kantor, miejsce, gdzie trzymacie dziwkę Kitty i tego kelnera z „Króla Węgierskiego". Tam się spotykamy na odprawie codziennie o dziewiątej rano. – Mock nagle wbił wzrok w Zupitzę. – Z czego się śmiejesz? Że będziesz się bawił w policjanta? Wyjaśnij mu to, Wirth!

Wirth wykonał kilka ruchów dłońmi, które spowodowały powagę na twarzy Zupitzy.

– Po skończeniu dzisiejszej odprawy – kontynuował Mock – szukamy Smolorza. Jak go znajdziemy, rozdzielamy się. Smolorz zabiera się do obowiązków, które mu wyznaczę. Potem ja idę pieszo i powoli, wy idziecie za mną i uważnie się rozglądacie, czy ktoś mnie nie śledzi. Jeśli tylko zobaczycie jakiegoś podejrzanego, łapiecie go za dupę. Zrozumiano? – Kiedy Wirth kiwnął głową, Mock zaczął wyrzucać z siebie szybkie polecenia. – Pójdę do pływającego burdelu Norberta Rissego. Znacie ten statek? – Otrzymawszy potwierdzenie od Wirtha, ciągnął: – Tam będę przesłuchiwał szefa. Potem wy i wasi ludzie macie go nie spuszczać z oczu. Macie go śledzić niezawodnie i dyskretnie ochraniać. Wystawiamy go na wabia. Ktoś będzie chciał go zabić. Macie złapać tego kogoś i zamknąć u siebie. A potem ja zechcę go poznać. Wszystko jasne?

Do pokoju wszedł Domagalla z syfonem i szklankami. Postawił wszystko na pustym biurku, usiadł za swoim i rozłożył przed sobą płachtę „Breslauer Zeitung". Na głównej stronie krzyczał tytuł wstępniaka: *Burdy i bijatyki na wrocławskim Rynku*. Nikomu się nie chciało pić.

– Co powiedziałeś przed chwilą swojemu kumplowi? – nagle zapytał Mock.

– Żeby nie suszył kłów bez potrzeby – odparł Wirth.

– To wszystko?

– Nie, jeszcze coś... – Wirth się zawahał.

– No mów! – Mock się niecierpliwił.

– Powiedziałem, że czasami policjant i bandyta to jedno.

– Święta prawda – rzucił Domagalla znad gazety.

Wrocław, piątek 5 września 1919 roku, wpół do pierwszej po południu

Woźni Bender i Handke długo się zastanawiali, czy wpuścić kolejnego przybysza. Nie wzbudzała w nich wątpliwości jego osoba – dobrze go znali – lecz jego stan. Wachmistrz kryminalny Kurt Smolorz nie zionął alkoholem, lecz chwiał się na nogach i uśmiechał głupkowato. Woźni zatrzymali Smolorza w swoim kantorku, postawili przed nim dymiący kubek herbaty, stanęli koło bariery i zaczęli się naradzać cichymi głosami.

– Utrwalił kaca piwkiem – mruknął Handke do Bendera. – Dlaczego jednak od niego nie śmierdzi wódą?

– Cholera wie – odparł Bender. – Może się czegoś nażarł. Słyszałem, że pietruszka zabija wszelki odór.

– Tak – ulżyło Handkemu. – Nażarł się pewnie pietruszki. Poza tym nie złamaliśmy nakazu zatrzymywania każdego pijanego policjanta. Ten wcale nie jest pijany, tylko jakiś taki...

– Masz rację – rozjaśniło się oblicze Bendera. – Skąd mamy wiedzieć, czy policjant jest pijany, czy jedynie w dobrym humorze? Tylko po chuchu. A jemu nie śmierdzi z mordy wódą...

148

– Najlepiej zadzwońmy po Mocka. – Handke się zasępił.

– Nie po Ilssheimera. Ta zgaga nie znosi alkoholu. Ale Mock jest swój chłop. On zdecyduje, co zrobić ze swoim kolegą. Jak postanowili, tak i zrobili. Po chwili Mock odrywał swojego podwładnego od kubka z herbatą i – dyskretnie go podtrzymując pod ramię – poprowadził w prawo, korytarzem do końca, gdzie mieściła się toaleta. W jednej kabinie ktoś był, o czym świadczył napis „zajęte" uruchamiany przez przekręcenie zamka od wewnątrz. Do drugiej weszli Mock i Smolorz. Stali w milczeniu i czekali, aż sąsiednia opustoszeje. Po chwili usłyszeli długo oczekiwany szczęk głowicy rezerwuaru i szum wypływającej z niego wody. Stuknęły drzwi kabiny, stuknęły drzwi do toalety, szczęknęły z wściekłości zęby Mocka.

– Gdzieś był, gnoju?! – warknął Mock. – Gdzieś się tak schlał?!

Smolorz usiadł na muszli i zapatrzył się w brunatną lamperię ściany. Milczał. Mock chwycił go za klapy marynarki, podniósł i przycisnął do ściany. Zobaczył roześmiane oczy z zaczerwienionymi białkami, wilgotne nozdrza i krzywe zęby. Po raz pierwszy zauważył, że Smolorz jest szpetny. Bardzo szpetny.

– Gdzieś był, skurwysynie?! – ryknął Mock.

Uśmiech naciągnął różową skórę Smolorza, jasne piegi na policzkach przestały się wyróżniać, na wąsach bieliły się odrobiny pyłu, szyja wydzielała odległy zapach drogich damskich perfum. Smolorz był odrażający. Mock zamachnął się, lecz po sekundzie opuścił rękę. Wyszedł z kabiny i walnął jej drzwiami z taką siłą, że przeskoczyła tarcza zamka i nad klamką pojawił się napis „zajęte". Smolorz usiłował otworzyć drzwi, ale serce zamka uległo silnemu odkształceniu i nie dawało się poruszyć. Rozległo się walenie w drzwi. Mock podszedł do zatrzaśniętej kabiny. Jego wypucowane buty głośno zastukały. Spod drzwi kabiny wysunęła się dłoń Smolorza. Na posadzce pojawiła się wizytówka.

– Tam byłem – rozległ się głos uwięzionego, a potem położył drugą wizytówkę. – A tu mieszkali zabici marynarze.

Mock podniósł obie. I na jednej, i na drugiej oprócz wydruku były odręczne notki. Na pierwszej ozdobionej herbem widniał napis: „Baronowa Mathilde von Bockenheim und Bielau, Wagnerstrasse 13", na odwrocie zaś wypisano polecenie okrągłym kobiecym pismem: „Proszę odwiedzić mnie dzisiaj w moim buduarze, w przeciwnym wypadku doręczyciel tego listu straci u mnie zatrudnienie". Na odwrocie drugiej wizytówki z nadrukiem: „Dr Norbert Risse, organizowanie rozrywek i zabaw tanecznych, statek «Wölsung»", Mock rozpoznał nierówne pismo Smolorza: „Czterej marynarze, Gartenstrasse 46". Wyszedł z toalety i zapalił papierosa. Ruszył żwawo, czując, że jego płuca i głowa dobrze reagują na dziesiąty już dzisiaj przypływ nikotyny. Przechodząc koło stróżówki, powiedział do woźnych:

– Smolorz posiedzi trochę w kiblu. Nie najlepiej się czuje.

– Taka praca... – mruknął woźny Bender.

Wrocław, piątek 5 września 1919 roku,
trzy kwadranse na pierwszą po południu

Mock wszedł do swojego pokoju, wymachując wizytówką Norberta Rissego. Wirth i Zupitza wciąż siedzieli na ciężkich krzesłach. Zupitza dzierżył syfon i strzykał wodą sodową do wysokich szklanek. Jedną z nich podał Wirthowi, drugą – wchodzącemu właśnie Mockowi. Ten wychylił zawartość szklanki prawie jednym łykiem i rzucił wizytówkę Rissego na stół.

– Jedziemy tam – wskazał krótkim palcem adres nabazgrany przez Smolorza. – Zrobicie to, co wam powiedziałem, z jednym wyjątkiem: nie będziecie śledzić Rissego, tylko tego, kogo przesłucham pod tym adresem, rozumiecie? Na przykład dozorcę albo jednego z sąsiadów.

Za drzwiami prowadzącymi do gabinetu Ilssheimera słychać było gniewne łajania. Mock podszedł do drzwi i zaczął nasłuchiwać.

– Co to za porządki, do cholery! – głos Ilssheimera był gruby i nabrzmiały od wściekłości. – Pan jest policyjnym gryzipiórkiem, Domagalla, i pan powinien pilnować porządku w naszym archiwum!

– Panie radco, ta dziwka mogła zrobić ten tatuaż niedawno – Mock wyczuł w głosie Domagalli silną determinację. – W naszym katalogu mamy układ alfabetyczny, według nazwisk, nie według znaków szczególnych.

– Wy nie macie pojęcia o naszym katalogu! – wrzasnął Ilssheimer. – Sam sporządzałem różne podkatalogi, między innymi katalog identyfikacyjnych znaków szczególnych. Prosił mnie o to Mühlhaus! Aby w razie problemów z identyfikacją ciała jakiejś prostytutki można było się odwołać do tego katalogu! A teraz, kiedy jakaś dziwka popełnia samobójstwo, Mühlhaus zwraca się do mnie i mówi: „Niech pan zajrzy do swojego świetnego archiwum i znajdzie mi dziwkę ze słoneczkiem wytatuowanym na tyłku". I co? A ja mu mówię: „Niestety, panie radco, nie mam takiej, w moim archiwum panuje bałagan".

Domagalla powiedział coś tak cicho, że Mock tego nie dosłyszał.

– Do jasnej cholery! – krzyknął Ilssheimer. – Nie mówcie mi tylko, że ta dziwka przyjechała tu na gościnne występy podczas wojny i dlatego jej nie ma w naszym archiwum! Podczas wojny ja tu pracowałem i porządnie prowadziłem rejestr!

Domagalla znów coś bąknął.

– Panie Domagalla... – Mock przyłożył ucho do drzwi. Ilssheimer syczał, co było dowodem najwyższego uniesienia. – Ja wiem, że w więziennym archiwum mają dokładne opisy wszystkich tatuaży...

Mock już więcej nie słyszał. Nie, to niemożliwe – pomyślał – to na pewno nie jest Johanna, kochanka dyrektora Wohsedta. Ona nie miała żadnych „gościnnych występów", była porządną Penelopą czekającą na swojego Odysa. Kiedy ten nie wrócił z wojny narodów, dopiero wtedy zaczęła trudnić się nierządem. Na pewno nie siedziała w więzieniu, gdzie zrobiłaby sobie tatuaż na tyłku.

Postanowił zastosować swą niezawodną metodę, która dzisiaj poskutkowała w rozmowie z Ilssheimerem. Na pewno ta świnia ją dopadła – myślał – na pewno ją zabił, wykłuł jej oczy i powiesił; napawał się widokiem jej cierpienia; najpierw kazał jej napisać list do mnie, mówiąc, że to ją ocali, a potem jej łamał ręce i nogi tak jak marynarzom. Mocka osaczyły tak sugestywne obrazy, że aż się ich przeraził. Szarpnął nim dreszcz. Śmierć zajrzała mi w oczy, pomyślał.

Zapukał i – usłyszawszy głośne warknięcie, które zinterpretował jako „proszę" – wszedł do gabinetu szefa.

– *Volens nolens* podsłuchałem panów rozmowę – powiedział. – Przepraszam pana radcę, ale czy mogę dowiedzieć się czegoś więcej o tym samobójstwie?

– Mówcie, Domagalla – westchnął Ilssheimer.

– Dzwonił do mnie sekretarz kryminalny von Gallasen – powiedział Domagalla. – Został wysłany do samobójstwa. Prawdopodobnie prostytutka, sądząc po stroju i makijażu. Na pośladku ma więzienny tatuaż. Słoneczko z napisem: „Przy mnie zrobi ci się gorąco". Przeglądam właśnie nasze archiwum, aby przyśpieszyć identyfikację zwłok.

– Gdzie to się stało? – zapytał Mock.

– Na Marthastrasse. Prawdopodobnie skoczyła z dachu kamienicy.

– Ile miała lat?

– Z wyglądu – grubo po trzydziestce.

Od oddechu ulgi, jaki wydostał się z ust Mocka, drgnęły liście palmy stojącej w kącie gabinetu Ilssheimera. Pęd powietrza poruszył nimi powtórnie, kiedy Mock zamykał za sobą drzwi.

– Jedziemy – powiedział Mock do Wirtha i Zupitzy.

– Na Marthastrasse.

– Nie na Gartenstrasse, jak jest na wizytówce? – zapytał Wirth.

– Nie – powiedział Mock z irytacją. – Von Gallasen jest bardzo młody. Dla niego zniszczona przez życie dwudziestoparoletnia prostytutka może wyglądać na czterdzieści lat.

Wirth nic nie rozumiał, ale nie zadawał już więcej pytań.

Wrocław, piątek 5 września 1919 roku,
godzina pierwsza po południu

Mock siedział obok Wirtha w horchu i przeklinał wrześniowy upał. Drażnił go kurz unoszący się z bruku, woń koni i ich odchodów oraz nitki babiego lata przyklejające się do jego źle ogolonych policzków. W chwilach irytacji i wzburzenia zwykle przywoływał passusy pisarzy starożytnych, które analizował przed laty jako student i gimnazjalista. Powtarzał wyuczone niegdyś na pamięć patetyczne i zwięzłe frazy Seneki, lotne heksametry Homera i dźwięczne zakończenia okresów Cycerońskich.

Zacisnął powieki i zobaczył siebie w mundurze gimnazjalnym, siedzącego w pierwszej ławce i wsłuchującego się w proste, klarowne i krystaliczne dźwięki mowy starożytnych Rzymian. W uliczny gwar wdarł się potężny głos jego nauczyciela łaciny, Ottona Morawjetza, deklamujący trafny aż do bólu passus z dzieła Seneki *O pocieszeniu: Quid est enim novi hominem mori, cuius tota vita nihil aliud, quam ad mortem iter est*[*].

Mock otworzył oczy. Nie chciał słyszeć niczego o śmierci. W obwieszonym reklamami kiosku na rogu Feldstrasse i Am Ohlauufer mały chłopiec podał kioskarzowi stosik banknotów i w zamian otrzymał „Die Woche" wraz z dziecięcym dodatkiem.

Dziesięcioletni Eberhard Mock biegnie do kiosku na wałbrzyskim dworcu kolejowym, ściskając w ręku monetę jednomarkową na niedzielny dodatek dziecięcy do „Die Woche". Zaraz przeczyta o przygodach Billy'ego Kida na Dzikim Zachodzie, zaraz się dowie, co się stało z podróżnikiem, doktorem Volkmerem – czy uniknie kotła ludożerców? Sprzedawca kręci głową. „Nie ma, już wykupiono, poszukaj gdzie indziej". Mały Ebi biegnie z nadzieją do kiosku koło swojej szkoły, zaraz kupi, przeczyta, a tu znów przepraszający uśmiech, kręcenie głową. Ebi wraca do domu noga za nogą. Już wie, że należy myśleć negatywnie. Należy sobie z uporem powtarzać: to się nie uda, to skończy się fiaskiem, nie przeczytam przygód Billy'ego Kida, nie dowiem się, co się stanie z podróżnikiem doktorem Volkmerem.

Trzydziestosześcioletni Eberhard Mock z trudem oddycha wrocławskim kurzem i zdumiewa się głębią swych dziecinnych przemyśleń. Pesymizm defensywny jest najlepszą postawą – myśli – ponieważ jedyne rozczarowanie, jakiego człowiek doznaje, jest przyjemne.

Mock – pokrzepiony na duchu – patrzył na blokujący wjazd na Marthastrasse furgon konny wiozący beczki

_____

[*] Cóż jest dziwnego, gdy umiera człowiek? Przecież jego życie nie jest niczym innym niż drogą ku śmierci (łac.).

i skrzynki z napisem: „Willy Simson. Prawdziwe bawarskie piwo franciszkańskie". Dwaj robotnicy w cyklistówkach i kamizelkach wyładowywali je i ustawiali na platformie trójkołowego wózka. Mock wyobraził sobie, że jest to furgon zakładu medycyny sądowej, a zamiast zamkniętego w skrzynkach i beczkach pienistego napoju pod plandeką leżą zwłoki prostytutki Johanny. W oczach trupa krwawe morze, obok mała dziewczynka i wyjący pies. Dziewczynka szarpie rękę. Gdyby umiała czytać, dowiedziałaby się z kartki zaciskanej przez palce nieboszczki, że jej śmierci winien jest niejaki Eberhard Mock, który powinien się przyznać do błędu, ale nie chce tego uczynić, toteż będą ginąć jeszcze inni.

Znaleźli się w cichej uliczce Marthastrasse zabudowanej wysokimi kamienicami. Mock dotknął ramienia Wirtha, a ten zatrzymał samochód w odległości jakichś stu metrów od tłumu kłębiącego się na chodniku, pod numerem dziesiątym, pod gospodą Justa, do której – jak Mock wiedział doskonale – wchodziło się przez podwórze. Asystent kryminalny wysiadł z horcha, a Wirth i Zupitza – zgodnie z jego wyraźnym poleceniem – zostali w środku. Wszedł do bramy, pokazał jednemu z mundurowych swoją legitymację i zaczął się wspinać po stopniach. Po obu stronach klatki schodowej były duże prostokątne nisze, w których trzy pary drzwi prowadziły do trzech mieszkań. W tych swoistych wspólnych przedpokojach znajdowały się okna prowadzące do studni wentylacyjnej. Oprócz nich na studnię wychodziły okna ze wszystkich kuchni. Tak ostatnio budowano mieszkania dla niezamożnych lokatorów – tanio, oszczędnie i bardzo ciasno. Na parterze budynku przy oknie do studni wentylacyjnej stało dwóch mężczyzn. Jeden z nich, umundurowany policjant, na którego wielkiej czaszce tkwiło opatrzone gwiazdą czako, odpowiadał na pytania młodego, elegancko ubranego mężczyzny. Mock

155

podał rękę jednemu i drugiemu. Znał obu bardzo dobrze. Mundurowego widział po raz ostatni kilka miesięcy temu, cywila – dziś rano. Pierwszy nazywał się Robert Stieg i był rewirowym w tej dzielnicy, drugi – Gerhard von Gallasen, asystent Mühlhausa. Mock spojrzał do studni, na której dnie leżało drobne zawiniątko przykryte prześcieradłem. Było ono niegdyś kobietą – myślał intensywnie – miało małe dziecko i suczkę bokserkę.

– Już pan wie, jak się ona nazywała? – zapytał Mock, odpowiadając sobie w myślach: Na pewno na imię miała Johanna. – Miała wykłute oczy?

– Nie wiemy, jak się nazywała – odparł von Gallasen zdziwiony tym, że Mock podał przed chwilą rękę zwykłemu rewirowemu. – Nikt z gapiów jej nie znał. Pański kolega Domagalla wyszukał adres pewnego stręczyciela, który tu mieszka w okolicy...

– Właśnie go prowadzą – rewirowy Stieg wskazał na dwóch mundurowych, obok których dreptał niewysoki, wyliniały blondyn w cylindrze. Wszyscy wspinali się po stromych schodach.

– Zapytałem panów, czy miała wykłute oczy. – Mock odpowiadał sobie w myślach: Tak, włożył jej w oczodół bagnet i kilka razy przekręcił.

– Nie... Skąd... Z oczami wszystko w porządku – mruknął rewirowy Stieg. – Tieske, niech ten w cylindrze się jej przyjrzy, a potem dawaj go tutaj! Migiem! – krzyknął do mundurowych.

– Stieg, proszę mi opowiedzieć wszystko *ab ovo*! – polecił Mock ku irytacji von Gallasena, który nad Stiegiem dominował stopniem, wzrostem i urodzeniem, toteż uważał, że zgodnie ze starszeństwem rangi on powinien być zapytany pierwszy.

– Że co? – Stieg nie wiedział, czego od niego żądają.

– Od początku – wyjaśnił mu Mock. – Nie uczyliście się w szkole łaciny?

– Dziś rano Christianne Seelow z mieszkania numer dwadzieścia cztery na czwartym piętrze – relacjonował rewirowy Stieg – wieszała pranie na dachu. Zawiał wiatr i zdmuchnął jej prześcieradło do szybu wentylacyjnego. Zeszła i zobaczyła trupa. Stróż Alfred Titz przybiegł na komisariat. Tyle. Chce pan ją zobaczyć?

Mock pokręcił przecząco głową i wyobraził sobie, że widzi ciało Johanny, które litościwy wiatr przykrył prześcieradłem zdmuchniętym z dachu. Koło nich znalazł się wyliniały blondyn w cylindrze, który na widok Mocka nie okazał zbytniej radości.

– Znasz ją, Hoyer? – zapytał Mock i usłyszał w myślach odpowiedź alfonsa: „Tak, na imię ma Johanna, nazwiska nie znam".

– Nie, panie komisarzu – odpowiedział alfons Hoyer. – Nie była z naszej dzielnicy. Raz ją widziałem w gospodzie na podwórzu, lecz moje dziewczynki szybko ją przepędziły. Nie lubimy konkurencji.

– Co, taka była ładna? – zapytał Mock.

– Była niezła – Hoyer uśmiechnął się do swoich wilgotnych wspomnień. – Prawdę mówiąc, można by na niej zbić niezły interes... Chciałem ją zwerbować, ale moje dziewczynki jej nie lubiły. Dokuczały jej – Hoyer znów się uśmiechnął, tym razem do Mocka. – Mam sześć dziewczyn pod opieką. Czasami im ustępuję. Z sześcioma nie można się kłócić równocześnie...

– Dobra – mruknął Mock i uchylił melonik na pożegnanie. Rozpierała go radość. To nie była Johanna. Pesymizm defensywny jest najlepszą możliwą postawą wobec świata – myślał – bo czyż jest coś gorszego niż niemiłe rozczarowanie, niż bolesna niespodzianka?

– Jak jej dokuczały? – Mock usłyszał pytanie zadane Hoyerowi przez von Gallasena. Chłopak chce o cokolwiek zapytać – pomyślał – lubi przesłuchiwać, jeszcze mu się znudzi.

– Przezywały ją.

– Jak? – zapytał początkujący wywiadowca. Mock przystanął na schodach, by usłyszeć odpowiedź.

– Egzema – roześmiał się Hoyer.

3 IX 1919

Moje myśli ostatnio skupiały się na antycypacji wydarzeń. Dzisiaj wieczorem, przechodząc koło sklepu z zegarkami, ujrzałem malowidło będące reklamą czasomierza na pasku, który zawija się wokół przegubu i zapina. Te zegarki wciąż stanowią nowość i są często reklamowane w witrynach domów towarowych. Na malowidle czarny pasek otaczał ogorzały męski przegub. Skojarzyło mi się to natychmiast z kobiecą nogą obłóczoną w pończochę. Ten czarny pasek od zegarka przypominał mi czarną podwiązkę. Po chwili wszedłem do restauracji i zamówiłem kolację. Kelner dyskretnie położył na moim stoliku wizytówkę jakiegoś domu publicznego. Widniał na niej rysunek – dziewczyna w kusej sukience, spod której wystają nogi w pończochach zwieńczonych czarnymi podwiązkami. Zjadłem kolację i poszedłem pod kamienicę, w której znikła śledzona przeze mnie przedwczoraj prostytutka. Czekałem. Wyszła około północy i mrugnęła do mnie znacząco. Po chwili byliśmy w dorożce, a za kwadrans w miejscu, gdzie składamy ofiary duchom naszych przodków. Rozebrała się sama, za sowitą opłatą pozwoliła się również związać, nie protestowała, kiedy ją kneblowałem. Miała paskudną egzemę na szyi. To było spełnienie antycypacji. Przecież wczoraj złożyłem nauce w ofierze dyrektora W., lat sześćdziesiąt, który miał identyczną egzemę. I również na szyi! Po chwili rozpocząłem wykład. Słuchała, słuchała i nagle zaczęła śmierdzieć ze strachu. Odsunąłem się od niej i kontynuowałem subtelną interpretację dwóch passusów Augsteinera. Teraz streszczę to, co powiedziałem:

Inkarnacje ducha – pisze Augsteiner – pojawiają się w przestrzeni sobie wrogiej. Duch, który sam w sobie jest dobry, bo jest tożsamy z ideą człowieka, bo sam *eo ipso* jest emanacją pierwiastka duchowego, który *ex definitione* zły być nie może, bo *ex definitione* przeciwstawia się temu, co substancjalne, *ergo* cielesne, *ergo* złe; otóż duch inkarnuje tam, gdzie do głosu dochodzi pierwiastek zły, aby zrównoważyć atrybut zła w nim tkwiący. Tak oto emanacja ducha zaprowadza naturalną harmonię, czyli bóstwo. A teraz częściowe, empiryczne potwierdzenie tez Augsteinera. Duch tego podłego dyrektora W., lat sześćdziesiąt, pojawił się tam, gdzie padł on ofiarą udręki – w tym domu, na parterze. I to on wskazał miejsce, gdzie dyrektor W. schował kłamliwy, lecz wybielający go list do swojej żony. I to się nie zgadza z poglądami Augsteinera, ponieważ duch pozostał zakłamany – taki jaki był w tym człowieku za życia, duch dalej czynił zło, ponieważ przekonywał małżonkę, że jej mąż nie był wcale bezwstydnym cudzołożnikiem, lecz aniołem. Jednak duch niszczy zło, jakim są, słuszne skądinąd, podejrzenia żony dyrektora W., i powoduje, że pogrąża się ona w błogiej nieświadomości. Błoga nieświadomość jest brakiem zła, *ergo* – dobrem.

Na przykładzie prostytutki chciałem sprawdzić, czy duch posiada większą przenikliwość ode mnie – który nim kieruję, lub też – wedle słów Augsteinera – czy *elementum spirituale* potrafi uniezależnić się od zaklinacza. A oto przeprowadzone doświadczenie. Kiedy wprowadziłem tę kobietę w nastrój przerażenia i grozy, rozpocząłem eksperyment. Łamałem jej ręce i nogi, a po każdym nadłamaniu mówiłem, że jej cierpieniu jest winny Eberhard Mock, mieszkający w Księżu Małym, Plesserstrasse 24. Nie wykłułem jej oczu, bo chciałem widzieć w nich strach i pragnienie zemsty. Poza tym uczyniłem to również w innym celu. Chciałem, aby jej duch mnie dobrze zapamiętał. Do kogo przyjdzie? Do mnie, który ją torturowałem, czy do niego, który jest przede wszystkim winny jej śmierci? Jestem ciekaw, czy mam władzę nad jej duchem i potrafię go skierować do domu tego człowieka, który jest największym złem dla nas. Jeśli pod tym adresem nastąpią manifestacje energii duchowej, będzie to dowód, że mam władzę nad *elementum spirituale*. Będę twórcą nowej teorii materializacji. Teorii – dodajmy – prawdziwej, bo weryfikowalnej.

Wrocław, piątek 5 września 1919 roku,
godzina wpół do drugiej po południu

Kokaina przestała już działać na układ nerwowy Kurta Smolorza. Wesołek, który jeszcze przed chwilą śmiał się do rozpuku ze swojej sytuacji uwięzienia w ustępie, teraz obmyślał metody wyrwania się z zamknięcia. Najpierw postanowił poinformować o swoim stanie kogoś, kto wejdzie do toalety. Mijały minuty, kwadranse, a wszyscy policjanci odczuwający konieczność oddania długu naturze uparli się omijać toaletę na parterze. Smolorz zamknął muszlę, usiadł na niej i przeklinał dwóch ludzi odpowiedzialnych za jego godny opłakania stan – Mocka oraz projektanta toalety, który odległość dolnej krawędzi drzwi kabiny obliczył na jakieś dziesięć centymetrów, natomiast między górną krawędzią drzwi a sufitem zaprojektował przepierzenie składające się z ośmiu małych, kwadratowych szyb, słowem – unieruchomił Smolorza na dłużej.

Smolorz spojrzał na zegarek i uświadomił sobie, że w swym więzieniu siedzi już ponad godzinę. To znaczyło, że Mock nie powiadomił woźnych o zatrzaśnięciu drzwi, a to z kolei oznaczało, że Mock postanowił ukarać swego podwładnego. Pod wpływem tej myśli krew napłynęła Smolorzowi do głowy. W tej chwili jego żona, Ursula, pewnie podaje obiad dwóm małym Smolorzom, nie wiedząc, czy ich ojciec jeszcze żyje, czy nie legł w jakimś ciemnym zaułku, czy nie umiera w szpitalu... Mógł wrócić nad ranem do domu, wejść pod rozgrzaną pierzynę i przytulić się do żoninych pleców. Zamiast tego wsysał nosem biały pył. Kokaina pozbawiła go uczuć rodzinnych i zamieniła w roześmianego głupka, który tarzał się w jedwabnej pościeli baronowej von Bockenheim und Bielau. Przypomniał sobie, w jakim napięciu żyje jego szef, który przynosi śmierć niewinnym ludziom, przypomniał sobie swe nocne wyczyny i poczuł wstręt do samego siebie.

Zdjął marynarkę, owinął nią rękę i stanął na klozecie. Potężnym ciosem wybił dwie szyby. Brzęk szkła na posadzce był przeraźliwy. Smolorz czekał, aż ktoś wejdzie do toalety. Z nadzieją nasłuchiwał odgłosów z dziedzińca i z korytarza. Nic. Na myśl mu przyszła postawa życiowa jego szefa. Dobrze pamiętał jej istotę. Gdyby wmawiał sobie: „nikt mnie nie usłyszy", natychmiast zleciałaby się tu chmara ludzi. Smolorz zamachnął się i uderzył kilkakrotnie w drewniany słupek, który teraz oddzielał puste miejsca po wybitych szybach. Po piątym uderzeniu słupek pękł z trzaskiem i po chwili obcasy Smolorza ze zgrzytem miażdżyły szkło rozsypane na podłodze. Wyszedł z toalety i pobiegł na górę – do siedziby komisji obyczajowej. Otworzył drzwi kluczem. Mocka nie było. W pokoju siedział tylko Domagalla. Z trudem można go było dostrzec pośród gór teczek i segregatorów. Z nadzieją spojrzał na wchodzącego kolegę.

– Niech pan mi pomoże, Smolorz – powiedział. – Musimy zidentyfikować dziwkę na podstawie tatuażu. Słoneczko na dupie i napis: „Przy mnie zrobi ci się gorąco". Musimy przejrzeć wszystkie kartoteki.

Smolorz spojrzał na biurko Mocka. Leżał tam list w brązowej kopercie.

– Od kiedy ten list? – zapytał.

– Przed chwilą przyniósł stróż Bender – odpowiedział Domagalla.

Smolorz sięgnął po kopertę.

– Przecież to list nie do pana! – oburzył się Domagalla.

Smolorz otwierał kopertę i mówił do siebie w duchu: „To na pewno list od mordercy. Na pewno została zabita ta Johanna z egzemą".

– Wie pan, co to jest prywatność korespondencji? – Domagalla nie ustępował.

–„Błogosławieni, którzy nie widzieli, a uwierzyli. Przez ciebie umieram, Mock. Mock, przyznaj się do błędu, przyznaj, że uwierzyłeś. Jeśli nie chcesz więcej widzieć płaczu małych dzieci. Johanna Voigten" – przeczytał cicho Smolorz.

Przypomniał sobie określenie „pesymizm defensywny" i w tym samym momencie przestał wierzyć w teorie psychologiczne Eberharda Mocka.

Wrocław, piątek 5 września 1919 roku, godzina trzecia po południu

Wirth – zgodnie z poleceniem Mocka – zatrzymał horcha koło „Czerwonej Karczmy" przy Karl-Marx-Strasse.

– Możecie wracać do swoich spraw. – Mock wysiadł z automobilu. – Koniec śledztwa.

Ruszył powoli zakurzonym chodnikiem. Wrześniowe słońce grzało go w kark i ramiona. Zdjął melonik i przewiesił przez ramię marynarkę. Czuł, że jego stopy ślizgają się w twardych trzewikach. Pociągnął nosem i poczuł sam od siebie intensywną woń. To odkrycie sprawiło, że zmienił plany i ominął „Czerwoną Karczmę" szerokim łukiem. Wlókł się noga za nogą, patrząc na niewysokie kamienice po lewej stronie. Za nimi rozciągały się, o czym wiedział, ogródki działkowe. Z przelotowej bramy wyjechał na bicyklu jakiś wyrostek. Kierował jedną ręką, w drugiej trzymał wiaderko jabłek. Koniec śledztwa, koniec nieprzespanych nocy, koniec z alkoholem. Już nikt nie zginie przeze mnie. Z farbiarni Kellinga wychodzili robotnicy pracujący na pierwszą zmianę. Podawali sobie ręce i rozdzielali się na mniejsze grupki. Zmienię pracę, wyjadę stąd. Ze szkoły ewangelickiej wyszedł pastor Gerds i ukłonił się Mockowi. Kurz, upał, babie lato i Johanna leżąca w studni wentylacyjnej. Ciekawe, czy zaczęły się do niej dobierać szczury, które chodzą po ścianach takich studzien i szukają jedzenia przechowywanego na zewnętrznych parapetach.

Z ulgą porzucił Karl-Marx-Strasse i ruszył Plesserstrasse. Była to pusta, wybrukowana uliczka porośnięta akacjami. Dom, w którym mieszkał, był pierwszym budynkiem po lewej stronie. Wszedł po schodkach do dawnego sklepu rzeźniczego stryja Eduarda, a następnie wspiął się na pierwsze piętro do swojej izby. Nikogo nie było. Na kuchni stały resztki obiadu: zupa ogórkowa i ziemniaki okraszone skwarkami. Otworzył okno i usłyszał warczenie psa listonosza Doschego. Ojciec siedział na ławce w cieniu i bawił się z Rotem, podtykając mu do gryzienia swoją laskę. Mock pomachał ojcu i usiłował się uśmiechnąć. Starszy pan wstał i z rozgniewaną miną ruszył do domu. Mock wstawił miednicę do swego przepierzenia i napełnił ją zimną wodą z wiadra. Powiesił ubranie na oparciu łóżka, pod łóżko wrzucił bieliznę i skarpetki i stał nad miską – nagi i zasłuchany w odgłosy dochodzące z dołu: skrzypienie schodów, trzask klapy, poświstywanie ojcowskich płuc.

– Znowu się schlałeś! – dobiegł go głos ojca.

Namydlił się na karku i pod pachami. Mruknął coś w odpowiedzi i usiadł w miednicy, czując, jak mu się z zimna kurczą jądra. Za kotarę wpadł Rot i merdając ogonem, stanął na dwóch łapach. Mock mokrą dłonią pogłaskał go po łbie i wrócił do swych ablucyj.

– Co jest, do cholery?! Co to ma znaczyć?! – krzyczał ojciec, stukając fajerkami. – Gdzie byłeś tej nocy?

Mock umył nogi i spłukał mydliny wodą z garnuszka. Podłoga była całkiem mokra. Owinął się starym szlafrokiem i wyszedł ze swojej niszy. Siwe włosy ojca sterczały groźnie na wszystkie strony. Zza binokli rzucał gniewne błyski. Mock nie zwracał na to uwagi. Przyniósł szmatę spod pieca i wytarł wodę z podłogi. Położył się na łóżku i patrzył w sufit. Zacieki na ścianie układały się w jakieś rysy twarzy. Mock wysilił swoją wyobraźnię, lecz rysy nie wydały mu się znajome. Po dzisiejszym dniu powinienem wszędzie widzieć twarz zamordowanej Johanny, myślał. Czuł wyrzuty sumienia, że tak nie było.

– Chodź na zupę! – zawołał ojciec.

Mock wstał, usiadł przy stole i sięgnął po łyżkę. Pierwszy łyk spłynął mu do skamieniałego żołądka. Drugi gdzieś się zatrzymał. Mock odłożył łyżkę.

– Zjem za chwilę.

– Za chwilę to wystygnie. Mam ci znowu podgrzewać? Myślisz, że jestem twoją kuchtą?

Mały Ebi Mock siedzi w kuchni i przełyka pyzy. „Jedz, bo zaraz wystygną" – mówi ojciec, zapalając fajkę. Ebi popija je kwaśnym mlekiem i czuje, że gliniaste kule zwiększają swą objętość. Szczelnie wypełniają mu przełyk i usta, rośnie szare ciasto, klei mu się do podniebienia, nie może oddychać. „Tatusiu już nie mogę. – Nie odejdziesz od stołu, dopóki nie zjesz. Pyzy są przepyszne, co ty sobie wyobrażasz, gówniarzu jeden, nie mamy tu świń! Wszystko trzeba zjeść! Zobacz, jak Franz wszystko zmiata!"

– Nie jem – Mock odsunął od siebie talerz zupy. – Niech ojciec mi nie gotuje. Tyle razy mówiłem.

Wstał, wszedł do swej niszy, otworzył szafę i położył na łóżku czystą koszulę i kalesony.

– Tak pchnie talerz, gad jeden. – Świst w płucach ojca przechodził w rzężenie. – A ty, stary, myj, rób za niego...

Mock ubrał się starannie, podniósł klapę i zastukał obcasami po schodach. Wyszedł z domu i stanął w pełnym słońcu. Stracił ochotę do odwiedzenia „Czerwonej Karczmy". Usiadł na ławce pod akacją i zapalił papierosa. Usłyszał szczekanie Rota i kroki ojca na schodach. Po chwili Willibald Mock pojawił się na małym ganku, na którym niegdyś w dni uboju tłoczyli się klienci jego brata Eduarda. W dłoni trzymał blaszany talerz wypełniony parującymi ziemniakami.

– A może to zjesz? – zapytał.

Eberhard Mock wstał i ruszył. Noga za nogą. Minął dom. Odwrócił się i spojrzał na ojca. Stał na ganku. Niewysoki. Bezradny. W jego ręku buchały parą tłuczone ziemniaki.

Wrocław, sobota 6 września 1919 roku,
godzina trzecia rano

Rudowłosa pielęgniarka pogłaskała Mocka po dłoni. Jej cera była tak jasna i gładka, że odniósł wrażenie, iż łza, która właśnie spadała z jej rzęs, w ciągu jednej setnej sekundy ześliźnie się po pochyłości policzka. Pielęgniarka zdjęła czepek i rozpuściła włosy. Grube, miedziane fale rozsypały się z lekkim szmerem po wykrochmalonym kołnierzu fartucha. Pochyliła się nad Mockiem. Wtedy poczuł zapach jej oddechu. Dotknął lekko materiału, który rozpychały duże piersi. Dziewczyna cofnęła się gwałtownie i przewróciła stolik stojący przy łóżku. Mock oczekiwał dźwięku ostrego i metalicznego. Tymczasem był głuchy i nieco przytłumiony. Nagle dźwięk eksplodował. Przypominał walenie pięścią w drewniane drzwi. Mock usiadł na łóżku i odsunął kotarę zasłaniającą jego niszę. Poczuł przenikliwy zimny dreszcz. To pewnie z głodu – pomyślał – przecież nic wczoraj nie jadłem. Było zupełnie ciemno. Zapalił świecę i rozejrzał się po pokoju. Ojciec cicho pochrapywał, pies listonosza Doschego patrzył na niego uważnie, a jego ślepia przyjaźnie się jarzyły w ciemnościach. Mock sięgnął pod poduszkę, gdzie wojennym zwyczajem trzymał swojego mauzera, i stanął na środku pokoju. Byłby przysiągł, że hałas, który go obudził, był spowodowany przez klapę prowadzącą do dawnego sklepu rzeźniczego. Położył się na podłodze, uchylił klapę, lecz zajrzał przez najmniejszą szparę, w miejscu, gdzie były zawiasy. Wiedział, że napastnik czy intruz zaatakuje tam, gdzie szpara będzie najszersza. Otworzył gwałtownie całą klapę i odskoczył. Nikt nie atakował. Mock – wciąż czując na plecach zimne dreszcze – włożył w otwór klapy świeczkę. Niewiele widział – jedynie kilka górnych stopni schodów. Spojrzał na psa, który opierał spokojnie łeb na swych wyprostowanych przednich łapach i mrugał rozespanymi oczami. Zachowanie czworonoga świadczyło o braku niebezpieczeństwa. Mock zszedł po schodach i podniósł wysoko świeczkę.

W dawnym sklepie rzeźniczym było pusto. Skierował światło świecy na kratkę kanalizacyjną i – nie stwierdziwszy niczego – wyszedł na ganek. Wrześniowa noc była pogodna, lecz chłodna. Upewnił się, czy drzwi do sklepu są dobrze zamknięte, i wszedł na górę. Ziewnął, zapaloną świecę postawił na stole i położył się do łóżka, nie zasuwając kotary. Przed oczami zaczęły mu się przesuwać obrazy: jakaś dyskusja na ulicy, strzępy rozmów, koń kulejący przy dorożce, jakiś tragarz ciągnący za dwa dyszle dwukołowy wózek. Z wózka coś się wysypuje i uderza z hukiem o bruk.

Mock zerwał się na równe nogi i spojrzał na ojca i psa. Ojciec pochrapywał, pies warczał. Poczuł dreszcz – zwierzę patrzyło na klapę i szczerzyło zęby. Mock siedział na łóżku z mauzerem w dłoni i czuł ciepłą wilgoć pod pachami. Rot nagle wstał i zaczął merdać ogonem. Stanął na tylnych łapach i przez kilkanaście sekund kręcił się w kółko, podobnie jak kilkanaście godzin temu, gdy witał się z Mockiem myjącym się za kotarą. Potem ułożył się do snu na swoim miejscu. Mock przez dłuższą chwilę nie słyszał niczego oprócz głuchych uderzeń w piersi. W odróżnieniu od psa nie zasnął już do rana.

Wrocław, sobota 6 września 1919 roku, godzina siódma rano

Przez otwarte okno gabinetu doktora Corneliusa Rühtgarda dochodził ptasi śpiew. Mock stał przy parapecie i wdychał chłodne opary, które były skutkiem oddziaływania słonecznego światła na wilgotne trawy. Z łazienki sąsiadującej z gabinetem dochodził śpiew doktora Rühtgarda – niechybna oznaka, że dobrze naostrzona brzytwa sprawnie zdziera poranną szczecinę. Służący doktora zapukał do drzwi gabinetu i – nie czekając na jakiekolwiek pozwolenie – wszedł doń bezgłośnie i postawił na stoliku koło biurka tacę z serwisem do kawy. Mock przestał rozkoszować się rześkimi woniami budzącego się parku, odwrócił się od okna, podziękował służącemu kiwnięciem głowy i zasiadł w fotelu obok stolika. Stukając niezgrabnie dzióbkiem dzbanka i mlecznika o krawędź filiżanki, zauważył drżenie swoich dłoni. Aby się pozbyć tej przypadłości cierpiących na bezsenność, skupił się na podziwianiu wałbrzyskiej porcelany, której pochodzenie zdradzały trzy litery TPM. Wciągając nosem aromat kawy Kainz, usłyszał odgłos, który go zaniepokoił: stłumiony jęk. Odstawił kawę na marmurowy blat stolika, oparł na jego brzegu swe krótkopalce dłonie i zaczął nasłuchiwać. Śpiew dochodzący z łazienki wzmagał się i cichł, kiedy – jak się domyślał Mock – doktor Rühtgard nabierał wody w usta, by spłukać proszek do zębów. W jednej z chwil ciszy Mock wyszedł z gabinetu do przedpokoju. Kolejny jęk doszedł zza zamkniętych drzwi sąsiadujących z kuchnią. Podszedł do tych drzwi i uwolnił wszystkie swoje zmysły. Słuch mu mówił, że za drzwiami ktoś się wierci w pościeli i płacze, a po każdym jęku uderza czymś w poduszkę. Węch wyłapywał nikłą woń perfum i dusznego od snu pokoju.

– Mam nadzieję, że nie masz zamiaru odwiedzić mojej córki w jej sypialni – doktor Rühtgard stał na końcu korytarza w ciemnobordowym pikowanym szlafroku z aksamitnymi wyłogami i patrzył na Mocka z gniewem. Nie wyglądał na człowieka, który przed chwilą nucił kuplet z operetki *O czym marzą dziewczęta* Aschera. Wszedł do swojego gabinetu i mocno trzasnął drzwiami.

Mock nie potrafił wyjaśnić zachowania swojego przyjaciela. W jego obolałej od bezsenności głowie pojawiła się myśl o nocnym spacerze, jaki urządził sobie przedwczoraj ze zbuntowaną pannicą, która go sprowokowała do grubiańskich reakcyj. W jego uszach, które tak czujnie łowiły przed chwilą odgłosy tłumionej dziewczęcej rozpaczy, zadźwięczały różne formy czasowników „dogadzać" i „chędożyć", którymi epatował przedwczoraj młodą kobietę rozdartą pomiędzy miłością do czułego łajdaka i zaborczego ojca. Zdał sobie sprawę, że tego łajdaka przedwczoraj przesłuchiwał i porzucił go na pastwę mordercy. Wyobraził sobie, jak za zamkniętymi drzwiami swojej sypialni Christel Rühtgard wtula twarz w poduszkę, by wytłumić rozrywające łkanie. Sięgnął po słuchawkę stojącego w przedpokoju telefonu i wykręcił numer prywatny Wirtha. Nie przejmując się służącą, która właśnie weszła do mieszkania z koszykiem ciepłych bułek, Mock wychrypiał do słuchawki:

– Wiem, że jest wcześnie, Wirth. Nic nie mów, tylko słuchaj. Alfreda Sorga zamkniesz w „przechowalni". To ten, którego przesłuchiwałem na podwórku za „Trzema Koronami". Znajdziesz go właśnie tam albo pod „Czterema Porami Roku".

Odłożył słuchawkę i spostrzegł, że w drzwiach swojej sypialni stoi Christel Rühtgard. Gniew, który emanował z jej zapuchniętych oczu, upodabniał ją do ojca.

– Dlaczego pan chce zamknąć Alfreda?! Co on panu zrobił?! – usłyszał Mock, kiedy odwrócił się i ruszył w stronę gabinetu jej ojca. – Jest pan podłym potworem! Nędzną zapiaczoną kreaturą! – wrzeszczała, kiedy zamykał drzwi od wewnątrz.

Doktor Rühtgard przechylał się przez parapet i wylewał na trawnik ciepłą kawę z filiżanki, z której przed chwilą pił Mock. Odwrócił się do wchodzącego.

– Wypiłeś już swoją kawę, Mock. A teraz wyjdź stąd!

– Nie zachowuj się jak obrażona hrabina – Mockowi wyraźnie spodobało się to porównanie, bo poczuł przewrotną wesołość i na jego twarzy pojawił się uśmieszek. – Daruj sobie te melodramatyczne gesty i mów, co się stało! I to bez wstępów typu: „I ty się jeszcze pytasz?!"

– Moja córka wróciła przedwczoraj w nocy z koncertu. Była roztrzęsiona. – Rühtgard stał z pustą filiżanką, po której ściankach spływały wspomnienia aromatycznego Kainza. – Mówiła, że spotkała cię podczas spaceru, jaki urządzała sobie po koncercie. Byłeś pijany i uparłeś się, że ją odwieziesz do domu. Podczas odprowadzania zachowałeś się wobec niej po grubiańsku. Masz to zrozumieć jako zakaz wstępu do mojego domu.

Mock wytężył pamięć, lecz nie przychodził mu do głowy żaden łaciński wiersz, żaden passus prozy, który by mógł go uspokoić. Spojrzał na ścianę, na sztych przedstawiający ewangeliczną scenę uzdrowienia opętanego. U dołu wypisana była data 1756. Mock wpadł na pomysł uśmierzenia swojej wściekłości. Przypomniał sobie scenę gimnazjalną: profesor Morawjetz rzuca uczniom daty z historii Niemiec, a ci szybko daty te tłumaczą na łacinę.

– *Anno Domini millesimo septingentesimo quinquagesimo sexto* – powiedział Mock i zapadł się w fotelu.

– Oszalałeś, Mock? – Rühtgard ze zdumienia otworzył usta, a filiżanka przekręciła się na uszku i uroniła na biurko kilka kropel kawy.

– Jeśli wierzysz swojej córce, dalsza rozmowa nie ma sensu. – Mock wstał z fotela i oparł się o biurko. Patrzył w oczy Rühtgardowi bez zmrużenia powiek. – Mam dalej mówić czy posłuchać twojego pańskiego nakazu opuszczenia tego domu?

– Mów dalej – sapnął Rühtgard i oparł dłoń na głowie bociana stojącego na mahoniowym fortepianie. Fortepian się otworzył, bocian się schylił i złapał w swój dziób papierosa, który się pojawił w miejscu klawiszy fortepianu. Rühtgard wyjął papierosa z dzioba ptaka i zatrzasnął wieko fortepianowej papierośnicy.

– W relacji twojej córki tylko jedno odpowiada prawdzie. To, że użyłem niewłaściwych słów wobec panny z dobrego domu. Więcej ci nie powiem. Nie dlatego, że dałem jej słowo honoru, że zachowam dyskrecję. Mógłbym dać sobie łatwą dyspensę... Nie dlatego... Ktoś powiedział, że czasami prawda jest jak wyrok. Ty nie zasłużyłeś na wyrok.

Rühtgard przez minutę zaciągał się chciwie papierosem i wypuszczał dym przez nos. Nad blatem biurka zawisła niebieska mgła.

– Nalej sobie kawy – powiedział cicho. – Nie interesuje mnie, co robiła moja córka... Pewnie to samo, co tak lubiła jej matka... Nie mówiłem ci nigdy...

– O jej matce nigdy. Tylko tyle, że umarła na cholerę w Kamerunie. Jeszcze przed wojną, kiedy tam dostałeś dobrze płatną posadę.

– I to powiedziałem za dużo. – Rühtgard nie patrzył na Mocka, lecz zezował gdzieś w róg pokoju. – Powinno ją pochłonąć wieczne milczenie.

Mock padł ciężko w rozłożysty fotel. Milczenie. Rühtgard nagle wstał, podszedł do wałbrzyskiego serwisu i nalał Mockowi kawy. Potem nacisnął głowę bociana i wetknął podanego przez niego papierosa w usta Mocka. Następnie wyszedł z gabinetu, zostawiając swego rozmówcę z niezapalonym papierosem w ustach.

Wrocław, sobota 6 września 1919 roku,
wpół do ósmej rano

Mock i Rühtgard siedzieli w jadalni i zatapiali łyżeczki w półpłynnych jajkach, które wraz z kawałkami masła i kilkoma listkami pietruszki wypełniały wysokie szklaneczki ze szkła grawerowanego w wysmukłe lilie.

– Mów, Ebbo – Rühtgard wylał na chrupiącą bułkę smugę miodu – po co do mnie przyszedłeś?

- Głodówka mi nie pomogła. - Mock z apetytem wessał masę jajeczną i nałożył sobie na talerz dwa cielęce serdelki. - Mimo głodówki miałem koszmary. Powiem ci teraz coś, co może wzbudzić twój śmiech, a w najlepszym razie niedowierzanie - Mock zawiesił głos i umilkł.
- Mów zatem. - Rühtgard zaatakował nożykiem do owoców miękką gruszkę.
- Pamiętasz, jak nieraz w nocy na froncie zabawialiśmy się opowieściami niesamowitymi? - Otrzymawszy mruczące potwierdzenie Rühtgarda, ciągnął dalej: - Pamiętasz opowieści kaprala Neymanna o jego nawiedzonym domu? - Rühtgard znów potwierdził. - U mnie w domu straszy. Rozumiesz, Rühtgard? Straszy.
- Mógłbym zapytać: „Jak to straszy?" - powiedział Rühtgard. - Ale po pierwsze, nie lubisz takich pytań, po drugie zaś, niedługo muszę wyjść do szpitala. Nie znaczy to jednak, że cię nie wysłucham. Będziemy rozmawiali w drodze do szpitala. A zatem pytam: jak się przejawia to „straszenie"?
- Hałasy... - Mock przełknął kęs serdelka. - Po nocy budzą mnie hałasy. Śnią mi się ludzie z wydłubanymi oczami, a potem ze snu budzi mnie jakieś walenie w podłogę.
- To wszystko? - Rühtgard przepuścił Mocka w drzwiach jadalni.
- Tak - Mock przyjął od służącego swój melonik. - Nic więcej.
- Posłuchaj mnie uważnie, Eberhardzie - powiedział powoli Rühtgard, kiedy znaleźli się już na schodach. - Nie jestem psychiatrą, interesuję się jednak, jak wszyscy dzisiaj, teoriami Freuda i Junga. Uważam, że mają one bardzo dobre momenty. - Wyszli na zalaną słońcem Landsbergstrasse i ruszyli wzdłuż parku. - Szczególnie w odniesieniu do związków pomiędzy rodzicami a dziećmi. Obaj ci uczeni

piszą o zjawiskach paranormalnych, Jung miał ich ponoć sam doświadczyć w swym domu w Wiedniu... I Freud, i Jung zalecają w takich sytuacjach hipnozę... Może byś jej spróbował?

– Nie rozumiem po co? – Skręcili w lewo, w Kleinburgstrasse; Mock przystanął, aby przepuścić młodą kobietę z dzieckiem w wielkim wiklinowym wózku, a potem raźno ruszył, mijając gmach szkoły ludowej, ogród i plac zabaw. Po dłuższej chwili milczenia powiedział: – To się dzieje w moim domu, nie w mojej głowie!

– Na studiach medycznych czytałem kilka traktatów Hipokratesa po grecku. – Rühtgard uśmiechnął się i poprowadził Mocka w prawo, w Kirschallee, w stronę potężnej wieży ciśnień. – Coś z twojej dziedziny... Męczyłem się jak diabli z tym greckim tekstem... Nie pamiętam już, w którym z nich jest opis mózgu kozy chorej na padaczkę. Oczywiście nie wiemy, czy to była rzeczywiście padaczka. Hipokrates rozciął ten mózg i stwierdził, że jest w nim za dużo wilgoci. Biedne zwierzę może miało jakieś wizje, a wystarczyło odsączyć z jego mózgu trochę wody. Tak jest i u ciebie. Za hałasy w twoim domu i za koszmarne sny odpowiedzialny jest jakiś obszar twojego mózgu. Wystarczy na niego oddziałać – może za pomocą hipnozy? – i wszystko się skończy. Już ci się nigdy nie przyśnią ci zabici ślepcy, których mordercę teraz ścigasz.

– Chcesz powiedzieć – Mock zatrzymał się, zdjął melonik i wytarł czoło chustką – że te straszące duchy siedzą w moim mózgu? One nie istnieją obiektywnie?

– Oczywiście, że nie – krzyknął radośnie Rühtgard. – Czy słyszy je twój ojciec? Czy słyszy je twój pies?

– Ojciec ich nie słyszy, bo jest głuchy. – Mock nie ruszał się z miejsca. – Ale pies owszem. Warczy na kogoś, łasi się do kogoś...

– Pies reaguje na ciebie, człowieku. – Rühtgard aż poczerwieniał w ferworze argumentacji. Minęli wieżę ciśnień i ruszyli wąską dróżką pomiędzy boiskiem sportowym a cmentarzem gminy luterańskiej. Wziął Mocka pod rękę i przyśpieszył kroku. – Chodź, idziemy szybciej, bo się spóźnię do szpitala. A teraz posłuchaj. Coś budzi ciebie, coś, co jest w twojej głowie, ty zaś budzisz psa. Pies, widząc swego pana na nogach, po prostu go wita. Rozumiesz? On nie łasi się do ducha, on łasi się do ciebie...

Milczeli dłuższą chwilę. Mock usiłował uważnie dobrać słowa.

– Jakbyś to zobaczył, to inaczej byś mówił. – Zbliżali się do masywnego gmachu szpitala Wenzla-Hanckego, gdzie doktor Rühtgard pracował na oddziale chorób zakaźnych. – Pies jest daleko ode mnie, stoi przy klapie w podłodze i merda ogonem.

– Wiesz co? – Rühtgard zatrzymał się na schodach do szpitala i spojrzał uważnie na Mocka, na którego obliczu bezlitosne wrześniowe słońce odsłoniło wszystkie zmarszczki i bezsenne obrzmienia. – Udowodnię ci, że mam rację. Dzisiaj przenocuję u ciebie. Mam bardzo czujny sen, obudzi mnie najlżejszy szelest. Jeżeli duchy istnieją obiektywnie, dziś będę o tym wiedział. Do zobaczenia wieczorem! Jestem u ciebie po kolacji! Przed „godziną duchów", czyli przed północą!

Rühtgard otworzył potężne odrzwia do szpitala i już miał odpowiedzieć na powitanie starego portiera, kiedy usłyszał głos Mocka, a potem dostrzegł wspinającą się na schody masywną postać swojego przyjaciela. Policjant chwycił go za rękaw. Miał zaciętą twarz i nieruchome oczy.

– Przed chwilą wspomniałeś o zabitych ślepcach. Powiedz mi, skąd wiesz o śledztwie, które teraz prowadzę? – w głosie Mocka zadźwięczał przestrach. – Pewnie wygadałem ci się po pijanemu w środę. Tak było?

174

– Nie. To nie było tak. – Rühtgard mocno uścisnął dłoń Mocka. – Po pijanemu robiłeś znacznie gorsze rzeczy, które wyparłeś za próg swojej świadomości. O morderstwach zaś wiem od małej Elfriede z Reuscherstrasse.

– Od kogo?! Co ty bredzisz, do cholery?! – Mock usiłował wyrwać swoją dłoń z żelaznego uścisku.

– Znasz doskonale budynki przy Reuscherstrasse. – Rühtgard nie puszczał dłoni Mocka. – Te otoczone wewnętrznymi podwórkami. Gdybyś w południe wszedł w któreś z tych podwórek, co byś usłyszał, Ebbo?

– Nie wiem... Na pewno krzyki bawiących się dzieci, powracających ze szkoły... Hałasy z kilku fabryk i knajp, które tam są...

– Pomyśl, co jeszcze?

– Na pewno zawodzenie kataryniarzy.

– Masz rację. – Rühtgard puścił dłoń przyjaciela. – Jeden z kataryniarzy nazywa się Bruno. Jest niewidomy. Stracił oczy na wojnie. Od wybuchu. On gra, a śpiewa jego córka, mała Elfriede. Kiedy Elfriede śpiewa, z oczodołów Brunona płyną łzy. Idź tam dziś i przekonaj się, o czym śpiewa Elfriede.

Wrocław, sobota 6 września 1919 roku, południe

Mock siedział w swoim pokoju w Prezydium Policji i starał się wytłumić obsesyjne rondo muzyczne, które kręciło się w jego głowie od ponad godziny – od czasu kiedy wrócił z ponurego spaceru labiryntami wewnętrznych podwórek między Reuscherstrasse a Antonienstrasse. W ciemnych zaułkach, gdzie nawet upalne wrześniowe słońce nie mogło wyprażyć zatęchłej wilgoci, rozstawiali swe prowizoryczne kramy sprzedawcy patelni, tam koła szlifierskie świstały w syku iskier, a kataryniarze ustawiali swe skrzynki

175

i wygrywali na nich miejskie ballady, które miały charakter albo łotrzykowski, albo romansowy. Podwórkowy moralitet, który odśpiewała dziewięcioletnia córka kataryniarza Brunona, nie dawał się przypisać żadnej z tych dwu kategorii.

W mieście Wrocławiu po wielkiej wojnie
Nikt już nie może bezpiecznie żyć,
Bo oto wampir, wampir straszliwy,
Przędzie jak pająk swą krwawą nić.

Mock spojrzał na swojego kolegę Herberta Domagallę, który dzwonił wałkiem maszyny do pisania Torpedo i zamieniał zeznania siedzącej naprzeciw prostytutki na rytmiczne skandowanie dobrze naoliwionej maszynerii. Mock chwycił w dłonie ołówek i złamał go z trzaskiem. Jakaś mała drzazga trafiła prostytutkę w policzek. Spojrzała na Mocka ze złością. On również patrzył na nią, lecz jej nie widział. Widział natomiast siebie z dnia wczorajszego: pełnego energii policjanta, który – szantażując swojego szefa – uzyskuje *carte blanche* na wszelkie działania, a potem z głową nabitą pomysłami rusza tropem mordercy ze swoimi nieodłącznymi pomocnikami z przestępczego świata. Tenże policjant zamienia się pod wpływem śmierci pokrytej liszajami prostytutki w zmarnowaną, jęczącą duszyczkę, która rezygnuje z wszelkich działań i drży w nocy ze strachu przed wyimaginowanymi duchami. Ta płaczliwa i potulna animula melodramatyzuje następnego dnia swe przeżycia w obecności druha z frontowych okopów.

Wampir morduje w ciemnych ulicach,
A policjanci idą w trop.
Z pewnych powodów śledztwo prowadzi
Dzielny komisarz Eberhard Mock.

Zaraz wam powiem, moi kochani,
Jakież to ważne powody są,
Ale na razie muszę się wstrzymać,
Gdyż dreszcz przestrachu zatargał mną.

Mock oparł brodę na jednej pięści, drugą zaś uderzył w blat biurka. Podskoczyły kałamarz i kościana obsadka ze śladami zębów, zakołysała się stara piasecznica z herbem Wrocławia, zaszeleściła zwinięta w rulon gazeta krzycząca wielkim tytułem *Powroty naszych jeńców*. Prostytutka znów spojrzała na Mocka.

– Gdybyś mogła mnie wczoraj widzieć – powiedział do niej i zawiesił głos.

– Słucham? – zapytali jednocześnie Domagalla i jego przesłuchiwana.

Mock nie odpowiedział nic i dokończył w myślach: ...tobyś ujrzała kretyna, który miota się w sprzecznych decyzjach. Raz pozostawia Alfreda Sorga na pastwę mordercy, a potem go zamyka w „przechowalni" u Wirtha. Raz chce atakować zbrodniarza, a potem omal nie zalewa się łzami ze strachu, że jak kogoś przesłucha, to ten ktoś zginie. Zdobyłem adres „czterech marynarzy". Dlaczego tam nie pojechałem? Bo boję się, że kogoś zabiję. Jestem jak Meduza. Zabijam swoim spojrzeniem. Wiercę wzrokiem dziurę w brzuchu i przebijam płuca. To jak mam, kurwa, prowadzić to śledztwo?! Mam na ludzi nie patrzeć? Mam ich nie przesłuchiwać? Mam działać listownie? Po tym pytaniu nadeszła odpowiedź.

– Prowadź je telefonicznie – odpowiedział sam sobie, nie wzbudzając już zdziwienia ani Domagalli, ani jego rozmówczyni.

Oczy wykłute, serca przebite –
Tak wampir sprawia ofiary swe.

Och, komisarzu, kiedyż się skończy
Tego wampira zbrodnicza pieśń.

To wie komisarz, tylko on jeden,
na całym świecie tylko sam,
Och, komisarzu – kiedyż przestanie?
Czemu zabija? Powiedz to nam.

Mock wykręcił numer sąsiada Smolorza, adwokata pana
Maxa Grötzschla, i poprosił go o powiadomienie o telefo-
nie wachmistrza kryminalnego, po czym po dziesięciu mi-
nutach uprzejmy, wycyzelowany na rozprawach sądowych
głos poinformował go, że zapłakana pani Ursula Smolorz
nie ma najmniejszego pojęcia, gdzie wczoraj wyszedł w silnym upojeniu alkoholowym jej małżonek. Mock podziękował panu Grötzschlowi i odwiesił z wściekłością słuchawkę,
omal nie przewracając całego aparatu. W odróżnieniu od
żony Smolorza doskonale wiedział, że jej mąż od dwóch
dni obraca się w arystokratycznych sferach Wrocławia.

Wampir śle listy do Eberharda,
W których wyjawia motywy swe.
Przeczytaj wszystkie swym współmieszkańcom,
Zdradź wrocławianom ich straszną treść.

Kolejna myśl uciszyła na chwilę w głowie Mocka zrzędzenie małej kataryniarki. Smolorz nie jest jedynym człon-
kiem jego nieformalnej grupy śledczej. Są jeszcze inni,
którym może bezgranicznie ufać. Wykręcił numer firmy
spedycyjnej Bimkraut & Eberstein. Po dwóch sygna-
łach usłyszał w słuchawce głos, który nie należał ani do
Bimkrauta, ani do Ebersteina – nie mógł należeć do żadnego z nich, bo obaj już dawno nie żyli, a ich nazwiska, bez-
błędnie wynotowane z nagrobków starego cmentarza św.
Bernardyna, posłużyły za szyld przy rejestrowaniu przed-
siębiorstwa, którego faktycznym szefem był ktoś zupełnie

inny i którego działalność nie miała wiele wspólnego ze spedycją towarów.

– Posłuchaj, Wirth – powiedział Mock, odprowadzając wzrokiem wychodzącą prostytutkę, która z uroczym uśmiechem szepnęła coś na ucho Domagalli. – Co? Co ty mówisz? Nie bądź wulgarny... Mówi się: „Sorg i Kohlisch nastają na pannę Käthe"!... Tak, odizoluj ją od nich! A teraz przestań mi zawracać głowę bzdurami i słuchaj! Ruszamy do akcji... – Mock spojrzał na Domagallę wychodzącego ze swoją podopieczną i zaczął szybko wydawać rozkazy. W jego głowie kataryniarka Elfriede odśpiewała ostatnią zwrotkę.

Kiedy przestanie ma katarynka
Smutną historię żałośnie grać.
Jak długo jeszcze, o komisarzu,
Będzie w udręce twe miasto trwać?

Wrocław, sobota 6 września 1919 roku,
godzina druga po południu

Erich Frenzel, dozorca kwartału domów, zamkniętego pomiędzy Gartenstrasse, Agnesstrasse, Tauentzienstrasse i Schweidnitzerstrasse, siedział na administrowanym przez siebie podwórku i wysilał cały swój nieskomplikowany mózg nad równie nieskomplikowanym problemem: czy sobotni wieczór spędzić właśnie tutaj, w gospodzie Bartscha przy kuflu i misce kaszanki z grochem i boczkiem, czy też na tyłach kawiarni Orlicha przy wódce orzechowej i kapuście ze skwarkami. Pierwsza ewentualność wydawała mu się kusząca ze względu na obecność u Bartscha nowego akordeonisty, który – podobnie jak Frenzel – pochodził ze Szwabii i grał piękne ojczyste melodie, za drugą natomiast możliwością przemawiało zamiłowanie Frenzla do hazardu. Oto bowiem w zakamuflowanym pomieszczeniu, na tyłach

179

kawiarni Orlicha przy Gartenstrasse 51, zbierali się siłacze, którzy krzyżowali na stołach swe mocarne ramiona, napinali mięśnie i zupełnie nie zwracali uwagi na kibicujących im nad głowami hazardzistów w rodzaju Frenzla. Przypomniawszy sobie o przyjeździe do Wrocławia siłacza z Polski i o swojej zeszłotygodniowej sromotnej przegranej, powoli się przychylał ku temu drugiemu rozwiązaniu.

Nie podjął jednak ostatecznej decyzji, ponieważ całą jego uwagę przyciągnął wielki furgon, który się wtoczył na podwórko przez przelotową bramę od strony Agnesstrasse. Furgon był pusty. Plandeka opatrzona nazwą firmy, której krótkowidz Frenzel nie odczytał, fruwała swobodnie na wietrze, odsłaniając puste wnętrze. Dozorca wstał, zapiął guziki marynarki, poprawił kaszkiet ze złamanym daszkiem i – czując się jak żołnierz – zastukał mocno swymi wysokimi, błyszczącymi od pasty butami o bruk podwórka. Rozsadzała go złość na bezczelnego furmana, który ośmielił się wjechać na podwórko mimo wyraźnego znaku zakazu, jaki wisiał nad bramą przy Agnesstrasse. Jego obecność – przecież niedopuszczalna na tym podwórku! – nie mogła być niczym usprawiedliwiona, ponieważ w kwartale kamienic nie było żadnej firmy, do której dostarczałby towary jakikolwiek furgon. Frenzel prychnął ze złości i minął trzy dziewczynki, z których dwie kręciły grubą liną, a trzecia skakała przez nią, wykonując rozmaite akrobacje. Zrobił się czerwony ze złości, kiedy spostrzegł, że z kozła zeskakuje niewysoki mężczyzna, staje w rozkroku przed starą lipą, którą sadził jeszcze ojciec Frenzla, i rozpina spodnie.

– Hej, ty karawaniarzu! – krzyknął Frenzel i rzucił się w stronę furgonu. – Tu się nie leje, gnoju jeden! Tu się bawią dzieci!

Niewysoki furman spojrzał ze zdziwieniem na zbliżającego się stróża, zapiął rozporek i prosząco złożył dłonie. Ten gest nie wywarł jednak na Frenzlu najmniejszego wrażenia. Zbliżał się już z groźnie zjeżonym wąsem. Znów się poczuł bombardierem Frenzlem, który niejedno przeżył i niejednego potrafi przepędzić. Zamachnął się miotłą. Niewysoki ani drgnął, niespeszony groźnym gestem. Frenzel zamachnął się jeszcze raz i wymierzył cios w głowę intruza. Miotła jednak się zablokowała. Dozorca patrzył na swój przyrząd, który zdawał się bardzo mały w dłoniach potężnie zbudowanego mężczyzny, ubranego bardzo podobnie do Frenzla: w kaszkiet, kamizelkę i wysokie buty. Ten obraz był ostatnim wrażeniem wzrokowym, jakiego Frenzel miał doznać tego sennego popołudnia. Potem zapadła ciemność.

Wrocław, sobota 6 września 1919 roku,
godzina trzecia po południu

Na zalaną upalnym wrześniowym słońcem Schuhbrücke wyszedł wolno Eberhard Mock. Rozejrzał się dokoła i ruszył noga za nogą chodnikiem w stronę wielkiej bryły gimnazjum św. Macieja. Kasztany koło pomnika św. Jana Nepomucena nabierały nowej jesiennej barwy. Mock, kontemplując zmiany natury, wszedł do kościoła gimnazjalnego św. Macieja. Po chwili pod drzwiami, za którymi zniknął asystent kryminalny, stanął wysoki mężczyzna i począł podejrzliwie obserwować każdą zbliżającą się do kościoła osobę. W pewnej chwili do drzwi domu Bożego podeszła starsza jejmość ubrana na czarno. Mężczyzna zagrodził jej drogę.

– Dzisiaj kościół jest nieczynny – powiedział uprzejmie.

Starsza dama aż wytrzeszczyła oczy ze zdziwienia. Po chwili doszła do siebie i powiedziała protekcjonalnym tonem:

– Mój dobry człowieku, przecież to nie sklep, by był czynny. Kościół jest zawsze czynny i zapewniam cię, że znajdzie się w nim miejsce i dla ciebie.

– Zmiatasz stąd sama, paniusiu, czy mam cię kopnąć w dupę? – zapytał równie uprzejmie kościelny cerber.

– Ty chamie! – wrzasnęła paniusia i obejrzała się dookoła. Nie widząc znikąd pomocy, odwróciła się i pomaszerowała w stronę Ursulinenstrasse, gniewnie zarzucając swym sporych rozmiarów zadem.

Podobny strażnik stał przy drzwiach zakrystii kościoła wychodzących do ogrodu gimnazjum. Nagle drzwi się otworzyły. Pilnujący ich człowiek ujrzał Mocka i proboszcza podających sobie dłonie. Po chwili Mock stanął obok strażnika.

– Nikogo? – zapytał.

– Nikogo – usłyszał.

– Duksch stoi koło głównego wejścia do kościoła. Powiedz mu, że jest wolny. Ty też możesz odejść.

Mock wyszedł wąską uliczką na Burgstrasse. Gimnazjalny pedel zamknął za nim bramę. Mock miał za plecami gmach gimnazjum, przed oczami – murek, za którym płynęła wolno mętna Odra. Patrzył przez chwilę na ruch uliczny na Burgstrasse. Po chwili przebiegł przez jezdnię, poszedł wzdłuż murka, obserwując na równi nurt Odry, jak i ludzi, którzy szli ulicą. Przy wejściu na most Piaskowy przystanął, oparł się o słup ogłoszeniowy zalepiony plakatami informującymi o seansach bezdotykowej telepatii Lo Kittaya i nieruchomo stał około dwudziestu minut. Wszyscy ludzie, których widział na Burgstrasse, zdołali już zniknąć, a Mock tkwił i lustrował wciąż wzrokiem ruchliwą ulicę. Nagle ruszył szybkim krokiem przez most Piaskowy. Minął kilka domów, młyn wodny Phönix i znalazł się na Wyspie Bielarskiej. Nie zwracając uwagi na tłumy gimnazjalistów od św. Macieja, odreagowujących w papierosowym dymie stresy wynikające z lichej wiedzy o równaniu elipsy i o funkcjach łacińskiego koniunktiwu, minął gorzelnię Henniga i wbiegł na kładkę prowadzącą na Matthiasstrasse. Kiedy tylko się znalazł na drewnianych deskach, za jego plecami pojawili się dwaj mundurowi policjanci. Swoimi masywnymi barami zatarasowali wejście na kładkę, nie wpuszczając nikogo, kto by chciał – podobnie jak Mock – przejść na drugą stronę rzeki. Mock przebiegł przez kładkę, doprowadzając ją do lekkich wibracji, po czym znalazł się na szerokim nadrzecznym bulwarze. Przy krawężniku stał duży horch. Mock wskoczył do samochodu i zapuścił silnik. Gwałtownie ruszył w stronę dymiącego w oddali browaru Schultheiss. Już miał pewność, że nikt go nie śledzi.

Wrocław, sobota 6 września 1919 roku,
godzina piąta po południu

Frenzlowi zdjęto kaptur z głowy. Zaczerpnął głęboko tchu i rozejrzał się dokoła. Był w półokrągłym pomieszczeniu, którego ceglane, nieotynkowane ściany oświetlone były przez dwa okienka. Siedział na prostym taborecie – jedynym sprzęcie w tym wnętrzu. W pierwszej chwili jego nieprzyzwyczajone do ciemności oczy wyłowiły dwa inne przedmioty, z których jeden Frenzel uznałby za szafę, drugi zaś – za niewysoki niciennik. Po chwili w kształcie szafy rozpoznał człowieka, który zastopował jego cios miotłą, w nicienniku zaś ujrzał niewysokiego furmana, usiłującego na jego podwórku załatwić małą potrzebę. Wyjął zegarek z kieszeni. Wskazówki oraz jego obolały grzbiet świadczyły niezbicie, że na trzęsącym się furgonie, a potem na wędrówce po niezliczonej liczbie stopni spędził trzy godziny. Wstał i rozprostował ramiona. Niezdecydowanie ruszył ku jednemu z okien. Szafa poruszyła się szybko. Frenzel zatrzymał się wystraszony.

– Niech obejrzy sobie panoramę miasta – odezwał się cicho drugi mężczyzna i wykonał kilka zagadkowych ruchów dłonią.

Frenzel podszedł do okna i zaparło mu dech w piersi. Jesienne pomarańczowe słońce podkreślało przysadzisty budynek kościoła Jana Chrzciciela na Hohenzollernstrasse, ślizgało się na kunsztownych gzymsach poczty i pałacyku Juventusu, zostawiając w miękkim cieniu okazałe kamienice otaczające secesyjnym wieńcem Kaiser-Wilhelm-Platz. Dalej wznosił się kościół Karola Boromeusza i skromne kamienice robotniczej dzielnicy Gajowice. Frenzel chciał teraz spojrzeć na wschód w stronę zalesionych cmentarzy za Lohestrasse, ale nie uczynił tego, ponieważ doszły do niego nowe dźwięki. Ktoś urywanym i zachrypniętym głosem wydawał jakieś polecenia i mruczał coś z akceptacją. Frenzel odwrócił się i w półmroku ujrzał dobrze zbudowanego mężczyznę w jasnym surducie i meloniku. Pod załamanymi skrzydłami lśniąco białego kołnierzyka wznosiła się gruba pętla jedwabnego krawata, którego czerń była pocięta bordowymi zygzakami. Całości dopełniały starannie wypastowane lakierki. Albo pastor, który potajemnie wybiera się na dziwki, albo gangster, pomyślał Frenzel.

– Jestem z policji – elegant rozwiał zachrypniętym głosem wątpliwości Frenzla. – Nie pytaj, dlaczego tutaj cię przesłuchuję, bo ci odpowiem, że to nie twoja sprawa. Nie pytaj o nic. Tylko odpowiadaj, dobrze?

– Tak jest – odparł służbiście feldfebel.

– Stój w tym świetle, żebym mógł cię dobrze widzieć. – Policjant usiadł na stołku, sapnął, rozpiął marynarkę, zdjął melonik i założył go sobie na kolano. Jego klatka piersiowa tworzyła z brzuchem jednolitą masywną bryłę. Na twarzy widać było zapowiedzi otyłości.

– Nazwisko?

– Erich Frenzel.

– Zawód?

– Dozorca.

– Miejsce pracy?

– Nadzoruję podwórko przy Gartenstrasse, za sklepem meblowym Hirscha.

– Znasz ich? – elegant podsunął Frenzlowi pod nos zdjęcie.

– Tak, tak – powtarzał Frenzel, wpatrując się w stężone rysy „czterech marynarzy". – O cholera, to dlatego ich nie ma od tygodnia... Wiedziałem, że tak skończą...

– Kim byli ci ludzie? Nazwiska?

– Nie znam ich prawdziwych nazwisk. Mieszkali w oficynie przy Gartenstrasse. Dokładnie Gartenstrasse czterdzieści sześć, mieszkania dwadzieścia. Na samej górze. Najtańsze mieszkanie...

– Jak to nie znasz ich nazwisk? Musieli się jakoś zameldować. U kogo się meldują? U właściciela kamienicy? Kto jest tym właścicielem? – Frenzla zalewał deszcz pytań.

– Właścicielem jest pan Rosenthal, Karlsstrasse dwadzieścia osiem. W tej kamienicy jestem jego prawą ręką. Mieszkanie stało puste. Pana Rosenthala to martwiło. W czerwcu przyszło tych czterech. Banda łazików – jak inni zwolnieni z wojska po wojnie. Byli lekko podpici, z wyglądu – bez grosza przy duszy. Powiedziałem, że nie ma wolnych kwater. Grzecznie prosili. Jeden z nich pokazał pieniądze i powiedział: „Ojczulku, to jest dobry punkt. Będziemy tu prowadzić swoje interesy i płacić ci regularnie". Jakoś tak zagadał. Ustąpiłem. Od pana Rosenthala dostawałem prowizję za każdego nowego lokatora.

– Nie zażądałeś ich nazwisk?

– Zażądałem. I odpowiedzieli: Johann Schmidt, Friedrich Schmidt, Alois Schmidt i Helmut Schmidt. Tak zapisałem. Powiedzieli, że są braćmi. Nie byli jakoś do siebie podobni. Ja znam życie, panie komisarzu. Mało to teraz takich po wojnie? Kradną, łazikują, nie mają nic do roboty... Wolą ukrywać swoje prawdziwe nazwiska...

– I zaryzykowałeś dla kilku marnych groszy, meldując nie wiadomo kogo, może jakichś bandytów?

– Gdybym miał taki garnitur jak pan, nie meldowałbym nikogo... – powiedział cicho Frenzel i przeraził się swojej zuchwałości.

– I płacili regularnie? – Ta uwaga nie zrobiła najmniejszego wrażenia na twarzy przesłuchującego.

– Tak. Bardzo regularnie. Ten, który mówił do mnie „ojczulku", przychodził zawsze pod koniec miesiąca z komornym. Oddawałem panu Rosenthalowi, a on był zadowolony.

– Co to za interes prowadzili?

– Przychodziły do nich damy.

– Jakie damy i po co?

– Bogate, co widać było po sukniach. Miały woalki. A po co? Jak pan komisarz sądzi – po co?

Policjant zapalił papierosa i spojrzał przeciągle na Frenzla.

– Pamiętasz, co mówiłem na początku naszej rozmowy? Jakie przedstawiłem zasady naszej rozmowy?

Frenzel ciężko oddychał kurzem wirującym w świetle padającym od okna. Wytężał swój umysł i nie miał pojęcia, jak ma odpowiedzieć na to pytanie. Wiedział tylko jedno, że za dwie godziny przy stole u Orlicha usiądzie siłacz z Polski.

– Ja tu zadaję pytania, Frenzel, nie ty. Rozumiesz?

– Przepraszam – przypomniał sobie Frenzel. – Nie pamiętam, o co pan pytał.

– O to, po co przychodziły do nich damy. Odpowiadaj krótko i nie dobieraj specjalnie słów.

– Przychodziły – bezzębny uśmiech rozjaśnił twarz Frenzla – na ruchanko.

– Skąd o tym wiesz? – na twarzy przesłuchującego nie było widać śladu rozbawienia.

– Podsłuchiwałem pod drzwiami.

– Ile w tym mieszkaniu jest pokoi?

– Jeden pokój i kuchnia.

– Dama przebywała z jednym chłopakiem w pokoju, a pozostali siedzieli w kuchni?

– Ja tam nie wiem, nie byłem w środku. Damy przychodziły pojedynczo, czasami we dwie. Czasem któryś ze Schmidtów wychodził podczas tych wizyt. Czasami wszyscy byli w mieszkaniu. Różnie...

– Nie przeszkadzało to sąsiadom?

– Były tylko dwie skargi na piski i okrzyki dam... Bo i też, po prawdzie, tych dam nie było tak wiele. Zaledwie kilka...

– Czy widziałeś ich kiedyś w jakimś przebraniu?

– W przebraniu? – Frenzel nie zrozumiał. – Że niby jak?

– Byłeś kiedyś w teatrze, Frenzel?

– Kilka razy.

– Czy Schmidtowie byli przebrani jak aktorzy w teatrze, na przykład za Zorro, za rycerzy i tak dalej?

– Tak, czasami tak, kiedy przyjeżdżał po nich ten gruby.

– Jaki gruby?

– Nie wiem. Gruby, wyperfumowany. Przyjeżdżał automobilem, na którym był napis „Rozrywki" czy coś takiego... Nie jestem pewien, bo z daleka źle widzę.

– Jak często zjawiał się ten gruby?

– Kilka razy.

– Gruby wchodził do nich na górę?

– Tak, po czym wszyscy wsiadali do jego auta i gdzieś jechali. Musiał im dobrze płacić, bo potem podwójnie pili i bawili się niedaleko stąd, u Orlicha.

– Czy Schmidtów odwiedzali jeszcze jacyś inni mężczyźni?

- Jeszcze jeden. Ale ten przychodził nie sam. Były z nim dwie kobiety. Jedna na wózku inwalidzkim. Sam targał wózek z kaleką na górę.

- Rozpoznałbyś tego mężczyznę?

- I faceta, i kobietę bym rozpoznał. Nie zakrywali twarzy.

- A ta na wózku?

- Kaleka miała woalkę.

- Jak wyglądał ten człowiek i ta druga, niekaleka?

- A bo ja wiem... On wysoki, ona ruda. Ładna kobita.

- W jakim wieku?

- On – około pięćdziesiątki, ona – około dwudziestki.

- Nie zdziwiło cię zniknięcie tych czterech? Czemu nie zgłosiłeś tego na policję?

- Dziwić, to i dziwiło, bo czasem pili dwa dni u Orlicha i wracali do domu, a tutaj aż tydzień... A względem policji... Przepraszam, ale ja nie lubię policjantów... Ale i tak zgłosiłbym to dzisiaj...

- Dlaczego dzisiaj?

- W soboty zawsze byli, bo w soboty przychodził ten facet z dziewczyną i kaleką.

- Chcesz powiedzieć, że przychodzili regularnie, w każdą sobotę?

- Tak, w każdą sobotę. O tej samej godzinie. Ale nie razem. Najpierw facet z kaleką, a kilka minut za nimi ruda.

- O której przychodzili?

- Tak za pół godziny będą. – Frenzel wyjął z kieszeni zegarek. – Zawsze o szóstej.

- Byli w zeszłą sobotę?

- Tak. Ale bez rudej.

- Wtedy widziałeś Schmidtów po raz ostatni?

- Nie, widziałem ich dzień wcześniej. Przyjechał po nich gruby. Powozem. Pojechali gdzieś.

– Skąd wiesz, że byli w domu w sobotę, skoro widziałeś ich ostatni raz w piątek?

– W sobotę nie widziałem chłopaków, ale ich słyszałem w mieszkaniu.

– Podsłuchiwałeś?

– Tak.

– I co słyszałeś?

– Ich głosy i jęki kaleki.

– Słyszałeś też mężczyznę towarzyszącego kalece?

– Faceta nie.

– Jesteś wolny – policjant wyjął zegarek, a potem wskazał Frenzlowi drzwi. – Masz tu na dryndę – rzucił mu dwa banknoty dziesięciomarkowe. – Możesz iść do domu. Ale pamiętaj, że ten duży – i wskazał na człowieka-szafę – przez kilka dni będzie cię miał dyskretnie na oku. Poczekaj, jeszcze jedno... Powiedz mi, dlaczego nie lubisz policjantów?

– Bo są zbyt podejrzliwi, nawet kiedy człowiek przychodzi do nich z nieprzymuszonej woli i chce coś zgłosić. – Znów wystraszył się swojej zuchwałości. – Ale to nie dotyczy panów... Naprawdę... Pan zresztą nie wygląda na policjanta...

– A na kogo?

– Na pastora – odpowiedział Frenzel, dodając w myślach, „który idzie na kurwy".

Wyszedł na kręcone schody, a potem pędził w dół na złamanie karku. Kiedy znalazł się na ziemi, przed budynkiem, poczuł, że całe jego zmęczenie znika. Pobiegł na najbliższe skrzyżowanie i zagwizdał na dwóch palcach na przejeżdżające dorożki, nie wykazując najmniejszego zainteresowania wielkim wielopiętrowym budynkiem, w którym przed chwilą przebywał. Frenzel myślał tylko o tym, by jak najszybciej dotrzeć do domu, wziąć pieniądze i udać się na walkę siłaczy zmagających się na tyłach kawiarni Orlicha nad oblanym piwem blatem.

Wrocław, sobota 6 września 1919 roku,
trzy kwadranse na szóstą wieczorem

Schody trzeszczały pod ciężkimi krokami trzech mężczyzn. Mock, Wirth i Zupitza wspięli się w końcu na czwarte piętro kamienicy przy Gartenstrasse 46. Sapiąc, stali przed drzwiami mieszkania numer 20 i pociągali z obrzydzeniem nosami. Cuchnąca woń dochodziła z ubikacji na półpiętrze.

– Pewnie zatkany kibel – mruknął Wirth i ręką obleczoną w rękawiczkę otworzył wytrychem drzwi do mieszkania.

Mock kopnął swym lakierkiem uchylone skrzydło drzwi – bardzo lekko, tak aby nie porysować buta. Z mieszkania buchnął zaduch. Zmarszczył nos, czując znienawidzoną przez siebie woń przypominającą mu smród szatni gimnastycznej w gimnazjum. Wyjął mauzera i kiwnięciem głowy polecił to samo uczynić Zupitzy. Wszedł do ciemnego przedpokoju. Wymacał wyłącznik elektryczności i przekręcił go, zalewając przedpokój brudnożółtym blaskiem. Uskoczył gwałtownie w bok, unikając ewentualnego ataku. Nikt nie zaatakował. Pomalowane na brązowy kolor deski podłogi w przedpokoju zatrzeszczały pod ich butami. Zupitza otworzył gwałtownie wielką szafę. Nic w niej nie było poza paltami i garniturami. Mdłe światło z żarówki owiniętej gazetą nie pozwalało bliżej przyjrzeć się garderobie w szafie. Mock wskazał Wirthowi i Zupitzy pokój, sam zaś rozświetlił kuchnię. Oświetlenie okazało się równie nędzne jak w przedpokoju. Można było jednak dostrzec bałagan, jaki zwykle panuje w mieszkaniach pozbawionych kobiecej ręki. Sterty talerzy pokrytych zastygłymi jęzorami sosu, filiżanki z czarnym kopciem kawy, zesztywniały miąższ bułek i nadszczerbione szklanki z zaciekami smolistego płynu. Wszystko to leżało w głębokim półokrągłym zlewie, na stole, na taboretach, nawet na podłodze. Mock wcale się nie zdziwił, widząc kilka połyskujących ścierwic, które na jego widok zerwały się do lotu, a potem przysiadły na obłażącej lamperii i na makatce z napisem *Morgenstunde hat Gold im Munde*. Mimo otwartego okienka w kuchni panował smród mokrych szmat.

– Nikogo! – usłyszał z pokoju głos Wirtha. Porzucił z ulgą kuchnię i wszedł do pomieszczenia, które – jak sądził – będzie znacznie czystsze, jak przystało na miejsce pracy, w którym higiena jest dość ważnym elementem. Nie pomylił się. Pokój wyglądał tak, jak powinno wyglądać każde pomieszczenie, którego okno wychodzi na ruchliwą ulicę i którego od tygodnia nikt nie sprzątał. Dwa wielkie żelazne łóżka przykryte były porządnie kapami wyhaftowanymi w czerwone róże. Między nimi stał stolik nocny z lampą o powykręcanym misternie abażurze. Żadnych obrazów na ścianach. Bezduszny pokój, jak w nędznym hotelu, gdzie można tylko leżeć na łóżku, wpatrywać się w lampę i odpędzać od siebie samobójcze myśli. Mock usiadł na jednym z łóżek i spojrzał na swych ludzi.

– Zupitza, idź do stróża i miej go na oku przez resztę wieczoru i przez cały jutrzejszy dzień. – Poczekał, aż Wirth przedstawi ruchami i falowaniem dłoni jego polecenie, a potem zwrócił się do tłumacza. – Ty, Wirth, pójdziesz do Smolorza, na Opitzstrasse trzydzieści siedem i ściągniesz go tutaj. Jeśli nie będzie go w domu, udasz się do willi baronostwa von Bockenheim und Bielau, Wagnerstrasse trzynaście i oddasz kamerdynerowi list do Smolorza.

Mock wyjął notes, wyrwał kartkę i napisał równym pochyłym pismem, którego litery były znacznie mniejszych rozmiarów niż klasyczna kaligrafia Sütterlinowska: „Kurt, masz być jak najszybciej na Gartenstrasse 46, mieszkania 20".

– A ja – powiedział wolno Mock, odpowiadając na nieme pytanie Wirtha – poczekam na rudą dziewczynę.

Wrocław, sobota 6 września 1919 roku,
kwadrans na siódmą wieczorem

Mock dawno już zwrócił uwagę na to, że po opuszczeniu królewieckiego szpitala silnie reaguje na rudowłose kobiety. Nie chcąc uwierzyć, że opiekująca się nim rudowłosa pielęgniarka była tylko wytworem jego imaginacji, fantomem, który powołała do życia jego pobudzona morfiną wyobraźnia, przyglądał się uważnie każdej *pyrrhokomes* (jak je nazywał), którą spotkał. Idąc ulicami, często widział przed sobą rozpuszczone rude loki wystające spod kapelusza albo ogniste grube warkocze obijające się – pod wpływem szybkiego kroku – o ruchliwe łopatki. Gonił takie kobiety, wyprzedzał je i zaglądał im w twarz. Uchylał kapelusza i – szepcząc: „przepraszam, z kimś panią pomyliłem" – odchodził odprowadzany spojrzeniami pełnymi strachu, pogardy lub rozczarowania – w zależności od tego, czy dama była niedoświadczoną dziewicą, zakochaną mężatką czy też rozwiązłą służącą. Samego Mocka najczęściej w takich wypadkach nachodziło srogie rozczarowanie, by nie rzec – frustracja. Oto bowiem rudowłose kobiety odsłaniały przed Mockiem swoje oblicza i żadne z nich nie było podobne do twarzy pielęgniarki z jego snów.

Teraz nie czuł frustracji, choć nie był wcale pewien, czy tkwiąca w progu dziewczyna była tą, o której opowiadał Rühtgardowi w mroźne noce w Kurlandii. Z mieszkania „czterech marynarzy" padało tak niewiele światła, że każda kobieta stojąca na progu wyglądałaby jak senna zjawa.

– Przepraszam za spóźnienie, ale... – tu dziewczyna zawiesiła głos, widząc postać nieznanego sobie mężczyzny.

– Proszę. – Mock odsunął się od drzwi, od których przed chwilą dobiegło delikatne pukanie.

Dziewczyna weszła niezdecydowanie. Rozejrzała się z niepokojem po pustym mieszkaniu, na widok brudnej kuchni zmarszczyła ze wstrętem nieco zadarty upudrowany nosek. Mock zamknął nogą drzwi, ujął ją pod rękę i wprowadził do pokoju. Zdjęła kapelusz z woalką, potem rzuciła letni płaszcz na jedno z łóżek. Miała na sobie czerwoną, sięgającą łydek suknię, która napinała się niepokojąco na jej wydatnych piersiach. Suknia była nieco staromodna, nie odsłaniała niczego i ku pewnej irytacji Mocka kończyła się pomarszczonym żabotem. Dziewczyna usiadła na łóżku koło porzuconego płaszcza i założyła nogę na nogę, odsłaniając wysokie sznurowane buciki.

– Co teraz będzie? – zapytała z udawanym przestrachem. – Co pan mi zrobi?

– Asystent kryminalny Eberhard Mock – odparł, mrużąc oczy. Nic więcej nie powiedział. Nie mógł.

Dziewczyna patrzyła na niego z uśmiechem. Mock się nie uśmiechał. Mock nie oddychał. Mocka paliła skóra. Mock się pocił. Mock wcale nie był pewien, czy siedząca przed nim dziewczyna jest podobna do pielęgniarki z jego snów. W tej chwili postać rudowłosego anioła z Królewca była zamazana, niewyraźna, nieprawdziwa. Realna była tylko ta dziewczyna, która uśmiechała się do niego – wdzięcznie, pogardliwie i zalotnie.

– No i co z tego, *Herr Kriminalassistent*? – Łokieć prawej ręki oparła we wnętrzu lewej dłoni i wyprostowała dwa palce – wskazujący i środkowy – prosząc tym niemym gestem o papierosa.

– Chcesz papierosa? – wychrypiał Mock, a kiedy w jej zielonych oczach ujrzał rozbawienie, zaczął przerzucać kieszenie marynarki w poszukiwaniu papierośnicy. Znalazł i otworzył przed samym jej nosem. Aż się wystraszył, gdy zauważył, że wieczko omal nie drasnęło delikatnych nozdrzy. Zza tasiemki wieczka wyłuskała zręcznie papierosa, a potem przyjęła od Mocka ogień, przytrzymując jego drżącą dłoń długimi szczupłymi palcami.

Mock również zapalił i przypomniał sobie rady starego komisarza Ottona Vyhlidala. Przydzielił go on do pracy w wydziale III b, w dwuosobowym decernacie, który później – po erupcji wojennej prostytucji – przybrał postać oficjalnej komisji obyczajowej. Vyhlidal, wiedząc, że młody policjant może być nieodporny na kobiece wdzięki, mawiał: „Wyobraź sobie, Mock, że ta kobieta była kiedyś dzieckiem, które tuliło do piersi pluszowego misia, wyobraź sobie, że skakała kiedyś na bujanym koniku. Potem wyobraź sobie, że to niegdysiejsze małe dziecko tuli do piersi zżartego przez syfilis kutasa i skacze po tłustych, mokrych i zawszonych włosach łonowych".

Drastyczne słowa Vyhlidala były teraz ostrzeżeniem, kiedy patrzył na rudowłosą dziewczynę. Uruchomił wyobraźnię i zobaczył tylko pierwszy obraz: słodkie rudowłose dziecko przytulające swą główkę do pyska przymilnego boksera, nie mógł ujrzeć tego dziecka brudnego, zepsutego i niszczonego przez kiłę. Wyobraźnia odmówiła Mockowi posłuszeństwa. Spojrzał na dziewczynę i postanowił do niczego swej imaginacji nie zmuszać. Usiadł na drugim łóżku naprzeciwko swej rozmówczyni.

– Powiedziałem ci, kim jestem – usiłował nadać głosowi jak najdelikatniejsze brzmienie. – A teraz proszę mi się odwzajemnić.

– Erika Kiesewalter, *Orgienassistentin* – powiedziała dźwięcznym, prawie dziecinnym głosem.

– Dowcipna jesteś. – Mock pod wpływem jej głosu kontrastującego z rozwiązłą treścią przypomniał sobie ostrzeżenia starego Vyhlidala i powoli odzyskiwał panowanie nad sobą. – Lubisz zabawy językowe?

– Tak. – Zaciągnęła się mocno papierosem. – Lubię zabawy językiem...

Mock nie usłyszał tego dwuznacznego wyznania, ponieważ jego umysł zalała straszna myśl: że oto swoim przesłu-

194

chaniem skazuje tę dziewczynę na śmierć, na wyłupanie oczu, na wbicie stalowej szpili w płuca. – By ją uratować – myślał – będę musiał ją odizolować w „przechowalni". A co wtedy, kiedy nigdy nie złapię mordercy? Czy będzie musiała siedzieć w starym kantorze Wirtha latami, a jej biała aksamitna skóra będzie wiotczeć i marszczyć się? Jeszcze mogę ją uratować! Nie zadam jej żadnego pytania. Ale morderca, jeśli mnie śledził, nie wie, czy ją przesłuchałem, czy też nie. On ją i tak zabije. Ale bez jej zeznań może go nie złapię i zmuszę ją do przebywania w starym kantorze, gdzie jej zwiotczałą skórę pokryją plamy i zmarszczki. Zresztą – jeśli morderca nie zostanie złapany – ci wszyscy ludzie „przechowywani" u Wirtha się zestarzeją, nie tylko ta dziewczyna.

– Przestań się na mnie głupio gapić i głupio gadać – warknął, zmuszając się do myśli: Co mnie obchodzi jakaś dziwka i jej alabastrowa skóra! – Odpowiadaj na pytania! I tyle.

– Dobrze, panie policjancie. – Erika wstała, podeszła do okna, otworzyła je i pstryknęła słupkiem popiołu w ciepły jesienny wieczór, brzmiący zgrzytem tramwajów i klaskaniem końskich kopyt. Sukienka miała ciemny pas, który opadał na jej biodra i podkreślał ich krągłość. Mock poczuł silne napięcie, które nastoletnich chłopców budzi z najgłębszego snu, a dla podstarzałych mężczyzn jest znakiem, że nie wszystko jeszcze w życiu stracone. Zadam jej pytanie – pomyślał – a ona mi odpowie, zadam jej następne, i ogarnie mnie spokój.

– Odpowiadaj na pytania – powtórzył chrapliwie. – I to szybko. Pytanie pierwsze: twój zawód?

– Hetera – odpowiedziała dziewczyna, zmierzając w stronę łóżka. Tym razem usiadła skromnie, a jej twarz nie wyrażała niczego poza koncentracją.

195

– Skąd znasz ten wyraz? – Mock pod wpływem zdziwienia poczuł spadek napięcia.

– Czytam to i owo – na jej twarzy ukazał się uśmiech, który Mock uznał za bezczelny. – Szczególnie interesuję się starożytnością. W teatrze amatorskim grałam nawet Medeę. Próbuję swych sił w aktorstwie.

– Po co tu przyszłaś? Do tego mieszkania. – Mock przymknął oczy, aby ukryć sprzeczne uczucia, które nim targały.

– Przychodziłam tu co sobota. Od kilku tygodni.

– Wykonywałaś tu... swój zawód? – Mock długo dobierał słowa.

– Zawód wykonywany, nie ten wymarzony.

– A jaki jest wymarzony?

– Aktorstwo – szepnęła i oblała się rumieńcem. Zacisnęła zęby, jakby chciała powstrzymać płacz. Potem roześmiała się drwiąco.

– Musisz mi teraz dokładnie opisać, co tu robiłaś – powiedział Mock, myśląc: ona jest chyba psychicznie chora – w ostatnią sobotę.

– To, co w każdą inną.

– Opowiadaj wszystko dokładnie.

– To pana podnieca? – zapytała, ściszając dziecinny głos.

– Nie musisz mi opowiadać ze szczegółami. Mów ogólnie.

– Ja nie wiem, co to znaczy ogólnie... – i znów uśmiech.

– Gadaj, do cholery! – wrzasnął Mock. – Ci czterej, którzy tu mieszkali, nie żyją. Rozumiesz?

– Przepraszam. – Mock chciał wierzyć, że widoczny na jej twarzy przestrach jest spowodowany jego krzykiem, a nie jej zdolnościami aktorskimi. – Już mówię. Wynajmował mnie zamożny pan. Nie znam jego nazwiska. Poznałam go w „Eldorado", gdzie jestem fordanserką. Był brodaty.

Ten pan zatańczył ze mną, a potem poszliśmy do mojego pokoju. Zaproponował mi stałe zlecenie. Uczestnictwo w rozpuście. Zgodziłam się pod warunkiem, że po pierwszym razie będę się mogła wycofać, jeśli mi się nie spodoba. Dziewczyna umilkła i skubała smukłymi palcami narzutę.

– Mów dalej – Mock powiedział to bardzo cicho, aby ukryć chrypę. – Nie pierwszy raz widzę taką jak ty i nie ekscytuję się... opowieściami heter... Minął czas, kiedy podniecało mnie dzieło Alkifrona.

– Szkoda – powiedziała poważnie.

– Dlaczego „szkoda"? – w Mocku narastał gniew. Czuł się manipulowany przez cwaną dziwkę.

– Wstyd mi o tym mówić – powiedziała tym samym poważnym tonem. – Gdyby to pana podniecało, wykonywałabym po prostu swoją pracę, polegającą na podniecaniu panów. A tak, to sama nie wiem, jak mam powiedzieć...

– Używaj zwrotu „zajmować się" na określenie aktu, któremu się oddajesz w swej pracy.

– Dobrze – wyszeptała i opowiedziała wszystko. – Pan ten przyjął mój warunek i podał mi adres. Miałam przychodzić tutaj po szóstej w każdą sobotę. Podkreślał „po szóstej". Przychodziłam. Nie robiłam niczego zboczonego. W pokoju było sześć osób. Pan, który mnie wynajął, młoda dziewczyna na wózku inwalidzkim i czterech młodych marynarzy. Ci marynarze mieszkali tutaj. Podejrzewam, że nie byli żadnymi marynarzami, lecz przebierańcami. Marynarze mieszkają na statku, a nie wynajmują się jako... Na polecenie mojego klienta rozbierałam się. Zajmował się mną jeden marynarz. Mój klient przenosił dziewczynę z wózka na łóżko, a potem trzej pozostali marynarze się nią zajmowali. Dziewczyna patrzyła na mnie i mojego... Tego, który był ze mną, i najwidoczniej mocno to na nią działało, bo – kiedy

197

już się napatrzyła – z wielką ochotą zajmowała się trzema marynarzami naraz. Tak było zawsze.

– A twój klient nie zajmował się tobą? – Mock przełknął głośno ślinę. – Ani dziewczyną na wózku?

– Broń Boże! – krzyknęła Erika.

– Dlaczego nie było cię z nimi w ostatnią sobotę?

– Byłam niedysponowana.

– Zatem czterej marynarze zajęli się kaleką?

– Chyba tak. Nie wiem. Nie było mnie tutaj.

Ktoś energicznie zapukał. Mock wyjął mauzera i ruszył ku drzwiom. Przez wizjer ujrzał Smolorza. Wpuścił go do przedpokoju, wciągając w nozdrza woń alkoholu. Smolorz lekko chwiał się na nogach.

– Słuchajcie, Smolorz, macie pilnować tej dziewczyny – wskazał głową na Erikę – dopóki jej nie przewieziemy do „przechowalni". Macie jej towarzyszyć nawet do ustępu. I jeszcze jedno. Nie wolno wam jej tknąć nawet palcem! Przyjdźcie za godzinę. Nie wiem, jak tego dokonacie, ale macie być trzeźwi. Zrozumiano?

Smolorz kiwnął głową i wyszedł. Nie dyskutował, nie opierał się. Znał dobrze swojego szefa i wiedział, co to znaczy, gdy ten zwraca się do niego po imieniu jak w liście, który mu dostarczył Wirth: nie znaczyło to z pewnością nic dobrego. Mock zamknął za nim drzwi, wszedł do pokoju i spojrzał na Erikę. Była zmieniona na twarzy.

– Proszę pana – szepnęła. – W jakiej przechowalni? Gdzie chce mnie pan zamknąć? Ja muszę pracować. To zlecenie mi się skończyło. Muszę iść tańczyć do „Eldorado".

– Nie – Mock również szeptał. – Nie będziesz pracować w „Eldorado". Będziesz pracować tutaj.

Mock leżał obok Eriki, wytężał swoją pamięć i liczył kobiety, które posiadł w swoim życiu. Nie czynił tak jednak po to, by do swojego sztambucha wpisać kolejne trofeum. Żadne to były trofea! Na ogół prostytutki, najczęściej po pijanemu, najczęściej bez większej satysfakcji. Mock liczył kobiety, które miał, i nie mógł się doliczyć. Nie dlatego, że były ich niezmierzone zastępy, ale wiele aktów odbył w zamroczeniu, w malignie i nie pamiętał, czy można by je podsumować powszechnie znanym *finis coronat opus*. Dotykając ciepłego uda Eriki, postanowił przypomnieć sobie zatem te kobiety, z którymi spotkanie z całą pewnością można by scharakteryzować łacińską maksymą. Erika objęła go za szyję i mruknęła coś cicho. Zasypiała. Mock przestał cokolwiek liczyć i o czymkolwiek myśleć. Jednego był pewien – do tej pory, do dzisiaj, do tego wieczoru spędzonego z rudowłosą prostytutką w pokoju zamordowanych męskich dziwek, nie wiedział, czym jest właściwie to, o czym marzą nastoletni młodzieńcy, i co powoduje, że podstarzali mężczyźni zaczynają w siebie wierzyć. Dziś zdradziła mu ten sekret Erika. Nie używając słów.

Wstał i okrył swoją marynarką szczupłe ciało dziewczyny. Nie mógł się pohamować, by nie przesunąć ręką po jej białej skórze upstrzonej tu i ówdzie wysepką piegów, nie mógł się powstrzymać, by nie wsunąć dłoni pod jej pachę i nie dotknąć uśpionych piersi, które jeszcze przed chwilą były pełne życia i natarczywie narzucały się ze swoimi potrzebami.

Stał w samych kalesonach i obserwował jej płytki sen. Nieoczekiwanie przypomniała mu się pewna scena z Lukrecjuszowego poematu *O naturze rzeczy*: człowiek oblewa się potem, łamie mu się głos i język, a uszy napełniają się szumem. W takim stanie był właśnie on sam. Zmartwiał. Jego profesor gimnazjalny Morawjetz nazywał tę scenę „patograficzną" i omawiał ją na nadobowiązkowym kółku klasycznym. Porównywał ją przy tym ze słynnymi wierszami Safony i Katullusa o tym, w jaki sposób na ciało ludzkie oddziałują gwałtowne uczucia. Mock zmartwiał nie na wspomnienie profesora Morawjetza, lecz na myśl o słowach, którymi jego nauczyciel charakteryzował tę scenę u Safony i Katullusa.

– Patografia miłości – wypowiedział głośno ten termin.

– Przecież tu nie ma żadnej miłości. Nie kocham tej cwanej dziwki.

Podszedł do Eriki i zdarł z niej marynarkę. Obudziła się.

– Nie kocham tej cwanej dziwki – powiedział zdecydowanie.

Uśmiechnęła się do niego.

– Taka jesteś cwana? – Mock czuł płomień gniewu. – Czemu się śmiejesz, cwana dziwko? Chcesz mnie wkurzyć?

– Broń Boże! – Erika powiedziała to bardzo cicho.

Uciekła wzrokiem. Mock poczuł jej strach. Płomień gniewu na samego siebie rozszczepiał się i trzaskał w jego piersi. Boi się, cwana dziwka!, Mock zacisnął pięść. Wtedy rozległo się stukanie do drzwi. Wolno-wolno-wolno, przerwa, wolno-wolno-wolno-wolno-szybko-szybko. Mock, rozpoznając umówiony sygnał, rytm *Pieśni Ślązaka*, otworzył drzwi i wpuścił Smolorza, który nie cuchnął już alkoholem, lecz wydawał woń mydlaną. Był prawie zupełnie trzeźwy.

– Nażarliście się mydła? – Mock ubierał się bez najmniejszego skrępowania wobec Smolorza. Erika owinęła się sukienką.

– Woda z mydlinami – powiedział Smolorz. – Aby się wyrzygać. Aby wytrzeźwieć.

Mock włożył melonik i wyszedł z mieszkania. Na schodach przystanął. Kiedy doleciał go smród z zatkanej ubikacji, poczuł mdłości. Szybko zbiegł na dół. Stanął koło bramy i odetchnął kilka razy bardzo głęboko. Mdłości ustąpiły, ale usta napełniały się co chwila śliną. Znał to uczucie wstrętu do samego siebie. Usłyszał swój głos: „Chcesz mnie wkurzyć, cwana dziwko?", i dosięgło go bojaźliwe spojrzenie Eriki, spojrzenie dziecka, które nie wie, za co zaraz zostanie uderzone. Rudowłosej dziewczynki, która lubi wtulać buzię w sierść radosnego boksera. Usłyszał jej odpowiedź: „Broń Boże!" Uderzył się dłonią w czoło i wbiegł jeszcze raz na górę. Na drzwiach wystukał takt z *Pieśni Ślązaka*. Otworzył mu Smolorz. Siedział w przedpokoju na krześle. Z kuchni buchał smród szmat i dochodziło brzęczenie ścierwic.

– Sprowadźcie tu stróża, Smolorz. – Mock zmarszczył nos i dał swojemu podwładnemu zwitek banknotów. – Zapłaćcie mu za posprzątanie kuchni. I niech przyniesie tej dziewczynie jakąś pościel. No idźcie, na co czekacie?

Smolorz wyszedł. Drzwi do pokoju były zamknięte. Mock otworzył je. Erika siedziała na łóżku otulona letnim płaszczykiem i drżała z zimna.

– Dlaczego powiedziałaś „Broń Boże"? – Podszedł do niej i oparł dłonie na jej kruchych ramionach.

– Nie chciałam pana wkurzyć.

– Nie teraz. Przedtem, kiedy cię zapytałem, czy twój klient zajmował się tobą albo dziewczyną na wózku, krzyknęłaś „Broń Boże". Dlaczego?

– Gdyby się zajmował mną, to byłoby pół biedy. Ale dziewczyna na wózku mówiła do niego „tato".

Wrocław, sobota 6 września 1919 roku,
wpół do jedenastej wieczorem

– Po co panu na noc mój pies? – listonosz Dosche spojrzał zdziwiony na Mocka. Siedzieli na ławce na podwórku
domu przy Plesserstrasse i wpatrywali się w rozświetlone
okno mieszkania Mocków. Widzieli wyraźnie dwie głowy
pochylone nad stołem: postrzępioną siwą grzywę Willibalda
Mocka i idealny przedziałek wypracowany przez lata przez
Corneliusa Rühtgarda.

– Co oni robią? – zapytał Dosche, zapominając na chwilę
o dziwnej prośbie Mocka.

– To, co pan robi codziennie z moim ojcem – odpowiedział Mock. – Grają w szachy. A wracając do mojej prośby...

– No właśnie. Po co panu mój pies?

– Widzi pan? – Mock wskazał na niebo. Wisiał na nim
obrzęknięty księżyc, a jego mdłe światło ślizgało się po
ciemnych oknach domu, po futrynie ustępu i kabłąku
podwórkowej pompy. – Jest pełnia, prawda?

– Zgadza się. – Dosche postanowił ostatni raz tego dnia
zapalić fajkę i wyjął z kieszeni kapciuch.

– Powiem coś teraz panu – Mock spojrzał wymownie
na swojego rozmówcę. – Ale to musi pozostać w ścisłej
konfidencji. Rozumie pan? To dotyczy śledztwa, które
prowadzę...

– Ach, tego, o którym wszyscy trąbią?

– Ciiii... – Mock położył palec na ustach i przeciągle
syknął.

– Tak jest. – Dosche uderzył się w pierś, a jego usta
opuścił kłąb dymu. – Przysięgam, że nikomu nic nie powiem!

– Pierwszego morderstwa dokonano miesiąc temu...

– Myślałem, że tydzień temu...

– Ciiii... – Mock rozejrzał się dokoła i widząc zaaferowaną minę Doschego, kontynuował. – A zatem pierwszego morderstwa dokonano przy pełni księżyca, tak jak dzisiaj. Mam pewnego podejrzanego, który nie ma alibi. Jeśli zamordował, to musiał trupa trzymać w swoim mieszkaniu kilka dni. Proszę nie pytać dlaczego! Nie mogę panu powiedzieć, drogi panie Dosche. – Zapalił papierosa i wydmuchnął dym w stronę szachistów, którzy stukali, chowając figury do szachownicy. – Podejrzany ma psa. Twierdzi, że nie mógł trupa trzymać u siebie przez kilka dni, ponieważ wycie psa zaalarmowałoby sąsiadów. Wycie psa, rozumie pan, drogi panie Dosche? Pies wyje w obecności trupa, tak twierdzi podejrzany. Muszę to dzisiaj sprawdzić! Z pańskim psem!

– Ależ, panie Mock – Dosche zacharczał swą starą fajką – zabierze pan gdzieś mojego Rota? Do jakiegoś trupa? Gdzie?

– Ciiii.... Jak się eksperyment uda, wezmę tam i pana. Chce pan?

Fajka Doschego trysnęła iskrami. Podał Mockowi smycz.

– Dobra, dobra, niech pan go weźmie. Tylko ciiii...

Mock ujął smycz i wyciągnął spod ławki zaspanego Rota. Podał rękę Doschemu i udał się do domu.

Na ganku dawnego sklepu rzeźniczego stał Rühtgard i palił papierosa.

– To jest nasz czujnik stężenia duchowości? – wskazał rozżarzonym słupkiem na psa, który przyglądał mu się nieufnie.

– Kto wygrał? – Mock skrzywił się, słysząc żart Rühtgarda.

– Cztery partie, trzy do jednej.

– Dla ciebie?

– Nie, dla Mocka seniora. Twój ojciec gra bardzo dobrze.

Mock poczuł przypływ dumy.

– Idziemy spać? – zapytał.

– Idziemy. Twój ojciec chyba już pościelił – Rühtgard rozglądał się dokoła niepewnie. – Gdzie mogę wyrzucić papierosa? Nie chcę ci śmiecić pod domem...

– Tutaj – Mock otworzył drzwi. – W dawnym sklepie stryja Eduarda jest kratka odpływowa. Podejrzewałem nawet, że hałasy są wydawane przez szczury, które przechodzą tamtędy do sklepu.

Rühtgard wszedł za ladę, uniósł kratkę i wyrzucił niedopałek. Potem wspiął się na schody. Mock dokładnie zaryglował drzwi. Zaciemnił drewnianymi żaluzjami sklepowe witryny, uzupełnił naftę w lampie i powiesił ją pod sufitem. Pomieszczenie było dobrze oświetlone. Wszedł po schodach do pokoju, ciągnąc za sobą nieco opornego psa. Klapa leżała bezwładnie na podłodze. Nie zamykał jej. Odpiął smycz, przygasił knot lampy i dopiero teraz rozejrzał się w półmroku pokoju. Przykryty kocem Rühtgard leżał z zamkniętymi oczami na drewnianym łóżku ojca. Przez oparcie przewieszone były starannie złożone spodnie oraz marynarka, koszula i krawat. Ojciec spał w niszy odwrócony do ściany. Mock rozebrał się do kalesonów, swoje ubranie złożył na krześle, równie starannie jak jego przyjaciel, a buty postawił na baczność koło łóżka. Pod poduszkę włożył mauzera, a potem zległ obok ojca. Zamknął oczy. Sen nie nadchodził. Nadchodziła natomiast kilkakrotnie Erika Kiesewalter. Nachylała się nad Mockiem i – wbrew zasadom prostytutek – całowała go w usta. Tak samo czule jak dzisiejszego wieczoru.

Mocka obudził śmiech dochodzący z dołu. Był to śmiech złośliwy – tak jakby ktoś komuś zrobił głupi kawał. Mock wyjął mauzera i usiadł na łóżku. Ojciec spał. Z bezzębnych zapadłych ust dochodził astmatyczny świst. Rühtgard pochrapywał, pies trząsł się cały, podkulając ogon. Klapa była otwarta – tak jak ją zostawił przed snem. Potrząsnął głową. Nie mógł uwierzyć w ten śmiech. Podszedł z odbezpieczonym rewolwerem do klapy w podłodze i położył się koło niej. Pies zawył i uciekł pod stół, Mock dotrzegł cień przesuwający się pod sufitem starego sklepu, pies zapiszczał, coś przebiegło obok leżącego Mocka, coś większego od szczura, coś większego od psa – umknęło przed zamachem jego ręki pod łóżko. Chwycił lampę naftową i odchylił mokre od własnego potu prześcieradło zasłaniające widok na przestrzeń pomiędzy łóżkiem a podłogą. Siedziało tam dziecko. Uśmiechając się, rozchyliło chrapy nozdrzy. Z nosa dziecka wysunęła się zielono lśniąca ścierwica. Z dołu znów doszedł złośliwy śmiech. Mock wstał gwałtownie i ocierając pot z piersi i szyi, rzucił się ku otwartej klapie. Zawadził o krzesło obciążone ubraniem. Runęło, uderzając w miednicę. Słysząc metaliczny brzęk u góry, zjechał po schodach na pośladkach, rozrywając kalesony. Na dole nikogo nie było. Od strony kratki odpływowej usłyszał jakiś szmer. Wskoczył szybko za ladę i podniósł kratkę. Coś się w niej ruszało. Mock skierował tam lufę mauzera. Czekał. Z kratki wynurzyła się głowa Johanny. Łuski na jej szyi wydawały cichy grzechot. W jej oczach tkwiły dwie szpile. Strzelił. Mieszkanie zatrzęsło się od huku. Mock obudził się naprawdę.

Wrocław, niedziela 7 września 1919 roku,
kwadrans na pierwszą w nocy

Mock stał obok łóżka Rühtgarda z rewolwerem w dłoni
i patrzył wprost w jego oczy. Doktor zamrugał sennie powiekami.

– Słyszałeś to? – zapytał Mock.

– Niczego nie słyszałem – Rühtgard z trudem operował
sztywnym od snu językiem.

– To dlaczego nie śpisz?

– Bo się nachylasz nade mną i patrzysz mi w oczy. –
Przetarł binokle i zacisnął je na nosie. – Zapewniam cię,
że intensywne wpatrywanie się w śpiącego może go obu-
dzić. Tak się niekiedy budzi pacjenta po seansie hipnotycz-
nym.

– Naprawdę niczego nie słyszałeś? Przecież krzesło
przewróciło się na miednicę i narobiło hałasu, przecież
strzelałem Egzemie w głowę... – Mock pociągnął nosem. –
Nie czujesz zapachu prochu?

– To był tylko sen, Ebbo. – Rühtgard usiadł na łóżku
i spuścił na podłogę chude nogi wystające spod nocnej
koszuli. Wyjął Mockowi z ręki pistolet i przyciągnął go do
swojego dużego nosa. – Nie ma żadnej woni prochu. Powąchaj. Żadnego strzału nie było, bo obudziłby twojego
ojca. Widzisz, jak smacznie śpi? Krzesło również stoi na
swoim miejscu.

– Ale zobacz – w głosie Mocka zabrzmiała satysfakcja.
– Pies się dziwnie zachowuje...

– Istotnie. – Doktor obserwował uważnie zwierzę, które
z podkulonym ogonem siedziało pod stołem i cicho powar-
kiwało. – Ale któż może wiedzieć, co się śniło psu? One
też miewają koszmary. Tak jak ty.

– No dobrze – Mock nie ustępował. – Ale zwróciłeś
uwagę, że mój ojciec jest przygłuchy, tak? A ponadto nawet

gdy był młodszy, miał twardy sen. Żaden strzał by go nie obudził! Wystrzeliłem zatem, a on i tak spał.

– Powąchaj swój pistolet – powtórzył Rühtgard znudzonym głosem. – A teraz zrobimy doświadczenie. – Wstał, podszedł do otwartej klapy i zatrzasnął ją z hukiem. Ojciec westchnął przez sen, a potem otworzył oczy.

– Co jest, do cholery! – jak na człowieka dopiero co obudzonego miał silny głos. – Co ty robisz, Eberhardzie? Tłuczesz się po nocy? Schlałeś się czy co? To menda jedna... – Łóżko zatrzeszczało, a potem ojciec wyraził swój pogardliwy stosunek do nocnych hałasów donośnym pierdnięciem. Mock poczuł mdłości na myśl, że będzie się musiał położyć obok niego.

– Przepraszam – Rühtgard nie mógł powstrzymać się od śmiechu. – Spotkała cię niezasłużona reprymenda. Ale sam widzisz, strzał by go obudził...

– Wychodzę stąd – Mock zaczął się ubierać.

– Posłuchaj, Ebbo. – Doktor sięgnął do kieszeni marynarki i wyjął stamtąd papierośnicę i notes. – Nie ma duchów... – Mock zastygł w zasłuchaniu. – One istnieją tylko w twojej głowie... Po naszej dzisiejszej porannej rozmowie kazałem swojemu asystentowi w szpitalu zrobić kwerendę na temat tak zwanych zjawisk paranormalnych. I oto wynik jego poszukiwań. – Rühtgard zapalił papierosa i otworzył notes. – Nie chciałem ci o tym mówić wcześniej... Zachowałem to jako ważki argument na sam koniec...

– Mów zatem.

– Duchy istnieją w zaburzonej korze mózgowej, tak zwanej korze wzrokowej na prawej półkuli. Problemy z korą mózgową w tym miejscu mają wpływ na wzrok. Pojawiają się fantomy, widzenia... Za hałasy natomiast odpowiada kora słuchowa. Gdybym otworzył ci głowę i dotknął tej kory, usłyszałbyś głosy, być może muzykę... Pewien kompozytor przechylał głowę i zapisywał zasłyszaną muzykę. Jeśli do tego dojdą zaburzenia prawego płata czołowego, to mamy prawdziwe pandemonium. Ten płat jest bowiem odpowiedzialny za rozróżnianie tego, co obiektywne, od tego, co subiektywne. Kiedy zostaje uszkodzony, „ludzie – jak to ktoś powiedział – biorą swoje myśli za osoby i rzeczy". Najprawdopodobniej masz lekko uszkodzony mózg, Ebbo. Ale da się go naprawić... Pomogę ci... Poproszę o pomoc najwybitniejszego specjalistę w tej dziedzinie, profesora Bumkego z uniwersytetu...

– Nie przekonują mnie twoje naukowe wyjaśnienia – powiedział Mock w zamyśleniu. – Bo jak twoja neurologia wyjaśni, że te lęki, te koszmary spotykają mnie tylko w tym domu, nigdzie indziej... Do cholery! – podniósł głos. – Muszę ten dom opuścić...

– No to zrób to! Przeprowadź się z ojcem do innego mieszkania. Do lepszego mieszkania z łazienką!

– Ojciec nie chce się na to zgodzić. On tylko tutaj chce żyć i tutaj chce umrzeć. Tak mi kiedyś powiedział...

– No to porzuć to mieszkanie na jakiś czas! – Rühtgard zdusił niedopałek w popielnicy, wstał od stołu, oparł dłonie na zbitych w mocną bryłę ramionach Mocka. – Posłuchaj mnie! Wyjedź stąd na dwa, trzy tygodnie. Weź urlop i wyjedź! Odpoczniesz od wszystkiego – od trupów i duchów... Nabierzesz sił, wyśpisz się... Wyjedź nad morze... Nic cię lepiej nie uspokoi niż przesypywanie się piasku i jednostajny szum. Chcesz, to pojadę z tobą. Pojedziemy do Królewca i będziemy codziennie jeść flądry. Poddam cię hipnozie. Mnie możesz zaufać. Dojdziemy do źródła wszystkich twoich problemów...

Mock, milcząc, zapinał guziki koszuli. Zakładając spinkę na mankiet, ukłuł się w palec. Syknął i spojrzał z niechęcią na Rühtgarda, jakby to on go skaleczył.

– Chodź, ubieramy się i jedziemy...

– Dokąd, do licha? – w głosie Rühtgarda brzmiała uraza.

– Proszę cię, ubieraj się i jedziemy... Do twojego szpitala...

– Po co?

Mock uśmiechnął się do swoich myśli.

– Po fartuch i czepek pielęgniarki...

– Słucham?! – doktor z trudem się opanował.

Mock uśmiechnął się ponownie.

– Spotkałem ją w końcu...

*Wrocław, niedziela 7 września 1919 roku,
godzina druga w nocy*

Mock stał przed drzwiami opatrzonymi numerem 20 i wystukiwał po raz drugi rytm *Pieśni Ślązaka*.

– Kto tam? – usłyszał głos rozespanego dziecka.

– Eberhard Mock.

Drzwi uchyliły się. Erika ubrana była w długą i zbyt obszerną nocną koszulę. Zostawiła otwarte drzwi i weszła z powrotem do pokoju. Mock zamknął je za sobą i pociągnął nosem. Nie czuł już żadnej niemiłej woni. Na kuchennym stole leżało prześcieradło, a na nim stały odwrócone talerze i szklanki w wilgotnych kołach, jakie na płótnie pozostawiły ich brzegi. Podłoga była jeszcze mokra. Wszedł do pokoju i położył na krześle duży, szeleszczący pakunek. Erika siedziała na łóżku i wpatrywała się w niego z lękiem. Mock nie był pewien ani swoich uczuć, ani swoich słów.

– Mój człowiek przyniósł ci pościel? – zapytał, by przerwać ciszę.

– Przyniósł.

– Kto umył naczynia?

– Kurt – lęk powoli znikał z oczu Eriki – zrobił to bardzo dokładnie. Nie lubi brudu...

– Mówicie sobie po imieniu? – zareagował nerwowo, nie mogąc sobie przypomnieć niczego, co by uzasadniało skłonność Smolorza do przesadnej czystości. – Jak dobrze się poznaliście?

– Nijak – na ustach Eriki pojawił się blady uśmiech. – Po prostu lubię brzmienie imienia „Kurt". Czemu pan tak się denerwuje? Jestem tylko dziwką. Jak pan to powiedział? „Cwaną dziwką". Dlaczego miałabym nie poznać bardzo blisko słodkiego Kurtusia?

– Gdzie on jest? – Mock nie odpowiedział na pytanie.

– Może godzinę po pana wyjściu – Erika spoważniała – przyszedł tutaj duży facet. Bardzo duży. Nic nie mówił, tylko coś napisał na kartce. Kurt przeczytał to i wybiegł z tym dużym. Nie pozwolił mi nikomu otwierać.

Zapadło milczenie. Po suficie przesuwały się światła i cienie automobili. Neon „Gramophon-Spezial-Haus" po drugiej stronie ulicy przesączał swe kolorowe światło przez firankę. Erika siedziała, pokryta zielonymi i czerwonymi cętkami światła, i przyglądała się Mockowi bez cienia uśmiechu.

– Dlaczego pan koło mnie nie usiądzie? – zapytała cicho i poważnie.

Mock usiadł. Patrzył ze zdziwieniem na swoją dłoń, która przesunęła się po jej białym ramieniu. Jeszcze nigdy nie widział tak białej skóry, jeszcze nigdy podnosząca się przepona nie zabierała mu tchu na tak długo, nigdy dotąd nie czuł takiego bólu w udach. *Fiat coitus et pereat mundus*[*]. Z wielkim niedowierzaniem czuł, że rozchylają się jego spękane usta, by przyjąć jej drobny język, nie mógł uwierzyć, że jego sękate palce podciągają jej nocną koszulę.

---

[*] Niech nastąpi stosunek, a potem niech świat przepadnie (łac.) – trawestacja znanego *Fiat iustitia et pereat mundus* tłumaczonego powszechnie jako „Sprawiedliwości musi stać się zadość, choćby świat miał zginąć".

– Dlaczego mnie pan nie weźmie? – zapytała równie poważnie. Podciągnęła się na czystej pościeli i otworzyła przed nim.

Mock sapnął, wstał i podszedł do krzesła. Rozpakował szeleszczący papier. Na oparciu krzesła powiesił pielęgniarski czepek i wykrochmalony fartuch.

– Załóż to – powiedział zachrypniętym głosem.

– Chętnie. – Erika wyskoczyła z łóżka i wyswobodziła się z nocnej koszuli. Kiedy podniosła ręce, neonowe ogniki zapłonęły na jej wydatnych piersiach. Zwinęła włosy w prowizoryczny kok i włożyła czepek. Mock rozpiął spodnie. Wtedy do mieszkania weszli Smolorz, Wirth i Zupitza. Erika szybko wskoczyła do łóżka, Mock kopnął w drzwi. Zbliżył się do łóżka i odrzucił kołdrę z dziewczyny. Za chwilę czyjeś palce wybiły na drzwiach rytm *Pieśni Ślązaka*. Mock sapnął, podszedł do okna i przez chwilę wpatrywał się w latarnię oświetlającą zakład fryzjerski. Potem zbliżył się do dziewczyny i pogłaskał ją po włosach. Obiema dłońmi uczepiła się jego ręki. Pochylił się i pocałował ją w usta.

– Poczekaj chwilę – mruknął i wyszedł do przedpokoju.

Smolorz stał przy drzwiach i przymierzał się do kolejnego pukania, a Wirth i Zupitza siedzieli w kuchni przy stole zawalonym wilgotnymi naczyniami.

– Dlaczego wystukujecie, Smolorz, nasz sygnał? – Mock z trudem tłumił irytację w głosie. – Przecież widziałem, że weszliście. A teraz zmykać stąd! Wszyscy! Od tej chwili osobiście będę pilnował tej dziewczyny.

– Stróż Frenzel... – powiedział Smolorz, wydzielając mydlaną woń. – Nie ma go.

– Mów wszystko, Zupitza – Mock syczał przez zaciśnięte zęby.

– Siedziałem u stróża – Zupitza puścił dłonie w ruch, który Wirth następnie zamieniał na swoją niemczyznę z austriackim zaśpiewem – i miałem go cały czas na oku. Był niespokojny. Rozglądał się, jakby chciał gdzieś wyjść. Tym bardziej miałem go na oku. Poszedłem z nim do kibla. Stałem pod drzwiami. Długo to trwało. W końcu zastukałem. Kilka razy i nic. Wywaliłem drzwi. Okno było otwarte. Stróż uciekł przez okno. Dalej może mówić pan Smolorz.

– Nie słyszałeś, co mówił Wirth? – warknął Mock do Smolorza. – Gadaj!

– Zupitza napisał to – Smolorz podał Mockowi kartkę z wielkim kulfonami. – Potem przesłuchanie sąsiadów. Nikt nie wie, gdzie Frenzel. Jeden wyznał, że stróż to hazardzista. Przeczesaliśmy okoliczne szulernie. Nic.

Jeszcze jeden trup. Jutro lub za kilka dni morderca wyśle list do Mocka. Pójdą pod wskazany adres i znajdą Frenzla z wydartymi oczami. Mała kataryniarka zaśpiewa jeszcze jedną zwrotkę. A ty, Mock, wracaj do domu, porozmawiaj z ojcem i napraw wszystko, co zepsułeś. Uznaj się za zwyciężonego, Mock. Przegrałeś. Zostaw innym to śledztwo. Takim, którzy nie popełnili żadnych błędów, za które karą jest wyłupanie oczu i wbicie szpili w płuco.

Mock podszedł wolno do stołu i chwycił za jego krawędź. Blat drgnął i podskoczył, po czym po chwili znalazł się w górze, Wirth i Zupitza uciekli pod ścianę, naczynia runęły na podłogę, pękało szkło, talerze wydawały przenikliwe jęki, piszczały filiżanki. Brzęk był przeraźliwy, a stał się nie do wytrzymania, kiedy na przewrócony do góry nogami stół wskoczył osiemdziesięciopięciokilogramowy Mock. Kawałki zastawy stołowej wydawały ostatnie brzmienie, potłuczoną skargę, zgrzytliwe *requiem*.

Zasapany Mock zszedł ze stołu i włożył głowę do żeliwnego zlewu. Zimna woda tryskała na głowę, szyję i płonące uszy.

– Ręcznik! – krzyknął z wilgotnego i zimnego wnętrza zlewu.

Ktoś położył mu na ramiona prześcieradło. Mock podniósł się i nakrył głowę. Strumyki wody wpłynęły mu za kołnierz. Czuł się jak w namiocie. Chciałby być teraz w namiocie, oddzielony od wszystkiego. Po chwili odsłonił głowę i uważnie lustrował zaniepokojone twarze.

– Kończymy to śledztwo, moi panowie – mówił bardzo powoli. – Dalej poprowadzi je komisarz kryminalny Heinrich Mühlhaus. Zaraz spiszę zeznania tej tutaj Eriki Kiesewalter. Przekażecie je, Smolorz, komisarzowi Mühlhausowi. On będzie wiedział, że należy znaleźć człowieka z córką na wózku inwalidzkim. No co robicie taką minę? Przeczytacie zeznanie, to będziecie wiedzieć, o co chodzi.

– A co z ludźmi w „przechowalni"? Wypuścić ich? – zapytał nerwowo Wirth.

– Odwieziecie ich do aresztu policyjnego. Jutrzejszej nocy. Będzie na was czekał strażnik Achim Buhrack. Odbierze od was ludzi. Jeszcze jakieś pytania?

– Panie asystencie kryminalny – bąknął Smolorz. – A co z nią? Do „przechowalni" czy od razu do Buhracka?

Milczeli. Mock spojrzał na stojącą w drzwiach Erikę. Na głowie przekrzywił jej się czepek pielęgniarski. Usta drżały, a narządy artykulacyjne układały się, by wypchnąć z siebie zdanie pytające. Lecz miechy płuc nie tłoczyły powietrza. Stała bez tchu.

– Co będzie – Smolorz stał się nadzwyczaj gadatliwy – jeśli Mühlhaus będzie chciał ją osobiście przesłuchać?

Mock patrzył na Erikę. Drgnęła, kiedy zegar w przedpokoju uderzył trzy razy. Drżenie nie ustępowało, mimo że owinięta była kołdrą. Spojrzał na sztywny fartuch pielęgniarski, na niezdrowo podnieconego Smolorza i podjął decyzję.

– Jeśli komisarz kryminalny Mühlhaus będzie chciał przesłuchać świadka, pannę Erikę Kiesewalter, będzie musiał się pofatygować nad morze.

Erika zacisnęła zęby. Po chwili wolno opadła na Mocka i wtuliła twarz między jego szyję a obojczyk. Oddychała ciężko. Mock odgarnął z jej skroni wilgotne włosy. Po chwili minęło jej odrętwienie i zsunęła się z ciała mężczyzny w kopiec pościeli.

– Dobrze, że nie krzyczałaś – powiedział, z trudem panując nad drżeniem głosu.

– Dlaczego? – zapytała cicho.

– Recepcjonista nie uwierzył, że jesteśmy małżeństwem. Nie widział obrączek. Gdybyś krzyczała, na pewno by się utwierdził w tych podejrzeniach.

– Dlaczego? – powtórzyła sennie swe pytanie i zamknęła oczy.

– Widziałaś kiedyś małżeństwo, które by nie wychodziło z łóżka przez piętnaście godzin?

Mock nie doczekał się odpowiedzi. Wstał, włożył kalesony, spodnie, a potem mocno naciągnął szelki i puścił je. Klasnęły głośno w nagi tors. Zagwizdał znaną piosenkę *Frau Luna*, otworzył okno wychodzące na morze i wdychał zapachy, które przenosiły go w dawne królewieckie czasy, kiedy nikt od niego nie żądał przyznawania się do nieznanych win ani nie szantażował go trupami bez oczu. Fale biły mocno w rozpalony słońcem piasek i w dwa mola zbudowane na górach potężnych kamieni. Mock, obserwując owe budowle, obejmujące jakby ramionami port, czuł na wargach mikroskopijne słone krople. Z pobliskiej wędzarni dochodziła woń, która tego fanatycznego miłośnika ryb wprawiła w nerwowe drżenie. Przełknął ślinę i odwrócił się do Eriki. Już nie spała. Widocznie z drzemki wyrwało ją klaśnięcie szelek. Opierała głowę na kolanach i wpatrywała się w niego. Nad jej włosami wisiał model żaglowca i kołysał się w słonym powiewie.

- Masz ochotę na wędzoną rybę? – zapytał.
- Tak, wielką ochotę – uśmiechnęła się nieśmiało.
- No to chodź, idziemy – Mock zapiął guziki koszuli i przymierzał do jasnej marynarki nowy, kupiony wczoraj w Koszalinie krawat, który wybrała Erika.
- Nie chce mi się nigdzie iść. – Wstała z łóżka i prężąc się po krótkim śnie, podbiegła kilka kroków. Objęła Mocka za szyję i wysmukłymi palcami pogładziła po umięśnionym, szerokim karku. – Tu będę jadła...
- Przynieść ci? – Mock nie mógł się opanować, by jej nie pocałować i nie przesunąć ręką po jej nagich plecach i pośladkach. – Jaką chcesz rybę? Węgorza? Flądrę? A może łososia?
- Nie idź nigdzie. – Poruszając wargami, dotykała jego ust. – Chcę węgorza. Ale twojego.

Przywarła do niego mocno i pocałowała go w ucho.

- Obawiam się – Mock szeptał do małej miękkiej małżowiny zaplątanej w sieci rudych włosów – że nie dam rady... Nie mam już dwudziestu lat...
- Przestań gadać – napomniała go surowym głosem.
- Wszystko będzie dobrze...

Miała rację. Wszystko było dobrze.

Darłówko, wtorek 9 września 1919 roku,
godzina druga po południu

Wyszli z hotelu i Domu Zdrojowego „Friedrichsbad", trzymając się za ręce. Przed gankiem tego masywnego budynku parkowały dwie dorożki oraz potężny piętrowy omnibus, który – jak głosił przyczepiony na nim blaszany szyld – kursował między Darłowem a Darłówkiem. W pobliżu hotelu stała grupa uczniów szkoły podstawowej, a opiekujący się nimi tęgi łysy nauczyciel wachlował się kapeluszem i wolno opowiadał swoim podopiecznym, że w tym domu zdrojowym w czasie wojen napoleońskich zażywał kąpieli książę Hohenzollern; zażywny preceptor uczynił użytek ze swojego palca – pokazując przytwierdzoną do ściany tabliczkę z napisem. Mock zwrócił również uwagę na ładną dziewczynę, która samotnie siedziała na ławce pod domem zdrojowym i paliła papierosa. Zbyt długo pracował w komisji obyczajowej, by nie wiedzieć, jaka była jej profesja.

Minęli kilka domów stojących przy Georg-Büttner-Strasse i zatrzymali się przed lodziarnią. Erika rzuciła się jak dziecko na zimny słupek, utworzony z malinowych kulek, i zaczęła go gryźć ku zdziwieniu Mocka, który – patrząc na nią – czuł przenikliwy ból własnych zębów. Zgrzyt szlabanu oznajmił, że most zwodzony już opadł. Przeszli przez niego i znaleźli się na Skagerrak Strasse. Szli lewą stroną ulicy. W pierwszym domu na rogu Mock wszedł do gospody i poprosił oberżystę pana Roberta Pastewskiego – takie bowiem nazwisko widniało nad wejściem – o tuzin papierosów Reichsadler dla siebie i tyleż angielskich papierosów Gold-Flake dla Eriki.

Moc wrześniowego palącego słońca osłabiał wiatr od morza, który zaplatał włosy Eriki stojącej na wąskim trotuarze.

– Jestem głodna – powiedziała ze skargą i spojrzała wymownie na Mocka.

– Ale teraz... – Mock był zakłopotany – musielibyśmy wrócić do hotelu...

– Teraz nie używam metafory. – Wiatr rzucił pasma włosów na jej oczy. – Naprawdę chce mi się jeść.

– No to idziemy na prawdziwego wędzonego węgorza – powiedział. – Ale najpierw kupię ci jakąś bułkę. Chodźmy...

216

Wszedł do pobliskiej piekarni. W pomieszczeniu pachnącym ciepłym chlebem jedynymi gośćmi byli dwaj marynarze, którzy opierali się o ladę ozdobioną wykrochmalonymi makatkami i rozmawiali o czymś z grubym piekarzem. Mówili tak szybko w pomorskim dialekcie, że Mock prawie nie rozumiał ich rozmowy. Wiedział jednak jedno: że nikt z nich niczego nie kupuje, a piekarz nie zwraca na niego najmniejszej uwagi. Mock poczuł nieokreślony niepokój. Nie mógł dojść, co jest jego przyczyną. Na pewno ci dwaj marynarze – pomyślał – nie czterej, tylko dwaj marynarze.

– Co dla szanownego pana? – zapytał piekarz z silnym pomorskim akcentem.

– Dwie berlinki proszę. Z jakim są nadzieniem?

– Z dzikiej róży.

– Dobrze. Dwie.

Piekarz zainkasował marki, podał mu tytę z berlinkami i powrócił do rozmowy z marynarzami.

– Słuchaj, Zach – wychodząc, Mock usłyszał głos jednego z nich. – Co to za jeden?

W odpowiedzi zabrzęczał dzwonkiem u powały i spojrzał na znudzoną nieco Erikę. Czubkiem bucika rysowała jakieś figury na piasku, którym obficie był posypany nierówny trotuar. Mock podał jej tytę, zmazując niechcący butem owe tajemnicze zapisy.

– *Noli turbare circulos meos*[*]. – Erika zamachnęła się, a potem nie zadała ciosu, lecz pogłaskała Mocka po gładko wygolonym policzku. Wtedy uświadomił sobie źródło swojego gniewu.

Co powinienem odpowiedzieć – pomyślał, idąc koło niej bez słowa. – Powinienem się jej zapytać, skąd zna tę sentencję, czy chodziła do gimnazjum, a zresztą każdy głupi ją zna, to wcale nie świadczy o jej wykształceniu czy oczy-

---

[*] Nie niszcz moich kół (łac.).

taniu. „Jestem heterą" – odpowiedziała na pytanie o zawód, używa właściwie pojęcia „metafora", cytuje Cycerona. Kim jest ta dziwka? Ta mała przebiegła dziwka. Może chce, abym zaczął ją wypytywać o jej przeszłość, rodziców, rodzeństwo, może chce, abym ją pożałował i przytulił. I poddaje mnie próbom. Delikatnie i subtelnie. Najpierw się parzy jak rozgrzana kotka, a potem cytuje sentencje łacińskie, dźwięczące gdzieś tam w jej głowie, z której rozpusta prawie wszystko wymiotła. „Oddawałam się rozpuście" – powiedziała. Ciekawe, czy tak jak ta kaleka – z trzema naraz.

Szli w milczeniu. Erika jadła z apetytem drugą berlinkę. Kiedy przechodzili koło dużego sześciennego domu z wielkimi zielonymi drzwiami opatrzonymi napisem „Towarzystwo Pomocy Rozbitkom Morskim", Erika zgniotła pustą tytę i rzuciła od niechcenia:

– Ciekawe, czy jest jakieś towarzystwo pomocy rozbitkom życiowym?

Cwana dziwka. Chce, żebym się nad nią teraz litował, chce, bym w niej ujrzał dziecko tulące buzię w sierść przymilnego boksera.

Mock zatrzymał się przed wędzarnią i wypowiedział coś, czego później długo żałował.

– Posłuchaj mnie, Eriko – panował nad swoim tonem, ale nie panował nad treścią – nie jesteś kurwą o złotym sercu. Nie ma takich. Jesteś po prostu kurwą. I tyle. Nie zwierzaj mi się, nie mów o swoim rozbitym dzieciństwie, nie mów o ojczymie-potworze i matce, którą gwałcił. Nie mów nic o swojej siostrze, która w wieku piętnastu lat wyskrobała sobie dziecko. Nie próbuj wyciskać ze mnie łez. Rób to, co umiesz najlepiej, i nic nie mów.

– Dobrze, będę się pilnować – powiedziała, a w jej oczach nie było żadnej zapowiedzi łez. – Idziemy do tej wędzarni czy nie?

Przeszła obok Mocka i poszła w stronę prowizorycznej lady, na której sprzedawca w gumowym fartuchu i marynarskiej czapce układał pachnące dymem węgorze. Patrzył na jej drobne plecy, które się zatrzęsły kilkakrotnie. Podbiegł do niej, obrócił ją i rzucił się do całowania łez. Nie uczynił tego jednak. Erika nie płakała, lecz trzęsła się ze śmiechu.

– Moje dzieciństwo było normalne i nikt mnie nie zgwałcił – krztusiła się. – A mówiąc o rozbitkach życiowych, wcale nie miałam na myśli siebie, lecz pewnego mężczyznę...

– Pewnie mężczyznę o imieniu Kurt? Tak, powiedz to! – Mock krzyczał, nie przejmując się wyrozumiałym spojrzeniem marynarza, które mówiło „tak to jest z młodymi żonami". – Dlatego lubisz tak imię Kurt, co? Mówiłaś mi o tym przedwczoraj! Kurtuś, co? Kim był Kurtuś?! Gadaj, do cholery!

– Nie – Erika spoważniała. – Ten mężczyzna ma na imię Eberhard.

8 IX 1919

Osobliwa była ta konferencja okultystów zorganizowana przez profesora Schmikalego, przedstawiciela zakonu Thule we Wrocławiu. Któż to nie miał być zaproszony?! Sam Ludwig Klages, Lanz von Liebenfels i sam Walter Friedrich Otto! Nie chciało im się jednak fatygować do śląskiej zapadłej prowincji. Zamiast tego pierwszy przysłał swojego asystenta, jakiegoś sepleniącego chłopczynę, który wygłosił zupełnie niezrozumiały wykład o kulcie Wielkiej Bogini--Matki u Pelazgów. Sugerował poza tym nieustannie, że mistrz Klagesa, Fryderyk Nietzsche, był z Magna Mater w nieustannym duchowym kontakcie. To ona miała mu rzekomo podsunąć myśl o nazwaniu Jahwe i Jezusa uzurpatorami boskości. Krytykował przy tym okrutnie młodego Anglika, Roberta Gravesa, który na jakimś wykładzie śmiał twierdzić, iż on sam jest autorem tego określenia w stosunku do żydowskich bogów. Śmiechu warte! Referat o tym, kto był pierwszy w wymyśleniu jakiegoś banalnego sformułowania!

Z zakonu nowych templariuszy nie było von Liebenfelsa, lecz jakiś doktor Fritzjörg Neumann, który zapowiadał powrót Wotana. Jego prelekcję nagrodzono oklaskami nie z powodu zapiekłych antysemickich i antychrześcijańskich ataków, ale za ciągłe podkreślanie przez prelegenta poparcia, jakiego udziela koncepcjom paruzji Wotana główny kwatermistrz wojsk cesarskich Erich von Ludendorff.

Nic dziwnego, że po wypowiedzi Neumanna następną prelegentkę, inteligentną, młodą Żydówkę, Dorę Lorkin, przywitał chłód i pogarda. O profani! O idioci z nazwiskami poprzedzonymi „von"! O skłóceni kacykowie, którzy nie sięgacie wzrokiem poza swoje tępe plemię! Nie potraficie docenić prawdziwej mądrości! Bo przez tę młodą kobietę przemawiała Atena! Dora Lorkin była przedstawicielką spirytualizmu politeistycznego W. F. Otta. Z prezentowanych przez nią przenikliwych teoryj jej mistrza wynikało, że dusza ludzka jest polem nieustannych oddziaływań greckich bogów, którzy jedyni są prawdziwym bytem, podczas gdy inni bogowie są tylko mitem. Pomijam jej uzasadnienia ontologiczne. Nie one są istotne. Największe wrażenie zrobiła na mnie nie nowa – jak to jej po prelekcji niektórzy zarzucali – ale bardzo adekwatna koncepcja erynij jako wyrzutów sumienia.

Kilka zdań na ten temat wprowadziło mnie w głębokie rozmyślania i pozwoliło mi zmodyfikować dzieło, nad którym teraz pracowałem. Bo do tej pory nasz zajadły wróg nie przyznał się do winy, nie wyznał swojego błędu. Bo oto uwolniłem najpierw energię duchową z czterech młodych mężczyzn. Ta energia miała go skierować na właściwy tor rozmyślań. Wykłute oczy i biblijny cytat miały być dla niego oczywiste. Nasz wróg w swej zajadłości nie przyznał się do niczego. W jego domu, w jakimś starym nieczynnym zakładzie masarskim, zmusiłem złą duchową energię starego rozpustnika do powrotu i do udręczania mieszkańców. Nadal nie było przyznania się do winy. Złożyłem w końcu w ofierze naszemu dziełu pokrytą liszajami ladacznicę. Przyznaję – nie wydarłem jej ślepi. On musiał i tak już wiedzieć, czego od niego chcemy! Kaprawe ślepia cudzołożnicy nie musiały mu niczego uświadamiać! A on dalej milczy.

Dopiero teraz, po odczycie Dory Lorkin, zrozumiałem, że muszę na niego sprowadzić prawdziwe zło – erynie. Wtedy jego udręczenie sięgnie zenitu i przyzna się do wszystkiego. W domu zajrzałem na półkę z dziełami autorów starożytnych i zdjąłem z niej tragedie Ajschylosa. Po kilkugodzinnej lekturze zrozumiałem. Sprowadzę erynie na naszego wroga, składając mu w ofierze jego ojca. Erynie prześladowały Orestesa, bo zabił swoją matkę. Ajschylos wyraźnie pisze, że nie słuchały wyjaśnień Orestesa i jego próśb o zmiłowanie. Dla nich ważne było tylko jedno: ukarać go i pomścić rozlaną rodzicielską krew. W tym momencie pojawiła się u mnie wątpliwość. Przecież nasz zajadły wróg nie będzie ojcobójcą, bo ja złożę jego ojca w ofierze. Czy zatem dopadną go erynie? A zresztą – przecież *de facto* on sam wystawił swojego ojca na śmierć, opuszczając go teraz wraz z ladacznicą. On pozostawił ojca samego na pastwę losu, ponieważ ojciec musiał stawić czoło demonom, które rozpętałem w ich domu. Kiedy ojciec zostanie zupełnie sam i dowie się ode mnie, że jego syn wyjechał gzić się z jakąś kurtyzaną, poczuje zazdrość.

Będzie zazdrosny o dziwkę, o najniższy śmieć w mieszczańskiej hierarchii.

Kiedy przyszła mi ta myśl do głowy, przypomniałem sobie to, co gdzieś czytałem, że jedna z erynij, chyba Megajra lub Tyzyfone, była personifikacją wściekłej zazdrości. Już wiedziałem, co robić. Najwyżej się nie uda. Prawdziwa wiedza to nie bełkotliwe analizy barokowych mistyków! Prawdziwa wiedza nie leży u Daniela von Czepko i Anioła Ślązaka! Prawdziwą wiedzę zdobywa się przez doświadczenie. A właśnie mój następny eksperyment pokaże, czy miał rację Arystoteles, pisząc: „Dusza jest w jakiś sposób wszystkim, co istnieje". Przekonamy się, czy istnieje erynia, jak tego chce Otto.

Darłówko, wtorek 16 września 1919 roku,
godzina piąta po południu

Erika i Mock przeszli obok latarni morskiej i skręcili w prawo w stronę plaży wschodniej. Erika oparła głowę na ramieniu Mocka i na moment się odwróciła, przesuwając obojętnym wzrokiem po domach stojących po drugiej stronie kanału. Mock poszedł za jej spojrzeniem. Choć jego zainteresowanie budownictwem nadmorskim było równie wielkie, jak zainteresowanie kwestią ucywilizowania Słowian i Kaszubów – o czym często krzyczały nagłówki gazet – to jednak, ku swojemu zdziwieniu, rejestrował wiele technicznych szczegółów: domy były na ogół zbudowane z muru szachulcowego i przeważnie kryte papą, co dziwiło nieco Mocka przyzwyczajonego do śląskiej dachówkowej sztuki dekarskiej. Kiedyś zapytał o te nadmorskie dachy w gospodzie z rożnem, na którym skwierczały bornholmskie łososie, i usłyszał od starego marynarza opowieść o niewiarygodnej sile morskiego wiatru i fruwających dachówkach, pękających na ścianach domostw i na głowach przechodniów.

– Pamiętasz, Eriko, tego starego marynarza, który nam opowiadał o pokryciu dachów na Pomorzu? – Poczuł na swoim ramieniu potakujące kiwnięcie głowy. – Kiedy wyszłaś na chwilę na spacer, opowiedział mi o jeszcze jednym działaniu morskiego wiatru...

– Jakim? – Głowa Eriki oderwała się od jego ramienia. Dziewczyna spojrzała na Mocka z zaciekawieniem.

– Wyjący długo wiatr doprowadza ludzi do szaleństwa. I do samobójstwa.

– To dobrze, że teraz nie wieje – powiedziała poważnie i przytuliła się do niego.

Za nimi rozpaliło się oko latarni morskiej. Zamontowany na niej buczek jednostajnie zapowiadał mgłę, która miała spaść na port po ciepłym jesiennym dniu. Mewy krzyczały ostrzegawczo.

Koło nadmorskiej kawiarni zeszli na plażę. W Erikę wstąpiła energia. Przebiegła po piasku poniżej tarasu kawiarni i rzuciła się w stronę przebieralni dla dam. Mock na chwilę stracił ją z oczu. Niosąc wiklinowy koszyk wypełniony chlebem, winem, smażonymi marynowanymi śledziami i połówką pieczonego kurczaka, ledwo za nią nadążał. Sapał i zionął nikotynowym swądem nadwerężonych płuc.

W końcu wtoczył się na wschodnią plażę. Kilkoro spacerowiczów żwawym krokiem zaostrzało sobie apetyt przed kolacją. Jakiś śmiałek w trykotowym obcisłym stroju kąpielowym ciął lekkie fale węzłami swych mięśni. Na mostku prowadzącym do okazałej przebieralni dla dam, opierającej się na kilkumetrowych palach wbitych w plażę, stała Erika i rozmawiała z jakąś młodą kobietą. Mock odgarnął wierzchem dłoni pot zalewający mu czoło i przyjrzał się uważnie rozmówczyni Eriki. Poznał ją. Była to prostytutka

223

rezydująca w Domu Zdrojowym, w którym – jak się Mock zdążył przekonać – działała czteroosobowa ekipa korynckich profesjonalistek.

Trafił swój na swego, pomyślał i ruszył na wschód, nie zwracając uwagi na Erikę. Ta pożegnała koleżankę po fachu i pobiegła wesoło za nim. Usiedli na wydmie. Erika wystawiła twarz na podmuchy słonego wiatru, Mock wystawił swój mózg na żrące uczucie wściekłości. Trafił swój na swego, chyba zwariowałem, zadając się z tą dziwką. Erika nie zwracała uwagi na leżącego obok niej mężczyznę, który założył dłonie pod głowę i obserwował dziewczynę schodzącą z mostka łączącego przebieralnię z plażą. Kiedy znalazła się już za połamanymi zębami falochronu, uniosła nieco sukienkę i ruszyła powoli, dziurawiąc krzywymi obcasami piasek. Mocka zaczynała opuszczać złość. Tak chodzi i chodzi cały dzień, nie widziałem jej nigdy z żadnym klientem. Sukienka pocerowana, obcasy wykręcone, parasolka ze sterczącymi drutami, oczy krowie, maślane, bezmyślne. Tania dziwka. Nagle zrobiło mu się jej żal – w pustym nadmorskim kurorcie wykrzywia swe buty na kocich łbach, ścigana złymi okrzykami mew. Odwrócił głowę i spojrzał na Erikę. Zapragnął ją objąć w podzięce, że ona sama nie jest tanią, przegraną dziwką, szlifującą bruki. Opanował jednak tę chęć i obserwował jej długie palce oplatające ramiona w miejscu, gdzie on sam miał – mocne niegdyś – bicepsy.

– Wiesz, pochodzę z podobnej nadmorskiej wioski – powiedziała Erika z zamkniętymi oczami. – Kiedy byłam dziewczynką... – przestraszyła się i spojrzała lękliwie na Mocka, oczekując jego ostrej reakcji.

– Zajmij się kolacją, Eriko – mruknął i zamknął oczy. Wyobrażał sobie, jak rozściela na białym piasku mały koc, a na nim – mocując się z lekkim wiatrem – rozsnuwa czystą serwetę w haftowane ryby. Potem wyjmuje z koszyka śledzie, kurczaka i wino. Otworzył oczy i ujrzał swój wyimaginowany obrazek. Machnął ręką zapraszająco. Przytuliła się do niego i poczuła pocałunek w jedno i w drugie oko.

– Mogę wszystko przewidzieć, co zrobisz i powiesz – usłyszała. – Opowiedz mi zatem o swojej nadmorskiej wiosce.

Erika uśmiechnęła się i uwolniła z objęć Mocka. Ujęła udko kurczaka czubkami palców i z trudem oddzieliła je od korpusu. Podała je Mockowi. Ten podziękował i zdarł zębami złocistą, chrupiącą skórę, a potem przebił się do soczystego włókna pokrytego śliską okleiną tłuszczu.

– Jak byłam mała, zakochałam się w naszym sąsiedzie. – Erika koniuszkami palców uniosła w stronę ust gibki płatek śledzia. – Był muzykiem, podobnie jak moi rodzice. Siadałam mu na kolanach, a on grał na fortepianie *Karnawał zwierząt* Saint-Saënsa. Znasz to?

– Tak – mruknął i wessał powietrze, odklejając od kości ostatnie pasma mięsa.

– On grał, a ja zgadywałam, o jakie zwierzę teraz chodzi w danym utworze. Nasz sąsiad miał szpakowatą, równo przyciętą, wypielęgnowaną brodę. Kochałam go całym swym gorącym, ośmioletnim sercem... Nie bój się – zmieniła na chwilę temat, widząc błysk niepokoju w oczach Mocka. – On mi nic złego nie zrobił. Czasami mnie pocałował w policzek, a ja czułam w jego brodzie zapach dobrego tytoniu... Niekiedy grał z moimi rodzicami w karty. Siedziałam na kolanach, tym razem własnego ojca, patrzyłam oszołomiona na karciane figury, nic nie rozumiałam z gry, ale całym sercem życzyłam ojcu przegranej... Chciałam, aby wygrywał nasz sąsiad, pan Manfred Nagler... Zawsze podobali mi się starsi mężczyźni...

– Miło to słyszeć. – Mock podał jej wino i patrzył, jak niewprawnie pije wprost z butelki.

– Studiowałam w konserwatorium w Rydze, wiesz? – Oddychała szybko, po tym jak picie wina pozbawiło ją na chwilę tchu. – Najbardziej lubiłam grać *Karnawał zwierząt*, chociaż mój profesor rzucał gromy na Saint-Saënsa. Twierdził, że jest to prymitywna muzyka ilustracyjna... Mylił się. Każda muzyka coś ilustruje, prawda? Na przykład Debussy ilustruje rozgrzane słońcem morze, Dworzak – rozmach i potęgę Ameryki, a Chopin – stany ludzkiej duszy... Chcesz jeszcze mięska?

– Tak. Poproszę. – Popatrzył na jej smukłe palce, położył głowę na ramieniu i przysunął się, mając przed oczami nacętkowane słońcem morze.

Z drzemki wyrwał go głos Eriki dopytującej się czegoś natarczywie.

– Naprawdę, zgadzasz się na to? Naprawdę? – szeptała uszczęśliwiona Erika. – No to już! Podaj mi datę swojego urodzenia! Dokładną, z godziną!

– Po co ci to? – Mock przetarł oczy i spojrzał na zegarek. Spał nie dłużej niż kwadrans.

– No przecież kiwałeś głową, zgadzałeś się ze wszystkim, co mówiłam – Erika była nieco zawiedziona. – Po prostu spałeś i miałeś gdzieś babskie gadanie...

– No dobrze, dobrze... – Mock zapalił papierosa. – Mogę ci podać dokładną datę mojego urodzenia... Co mi szkodzi? Osiemnasty września osiemset osiemdziesiątego trzeciego. Koło południa...

– O, to pojutrze masz urodziny. Muszę ci dać jakiś prezent... – Erika zapisała tę datę na mokrym piasku. – A miejsce urodzenia?

– Wałbrzych, Śląsk. Chcesz mi postawić horoskop?

– Nie ja. – Erika oparła głowę na jego kolanie. – Moja siostra... Jest astrologiem. No mówiłam ci przecież...

– No dobra, dobra... – mruknął.

– Dlaczego jesteś dla mnie taki dobry? – Nie patrzyła mu w oczy, lecz poniżej. Na nos? Usta? – Od tygodnia nie nazywasz mnie „dziwką"... Zwracasz się do mnie po imieniu... Wysłuchujesz moich opowieści z dzieciństwa, chociaż cię nudzą... Dlaczego?

Mock walczył przez chwilę sam ze sobą. Myślał nad odpowiedzią. Rozważał wszystkie jej skutki.

– Po prostu nie ma wyjącego wiatru – uniknął prawdziwej odpowiedzi. – I nie ma we mnie agresji ani szaleństwa.

17 IX 1919

Nie mogłem wprowadzić w życie swojego planu, ponieważ musiałem uzyskać akceptację Wielkiego Zgromadzenia. Dalsze składanie ofiar może być niebezpieczne, napisał do mnie kilka dni temu Mistrz, kiedy mu przedstawiłem mój plan oparty na obudzeniu erynij. Poza tym Mistrz zgłosił inne zastrzeżenia i nakazał zwołanie Rady. Odbyło się ono dzisiaj w nocy, u mnie. Mistrz słusznie wytknął mi niekonsekwencję. Polega ona na braku ścisłości w zdefiniowaniu pojęcia „erynii". Zgodnie z moim planem w erynię zamieni się energia duchowa, jaka ujdzie z ciała złożonego w ofierze ojca naszego zajadłego wroga. Jaką mamy pewność, że tak będzie?, pytał Mistrz. Skąd wiemy, że „erynią" nie będzie jakaś cząstka duszy zajadłego wroga albo jakaś istota duchowa niezależna od naszego zajadłego wroga czy od jego ojca. Jakiś demon, którego obudzimy? A nim już nie będziemy mogli kierować. To zbyt niebezpieczne. Co robić zatem? Rozpętała się dyskusja. Jeden z naszych braci słusznie zauważył, że w starożytnych wierzeniach istniały trzy erynie. Jedna z nich, Megajra, była erynią zazdrości. A zatem w Megajrę lub w Tyzyfone moglibyśmy zamienić – za pomocą formuł Augsteinera – energię duchową umykającą z ciała ojca naszego wroga. Druga erynia, Tyzyfone, to „mścicielka zabójstwa", trzecia zaś, Alekto, to „nieustająca w zemście". Musimy złożyć jeszcze dwie ofiary, razem trzy – ojca naszego zajadłego wroga i dwie inne, które on kocha i które będą Tyzyfone i Alekto. Wszyscy się zgodzili z tym przekonującym wywodem. Kiedy trzy erynie dopadną naszego największego wroga, zwróci się on do jakiegoś okultysty. Nie ulega wątpliwości, że mamy wpływ na wszystkich okultystów w tym mieście. Wtedy dotrzemy do jego umysłu i uświadomimy mu jego straszną winę. To będzie ostateczny cios. Nie możemy mu napisać wprost, jaka to wina. On sam musi być o niej najgłębiej przekonany. Dlatego nasz plan samouświadomienia jest najlepszy z możliwych. Pozostaje problem dwóch erynij – Tyzyfone i Alekto. Kto to może być? Kogo on kocha oprócz ojca? Czy w ogóle kogoś kocha? Bo chyba nie kocha prostytutki, z którą wyjechał – on, który poznał wszystkie wstrętne tajniki sprostytuowanej duszy? Postanowiliśmy dokładnie rzecz przestudiować w pismach starożytnych i spotkać się za trzy dni, by wszystko ustalić.

Darłówko, piątek 26 września 1919 roku, południe

Mock i Erika siedzieli na tarasie kawiarni po wschodniej stronie kanału portowego i milczeli, wpatrując się we wzburzone morze przez prostokątne, niewielkie szyby smagane drobnym deszczem. Każde z nich było bardzo zajęte: Erika – kawą i jabłkową struclą, Mock – cygarem i bańką koniaku. Milczenie, które między nimi zapadło, było zapowiedzią nagłego chaosu, zwiastunem zmiany, nieubłaganym sygnałem kresu.

– Jesteśmy już tutaj ponad dwa tygodnie – zaczął Mock i umilkł.

– Ja bym powiedziała, że jesteśmy już prawie trzy tygodnie. – Erika wygładzała serwetkę na marmurowym blacie stolika.

– Ten koniak to dla ciebie dużo alkoholu – Mock poruszył kieliszkiem, obserwując, jak bursztynowy płyn spływa po pochyłych ściankach – bo jeszcze jest go sporo. A dla mnie to tylko jeden łyk – zaraz wypiję i go nie będzie.

– Tak. Tym się różnimy – powiedziała Erika i zamknęła oczy. Spod jej długich rzęs w stronę kącików ust popłynęły dwie strużki łez.

Mock wbił wzrok w zalaną deszczem szybę i usłyszał wycie wichru nad falami. Wicher szarpał się w jego piersi i wpychał mu w głowę jakieś słowa, których nie chciał wypowiedzieć. Rozejrzał się dokoła i drgnął. Na tarasie kawiarni oprócz nich siedziała znana mu z widzenia prostytutka z połamaną parasolką. Wpatrzona była w zalaną deszczem szybę, zgrzytała łyżeczka w jej filiżance. Na tarasie znalazła się jeszcze jedna osoba. Boy hotelowy. Szybko podbiegł do stolika zajmowanego przez Erikę i Mocka.

– Przesyłka polecona dla pani Eriki Mock – zastukał mocno obcasami.

Erika otrzymała list, boy – kilka drobniaków, a Mock – parę chwil wytchnienia. Dziewczyna rozerwała kopertę nożykiem do owoców i zaczęła czytać. Na jej twarzy pojawił się lekki uśmiech.

– Co to jest? – nie wytrzymał Mock.

– Posłuchaj – położyła list na stoliku i przycisnęła niesforny róg kartki popielnicą – „mężczyzna urodzony osiemnastego września tysiąc osiemset osiemdziesiątego trzeciego roku w Wałbrzychu jest typową zodiakalną Panną – pełną zahamowań i nieuświadomionych tęsknot. Na jego psychice odcisnęły się mocno jakieś smutne chwile, które przeżył niedawno, może jakaś nieszczęśliwa miłość". – Erika spojrzała z zainteresowaniem na Mocka. – Powiedz mi,

Eberhardzie, jakaż to była nieszczęśliwa miłość... Nie mówisz nic o sobie. Nie chcesz się zwierzać cwanej dziwce... Ale chociaż teraz, na koniec tych przepięknych trzech tygodni... Powiedz coś o sobie...

– To nie żadna nieszczęśliwa miłość. – Mock niezgrabnie dotknął dłonią brody Eriki, a po chwili szorstko otarł kciukiem łzy, które pojawiły się w kącikach jej oczu. – To wojna. W roku tysiąc dziewięćset szesnastym zostałem powołany. Walczyłem na froncie wschodnim, pod Dyneburgiem. Podczas urlopu w Królewcu zostałem ranny. Wypadłem z okna na pierwszym piętrze. Byłem pijany i nic nie pamiętam. Rozumiesz, dziewczyno? – Mock nie mógł oderwać palców od jej policzków. – Nie trafił mnie żaden rosyjski szrapnel, lecz wypadłem z okna. To śmieszne i żenujące. Potem wróciłem pod Dyneburg i przeżyłem tam trudne chwile... Kto ułożył ten horoskop?

– Moja siostra przysłała mi z Rygi. A co, zgadza się?

– Do tej pory jest tak ogólnikowy, że musi się zgadzać. Każdy człowiek ma powikłaną osobowość i wiele dziwnych tęsknot. Czytaj dalej!

– „W młodości ktoś sprawił mu ciężki zawód. Pozbawił go marzeń..." – kontynuowała Erika. – O czym marzyłeś w młodości, Ebi?

– O karierze naukowej. Napisałem nawet kilka rozprawek po łacinie. – Mock wrócił myślą do studenckich lat, kiedy mieszkali w pięciu na przeciekającym strychu. – Ale nie przeżyłem żadnego zawodu. Dość wcześnie zrezygnowałem ze studiów. Podjąłem pracę w policji, bo nie chciałem cierpieć nędzy w jakimś ciemnym pokoiku, gdzie jeden z moich kolegów opluwał krwią swoje przekłady Teognisa z Megary, a drugi wyciągał zza pieca skórę po boczku, odkurzał ją, podgrzewał nad świecą, kroił w małe kawałki i napełniał swój żołądek. Niefrasobliwie rzucił ją za piec kilka tygodni wcześniej...

– „Charakteryzuje się irytującą pedanterią, przesadnym zamiłowaniem do szczegółu. Jako przełożony wytknie podwładnym zarówno niestaranny ubiór, jak i zaniedbywanie na przykład podlewania kwiatów..."

– Bzdura – przerwał jej Mock. – Nie mam ani jednego kwiatka w swoim biurze i w domu.

– Tu nie chodzi o kwiaty – tłumaczyła mu Erika. – Chodzi o to, że czepiasz się podwładnych o jakieś drobiazgi... Poza tym tu jest świetne *à propos*... „Przykład z kwiatami nie jest adekwatny. Jako człowiek na wskroś praktyczny będzie zdania, że w doniczkach należy raczej sadzić kartofle, bo z nich będzie przynajmniej jakiś pożytek. Jest to człowiek gołębiego serca, przytulający każde zagubione i strwożone stworzenie, człowiek, który mógłby się zaangażować w działalność charytatywną lub misyjną. Jego gorące serce przeżywa wielką miłość raz na siedem lat. I tu ostrzeżenie dla dam jego serca..."

Mock nie słuchał dalej, bo w jego głowie znowu zaczął wyć morski wiatr. Patrz, jaka cwana dziwka. Napisała sama ten horoskop. Chce, żeby się nią zajął gołąbek Mock i przytulał do piersi jej skołatane serduszko. Pan wielkiego i gorącego serca miałby podnieść śmiecia targanego przez wiatr w rynsztoku, osuszyć go pocałunkiem, otulić pierzynką miłości! Najlepiej gdybyśmy się pobrali, mielibyśmy czwórkę słodkich dzieci – po niej odziedziczyłyby urodę – a ja chodziłbym z ciężką głową po ulicach Wrocławia i w każdym napotkanym mężczyźnie widział swojego „szwagra". Oto jestem na balu i ktoś ją przedstawia jakiemuś mydłkowi: „To żona radcy kryminalnego Mocka". – „My się chyba skądś znamy", oto jesteśmy na wyścigach na Partynicach, a siedzący obok mnie gracz wysuwa do mojej żony zakrzywiony czubek języka...

Wiatr zawył dziko i Mock trzasnął w stół otwartą dłonią. Podskoczyły talerzyki; prostytutka siedząca kilka stolików dalej zezowała znad swojej filiżanki.

– Nie czytaj już więcej tych bzdur – powiedział cicho.
– Urządźmy sobie pożegnalny bal. We trójkę.
– A kto miałby być tym trzecim? – Erika złożyła w czworo horoskop Mocka i poprawiła kapelusz.
– Nie trzecim, tylko trzecią – syczał Mock. – Twoja znajoma, która siedzi z nami na tarasie.
– Proszę cię, nie. Nie mogę tego zrobić – powiedziała spokojnie i rozpłakała się.
Mock zapalił nowe cygaro i zapatrzył się na prostytutkę. Uniosła głowę znad filiżanki i uśmiechnęła się do niego nieśmiało.
– Nie dzieliłam ciebie z nikim przez te trzy tygodnie. – Erika uspokoiła się szybko, wyjęła koronkową chusteczkę i przesunęła ją po swoim nosku. – I chcę, żeby tak zostało.
– Przez dwa tygodnie – poprawił ją Mock. – Jeśli nie chcesz, to pakuj manatki. – Wyjął portfel z kieszeni. – Tu masz pieniądze na bilet. Zapłacę ci za wszystko. Ile wynosi twoje honorarium?
– Kocham cię – powiedziała spokojnie, wstała i podeszła do siedzącej obok dziewczyny. Rozmawiały przez chwilę, po czym Erika wróciła do Mocka.
– Czekamy na ciebie w przebieralni dla dam. To jej pokój schadzek. – Odwróciła się, objęła dziewczynę wpół i zeszły po schodkach na plażę. Wiatr wył i targał kikutem parasolki. Po chwili znalazły się na kładce prowadzącej do przebieralni. Prostytutka otworzyła pierwszą kabinę i po sekundzie obie w niej znikły.
Mock zapłacił kelnerowi i również wyszedł na plażę. Wiatr i drobny deszcz odstraszyły spacerowiczów, co uspokoiło mieszczańskie sumienie Mocka. Stał przez chwilę, rozglądał się dokoła, po czym chyłkiem przebiegł przez plażę, wspiął się na schodki prowadzące ponad falochronami i opryskany morską pianą pokonał kładkę i wszedł do kabiny. Na ławce siedziały, drżąc z zimna, dwie nagie

kobiety. Na widok mężczyzny zaczęły się głaskać i obejmować. Na ich udach i ramionach pojawiła się gęsia skórka. Erika pocałowała dziewczynę, nie spuszczając oczu z Mocka. Przez szpary w deskach wdzierał się chłód. Mewy rozdzierały powietrze swym krzykiem, Erika dalej patrzyła na niego, prostytutka przyzywała go gestem dłoni. Mock czuł wszystko oprócz erotycznego podniecenia. Sięgnął do spodni i wyjął z nich banknot stumarkowy. Podał go prostytutce.

– To dla ciebie. Ubieraj się i zostaw nas na chwilę – powiedział cicho.

– Dziękuję miłemu panu – powiedziała z silnym pomorskim akcentem i zaczęła wciągać bieliznę, a potem układać fałdy sukni. Po chwili byli sami.

– Dlaczego ją odprawiłeś, Ebi? – Erika siedziała wciąż naga, otulając się sukienką. – Powiedz mi na koniec naszego miesiąca... Miodowego i zarazem ostatniego... Powiedz mi, dlaczego ją odesłałeś... Powiedz, że nie chcesz się z nikim mną dzielić w ciągu tych szczęśliwych darłowskich dni. Skłam i powiedz, że mnie kochasz...

Mock otworzył usta, aby powiedzieć prawdę, i w tym momencie zabębnił ktoś mocno w drzwi przebieralni. Odetchnął z ulgą i otworzył drzwi. Przed nim stał boy hotelowy. Dalej kuliła się od zimna prostytutka w wykrzywionych butach.

– Telegram do szanownego pana – powiedział boy, ciekawie popatrując w głąb kabiny.

Mock dał mu kilka drobniaków i głośno zatrzasnął drzwi przed nosem. Usiadł obok Eriki, otworzył telegram i przeczytał:

„PANA OJCIEC MIAŁ WYPADEK STOP SPADŁ ZE SCHODÓW W MIESZKANIU STOP STAN CIĘŻKI STOP JEST W SZPITALU STOP CZEKAM POD TELEFONEM MAXA GRÖTZSCHLA STOP KURT SMOLORZ".

Wszyscy przyszli punktualnie. Punktualność jest zresztą zasadą naszego bractwa, wynikającą z szacunku wobec upływającego czasu, wobec niezmiennych praw natury. *Deus sive natura* – pisał Spinoza i miał świętą (*par excellence!*) rację. Ale do rzeczy.

Po erudycyjnych popisach niektórych naszych braci (a erudycja ta była zaczerpnięta z leksykonu mitologicznego Roschera) dowiedzieliśmy się wiele o starożytnych mścicielkach – czarnoskórych i obłóczonych w czarne szaty eryniach. Te boginie zemsty – jak się dowiedzieliśmy od brata Eckharda z Pragi – kryły się w porannej mgle lub szybowały w czarnych, burzowych chmurach, a ich włosy i szaty były mocno naelektryzowane, bo jak pisze Plutarch, „ogień pełgał w ich szatach i żmijowych splotach włosów". Te „suki Styksu" swym złowrogim szczekaniem wprawiały w szaleństwo, trującym oddechem zarażały kiełkujące ziarna, swym pejczem smagały tych, którzy sprzeniewierzyli się prawom natury. (Jak to wspaniale współgra z naszą doktryną Natura Magna Mater!!!) A w jaki sposób można najdotkliwiej pogwałcić prawa natury? Poprzez zabicie tej, która daje życie, poprzez matkobójstwo – konkludował brat Eckhard. Na tym gruncie naturalnej etyki powstało znane starożytne wyobrażenie erynij – jako bogiń zemsty.

Po wykładzie brata Eckharda z Pragi rozpętała się gorąca dyskusja. Pierwszą kwestią był uniwersalizm erynij. Brat Hermann z Marburga pytał: czy erynie są bytami niezależnymi, czy też przypisane do danego zabitego? Przecież – wywodził brat Hermann – Homer pisze, że po samobójstwie Jokasty, matki Edypa, tego ostatniego dręczą nie erynie „w ogóle", „erynie jako takie", lecz erynie jego matki. U Ajschylosa czytamy, że Orestesa dręczyły najpierw erynie jego zarąbanego przez matkę ojca, a dopiero później, kiedy Orestes pomścił na swojej matce, mężobójczyni, Klitajmestrze, w taki sam sposób śmierć ojca, wtedy pojawiły się erynie Klitajmestry. Pierwsze, erynie Agamemnona, zmuszały jego syna, Orestesa, do pomszczenia śmierci ojca, drugie, erynie Klitajmestry, dręczyły matkobójcę. Zatem erynie są – jak twierdził brat Hermann – cząstkami danej konkretnej duszy, nie zaś bytami niezależnymi i uniwersalnymi. Wywód brata Hermanna był przekonujący i nikt z nim nie polemizował.

Zabrałem głos i potwierdziłem, że po złożeniu w ofierze ojca naszego zajadłego wroga uwolnimy erynie konkretne, właściwe duszy starego. Powiedziałem przy tym, że pojawienie się erynij Jokasty, które prześladują Edypa, świadczy dobitnie, że prześladowany nie musi własnoręcznie zabić (wszak Jokasta popełniła samobójstwo!), lecz musi być jego wina (a wina niewątpliwie leżała po stronie Edypa!). To podstawowa zasada materializacji erynij!

Otrzymałem oklaski i zgromadzeni podjęli drugą kwestię, która pojawiła się po wykładzie brata Eckharda z Pragi. Mianowicie: czy erynie mogą pomścić również ojcobójstwo, czy tylko matkobójstwo? Mistrz wykazał zasadność tego pierwszego poglądu. Zacytował stosowne passusy z Homera i z Ajschylosa. Wynikało z nich wyraźnie, że erynie Lajosa, zabitego przez swojego syna Edypa, prześladują mordercę, a zatem ojcobójstwo jest również pogwałceniem praw natury. Po wypowiedzi Mistrza wszystko stało się jasne: złożenie w ofierze ojca naszego zaciekłego wroga będzie właściwe. Musi być on jednakowoż przekonany, że ginie przez swojego syna. Uświadomimy mu to przed śmiercią, powiedziałem, tak jak uświadomiłem to tej ladacznicy pokrytej liszajem.

Wtedy zabrał głos brat Johann z Monachium. Wrócił do starej kwestii, która nas tu zgromadziła i którą mieliśmy wyjaśnić, opierając się na literaturze antycznej, a mianowicie: ponieważ były trzy erynie – Alekto, Megajra i Tyzyfone – to czy konieczne jest złożenie trzech ofiar, z których każda odpowiadałaby „istotnym" cechom danej erynii? Większość odpowiedziała na to pytanie negatywnie. Po pierwsze, wywodził brat Johann, potrójne i zindywidualizowane erynie pojawiają się dopiero u Eurypidesa, czyli są już oderwane czasowo od prastarego wyobrażenia, od najbardziej pierwotnych (a więc najprawdziwszych!) przekonań, po drugie zaś – w późniejszej literaturze (głównie rzymskiej!) mieszają się one wzajemnie i jedna wchodzi w miejsce drugiej. Na przykład u jednego autora personifikacją „nieubłaganej zazdrości" jest Megajra, u innego – Tyzyfone. Wynika z tego bez dwóch zdań, że nasza druga i ewentualna trzecia ofiara byłyby ofiarami złożonymi po omacku, bez głębszych uzasadnień, innymi słowy – ofiarami niepotrzebnymi. Ostatnie słowo należało do Mistrza. Poparł on pogląd Johanna z Monachium i wydał mi polecenie: złożyć w ofierze tylko ojca naszego zaciekłego wroga.

Kiedy wszyscy wyszli, ogarnęła mnie irytacja. Mistrz nie dopuścił mnie do głosu! Nie zdążyłem powiedzieć, że erynie nie muszą być cząstkami duszy wyłącznie rodziców. Oto w *Trachinkach* Sofoklesa erynie są wzywane przeciwko Dejanirze, która nieświadomie zabiła swego kochanka, Heraklesa! Oto w *Elektrze* tegoż autora erynie mają pomścić małżeńską niewierność! Podjąłem decyzję: zabiję tę, która kocha naszego największego wroga, i uświadomię jej przed śmiercią, że ginie z jego winy i z jego powodu! Wówczas uwolnię nie tylko erynię jego ojca, lecz także erynię zakochanej w nim kobiety! W ten sposób zakończę wszystko. Sprowadzę na niego dubeltowy atak erynij. Wtedy one odśpiewają w jego głowie swój ponury hymn, który – jak śpiew tyrolskich śnieżnych panien – doprowadzi go do szaleństwa. I tylko wtedy on uda się po pomoc do jakiegoś okultysty. I tylko wtedy on sam pozna prawdę i uświadomi sobie swój błąd!

Kurt Smolorz siedział przy marmurowym stoliku w poczekalni swojego sąsiada, adwokata doktora Maxa Grötzschla, i przeglądał leniwie „Ostdeutsche Sport-Zeitung". Treść artykułów niespecjalnie go interesowała. Smolorza nic nie było w stanie zainteresować oprócz jednego: jak polecenia, które wyda mu dzisiaj Mock, skomplikują jego wieczorne spotkanie z baronową von Bockenheim und Bielau. Miał się o tym dowiedzieć za chwilę, bo oto podskoczył na marmurowym blacie i głośno zabrzęczał stojak telefonu. Smolorz zdjął okrągłą słuchawkę ze stojaka i przyłożył ją do ucha. Drugą ręką chwycił stojak i przybliżył go do ust. Z miną światowca odchylił się do tyłu na krześle.

– Czy mogę rozmawiać z doktorem Grötzschlem? – usłyszał cichy, kobiecy głos. Nie wiedział, jak zareagować. Zwykle w chwilach takiej niewiedzy swoje reakcje sprowadzał do zera. Tak było i teraz. Popatrzył na słuchawkę i odłożył ją na widełki. Po chwili telefon zadzwonił po raz drugi. Teraz Smolorz nie był w takim kłopocie jak przed momentem.

– Mówcie, Smolorz – usłyszał chrapliwy bas Mocka. – Mówcie, co z moim ojcem!

– W nocy w mieszkaniu hałasy – mruknął Smolorz. – Poszedł sprawdzić i spadł ze schodów. Złamana noga i rana na głowie. Pies szczekał i obudził sąsiadów. Niejaki Dosche zawiózł go do szpitala elżbietanek. Pod dobrą opieką. Nieprzytomny. Kroplówka.

- Zadzwońcie natychmiast do doktora Corneliusa Rühtgarda. Numer telefonu siedemnaście-sześćdziesiąt trzy. Jeśli go nie będzie w domu, dzwońcie do Wenzla-Hanckego. Powiedzcie, że proszę, aby zajął się moim ojcem. – Mock zamilkł. Smolorz również się nie odzywał i rozważał istotę łączności telefonicznej, wpatrując się w tubkę, do której przed chwilą mówił. – Jak tam nasze śledztwo? – usłyszał Smolorz.

- W całym Wrocławiu dwadzieścia młodych kobiet-kalek na wózku. Jeździliśmy do nich z Frenzlem...

- Frenzel się znalazł? – chrapliwy bas w słuchawce zadrżał z radości.

- Tak. To hazardzista. Obstawiał u Orlicha. Walki na rękę. Przegrał i za dwa dni spłukany do domu.

- I co? Pokazywaliście te kobiety Frenzlowi? Chociaż dyskretnie?

- Tak. Dyskretnie. Z daleka. Frenzel w aucie, kobieta w wózku na ulicy. Rozpoznał. Louise Rossdeutscher, córka lekarza, doktora Horsta Rossdeutschera. Ojciec – gruba ryba. Zna go komisarz Mühlhaus.

- Ten Rossdeutscher został przesłuchany?

- Nie. Mühlhaus zwleka. Gruba ryba.

- Co to znaczy, do cholery, „gruba ryba"?! – słuchawka warknęła. – Wyjaśnijcie mi to, Smolorz!

- Komisarz Mühlhaus powiedział „ważna osobistość". – Smolorz nie mógł się nadziwić, że oto telefonicznie wychwytuje wszystkie emocje w głosie Mocka, choć ten jest oddalony od Wrocławia o setki kilometrów. – „Trzeba działać ostrożnie. Znam go". Tak powiedział.

- Rossdeutscher jest obserwowany?

- Tak. Cały czas.

- Dobrze, Smolorz. – W słuchawce rozległ się trzask zapalanej zapałki. – Teraz słuchajcie. Jutro o siódmej czternaście wieczorem przyjeżdżam do Wrocławia. O tej właśnie godzinie macie czekać na mnie na Dworcu Głównym. Mają być z wami Wirth, Zupitza i dziesięciu ich ludzi. Pokażecie dziewczynie, z którą będę – wiecie, to ta ruda Erika – zdjęcie Louise Rossdeutscher... Jeśli nie macie jej zdjęcia, to skontaktujcie się z Helmutem Ehlersem i przekażcie mu moją prośbę: do jutra ma sfotografować twarz Louise Rossdeutscher. Pamiętajcie – jutro o siódmej czternaście na dworcu. I nie planujcie już niczego innego... Przez cały wieczór i noc jesteście do mojej dyspozycji. Do jutra macie zebrać wszystkie możliwe informacje o tym doktorze. Wiem, że może być to trudne, bo oficjalnie jesteśmy odsunięci od śledztwa, a Mühlhaus traktuje podejrzanego jak jajo na miękko, ale zróbcie, co w waszej mocy. Macie jakieś pytania?

– Tak. Rossdeutscher podejrzany o to całe zabijanie?

– Pomyślcie, Smolorz. – Wypchnięty z płuc dym tytoniowy uderzył w membranę. – „Czterej marynarze" zostali nafaszerowani morfiną przed śmiercią. Kto ma dużo morfiny? Lekarz. Nie wiem, czy Rossdeutscher jest podejrzany. Wiem, że najprawdopodobniej on i jego córka byli ostatnimi ludźmi, którzy widzieli tych przebierańców. Chcę mieć Rossdeutschera na widelcu.

– Jeszcze pytanie. Po co Wirth i Zupitza?

– Jak byście określili postępowanie Mühlhausa wobec Rossdeutschera? – tym razem Smolorz usłyszał głos dobrotliwego nauczyciela, który egzaminuje tępego ucznia. – Boi się go przesłuchać, mówi o nim szeptem „ważna osobistość" i tak dalej... Jak byście nazwali takie postępowanie?

– Że się z nim cacka.

– Dobrze, Smolorz – głos Mocka przestał być dobrotliwy. – Mühlhaus się z nim cacka. My nie będziemy się cackać. Po to Wirth i Zupitza.

Pociąg ze Szczecina wjeżdżał na wrocławski Dworzec Główny. Erika Kiesewalter wyglądała oknem. Przez łzy, które pęd powietrza wyciskał z jej oczu, obserwowała uciekające płyty peronowe, stoiska z kwiatami, potężne żelazne filary podtrzymujące szklane sklepienie oraz kioski z papierosami i gazetami. Białe słupy pary były wydmuchiwane na perony i spowijały ciepłym obłokiem czekających tam ludzi. Zwykle były to pojedyncze osoby, na ogół elegancko ubrani panowie w welurowych rękawiczkach i z wiązankami kwiatów obleczonymi w szorstki pergamin. Bywały też egzaltowane damy, które na widok wytęsknionych i długo oczekiwanych twarzy za szybami wagonów rozpinały gwałtownie parasolki lub odrywały od ust dłonie, wysyłając w przestrzeń całuski. Takich ludzi nie brakowało i teraz na peronie. Wyraźnie kontrastowała z nimi grupa trzynastu mężczyzn o ponurym wyglądzie, z których większość miała kaszkiety i cyklistówki naciągnięte na głowy. Wagon sypialny zatrzymał się prawie przed nimi. Erika z pewnym lękiem patrzyła na tych ludzi o wyglądzie bandytów, lecz po chwili się uspokoiła, widząc znajomą, okoloną rudymi, sztywnymi włosami twarz podwładnego Mocka. Eberhard, powierzywszy walizki bagażowemu, wyszedł na peron i – ku zdziwieniu swego współpracownika – wsunął dłonie pod pachy Eriki, zakręcił nią jak dzieckiem i postawił ją na peronie. Podał dłoń rudowłosemu oraz jeszcze dwóm mężczyznom, którzy – choć diametralnie różnili się wzrostem – mieli jedną cechę wspólną: obaj byli szpetni i odpychający.

– Macie fotografię, Smolorz? – zapytał Mock.

Smolorz sprawiał wrażenie pijanego. Chwiał się na nogach i uśmiechał bezmyślnie. Bez słowa wyjął z teczki duże zdjęcie i podał je Erice. Spojrzała na widniejącą na fotografii dziewczynę i powiedziała niepytana:

– Tak, poznaję. To ona przychodziła ze swoim ojcem do mieszkania przy Gartenstrasse.

– Dobrze – mruknął Mock i spojrzał krytycznie na Smolorza. – A teraz do dzieła. Czy ludzie Mühlhausa śledzą doktora Rossdeutschera? Gdzie leży mój ojciec?

– W szpitalu Wenzla-Hanckego, pod opieką doktora Rühtgarda – odparł Smolorz, odpowiadając na pytania według hierarchii ich ważności. – Nie wiem, jak wygląda sprawa z Rossdeutscherem. W naszym archiwum o Rossdeutscherze nic. Kompletnie. Tylko, gdzie mieszka. Karłowice, Korsoallee pięćdziesiąt dwa. Oto czego się o nim dowiedziałem. – Podał Mockowi kartkę papieru zapisaną równym pismem.

– Dobrze, Smolorz. – Mock przeczytał i zmienił się na twarzy. – Wygląda na to, że nasz Rossdeutscher był oskarżony przez Wrocławską Izbę Lekarską o stosowanie na swoich pacjentach praktyk okultystycznych. Obronił się skutecznie przed zarzutami. Jest bardzo ustosunkowany...

Mock rozejrzał się dokoła. Ich zgromadzenie budziło zainteresowanie. Przyglądał się im jakiś gazeciarz, jakiś żebrak dopraszał się o kilka marek.

– Rozgonić ich, Wirth. – Mock spojrzał na niewysokiego mężczyznę w meloniku, a ten przekazał jego rozkaz jednym ruchem dłoni stojącemu przy nim olbrzymowi. Ten ruszył na gapiów, a ci rozmyli się w obłokach pary.

– Smolorz – Mock spojrzał na Erikę – zabierzecie pannę Kiesewalter do mieszkania przy Gartenstrasse. Macie jej pilnować, dopóki was nie zmienię. I dzisiaj już ani kropli, zrozumiano? A my wszyscy – spojrzał na Wirtha – jedziemy. Najpierw do szpitala, a potem na Karłowice złożyć wizytę doktorowi Rossdeutscherowi.

Podszedł do Eriki i pocałował ją w usta.

- Dziękuję, że powiedział pan „panna Kiesewalter"
- szepnęła, oddając pocałunek. - A nie po prostu „zabierzcie ją, Smolorz". Dziękuję, że nie powiedział pan „ją"...
- Naprawdę tak powiedziałem? - Mock uśmiechnął się i przesunął szorstką dłonią po jej jasnym policzku.

Wrocław, sobota 27 września 1919 roku,
godzina ósma wieczorem

Smolorz otworzył mieszkanie „czterech marynarzy", wszedł pierwszy i przed nosem Eriki zatrzasnął drzwi. Pozapalał wszędzie światła i zlustrował dokładnie wszystkie pomieszczenia. Dopiero wtedy otworzył ponownie. Ujął Erikę pod łokieć i wprowadził ją do mieszkania. Zaryglował drzwi i usiadł ciężko przy kuchennym stole. Wyjął z teczki butelkę gdańskiego likieru Łosoś i nalał sobie sporą działkę do czystej szklanki. Popijając małymi łykami żrący płyn, patrzył, jak Erika wiesza w przedpokoju płaszcz, a potem
- ubrana w kapelusik i obcisłą, wiśniową suknię - wchodzi do pokoju, pochyla się nad łóżkiem i poprawia skołtunioną pościel, której nikt nie zmieniał od trzech tygodni. Biodra Eriki i pogniecione prześcieradła, które - jak mniemał Smolorz - jeszcze wydzielają zapach dziewczyny, na chwilę zamąciły jego myśli. Przypomniał sobie baronową, która wije się w mokrej pościeli i jej męża stojącego obok łoża z zaintrygowaną miną. Oto pan baron von Bockenheim und Bielau nosem wciąga biały proszek, a potem kaszle, rozpylając wokół gorzkie chmury.

Kolejny łyk Łososia niespecjalnie mu zasmakował. Winą za to obarczył wyobrażenie grzecznego i wyniosłego barona, które miał przed oczami. Dla polepszenia smaku napoju swoje myśli skierował ku osobom, które budziły u niego ciepłe uczucia. Co teraz robi mój mały Arthur? Czy bawi się samochodzikiem? Likier był znakomity. Czy klęczy teraz w kuchni w swych grubych spodniach wzmacnianych na tyłku skórzaną łatą i sunie małym modelem daimlera po jednej z czysto wypucowanych desek? Czystość w jego kuchni skojarzyła mu się z małżonką, panią Ursulą Smolorz. Oto klęczy na kuchennej podłodze i zmywa proszkiem Ergon gładkie deski. Jej mocne ramiona, kołyszące się łagodnie piersi, zapłakana piegowata twarz, jej rozrywający szloch, kiedy Smolorz, odtrąciwszy ją, trzaskał drzwiami i szedł w ślepym zamroczeniu w stronę okazałej willi na Wagnerstrasse, gdzie czekała na niego baronowa w aksamitnej mokrej od potu pościeli. Mały Arthur płakał, kiedy jego matka w furii, przyciszonym głosem tłumaczyła mu, że tatuś już go nie kocha, lecz kocha jakąś wywłokę. „Co to jest wywłoka, mamusiu?" – „To zła żmija, to diablica w ludzkiej skórze", wyjaśniała. Arthur Smolorz ucieka od ojca, gdy ten chce go wziąć na ręce, krzyczy wniebogłosy: „Nie chcę cię, idź do włoki!" Wachmistrz kryminalny sięgnął po butelkę. Wiedział, co jest najlepsze na wyrzuty sumienia.

Wrocław, sobota 27 września 1919 roku,
godzina ósma wieczorem

Siostra Hermina, dyżurująca na oddziale chirurgicznym szpitala Wenzla-Hanckego, odłożyła słuchawkę telefonu. Była zła jak osa. Po raz kolejny tego dnia otrzymała polecenie od doktora Corneliusa Rühtgarda i po raz kolejny w cichości swego serca wyraziła z tego powodu dezaprobatę. Co to ma znaczyć! Od kiedy to lekarz z innego oddziału wydaje jej polecenia?! Postanowiła się poskarżyć swojemu bezpośredniemu przełożonemu, ordynatorowi oddziału chirurgicznego, doktorowi Karlowi Heintzemu. Co za bezczelność! Ten Rühtgard, jako dermatolog, powinien się ograniczyć do swoich gnijących za życia prostytutek i chutliwych mieszczan, których toczy kiła w trzecim stadium! Siostra Hermina odgoniła złe myśli, nielicujące z jej łagodną wyrozumiałością, okrzepłą przez lata w służbie bliźnim, i przyglądała się z okien dyżurki, jak dwóch pielęgniarzy popycha wózek, na którym zamroczony morfiną, brzuchaty pan Karl Hadamitzky zmierza w stronę sali operacyjnej – na spotkania sączka i skalpela, który ma wyciąć rakowatą narośl na jego nerce.

Za wózkiem biegł jakiś pan w rozpiętej marynarce i wachlował się melonikiem. Siostra Hermina zapatrzyła się przez chwilę na niego: jej zainteresowanie wzbudziła śniada cera mężczyzny, oczerniona mocnym cieniem zarostu, jego szerokie ramiona i czarne, falujące włosy. Minął jej dyżurkę bez słowa wyjaśnienia, kim jest i co tu robi. Tego było za wiele.

– Hola, mój panie! – krzyknęła donośnym, prawie męskim głosem. – Czy pan idzie odwiedzić kogoś z naszych chorych?! Trzeba się najpierw zameldować u mnie!

– Eberhard Mock – powiedział mężczyzna chrapliwym basem. – Owszem, idę odwiedzić mojego ojca, Willibalda Mocka.

Powiedziawszy to, przykrył głowę melonikiem i następnie zdjął go, kłaniając się w ten sposób siostrze Herminie. Ukłon ten był tyleż dworski, co ironiczny. Nie czekając na pozwolenie, zlekceważywszy jakąkolwiek jej reakcję, ruszył szybko korytarzem.

– Mock Willibald, Mock Willibald – powtarzała rozzłoszczona siostra, przesuwając palcem po kolumnie nazwisk. Po chwili palec się zatrzymał. Ach, to ten, który znalazł się na naszym oddziale na polecenie doktora Rühtgarda, to ten pacjent specjalnej troski! Co to znaczy specjalnej troski? Wszyscy wymagają jak najtroskliwszej opieki! Nie tylko starszy pan Willibald Mock! Już ja to ukrócę!

Siostra Hermina sięgnęła po telefon i wykręciła numer domowy profesora Heintzego.

– Mieszkanie doktora Heintzego – usłyszała w słuchawce dobrze wyćwiczony, męski głos.

– Mówi siostra Hermina ze szpitala miejskiego Wenzla--Hanckego. Czy mogłabym rozmawiać z panem doktorem? Kamerdyner nie raczył odpowiedzieć i położył słuchawkę obok telefonu. Tak zachowywał się zawsze – o czym wiedziała – gdy słyszał nazwisko przedstawiającego się niepoprzedzone żadnym tytułem naukowym. Słyszała dźwięki fortepianu, rozweselone głosy i brzęk kieliszków. Zwykłe odgłosy sobotniego przyjęcia u doktorostwa.

– Słucham siostrę – głos doktora Heintzego nie był zbyt przyjazny.

– Panie profesorze, ten doktor Rühtgard z oddziału chorób zakaźnych szarogęsi się i wydaje mi polecenia względem tego...

– Ach, już wiem, o co chodzi siostrze – przerwał jej nieco poirytowany doktor Heintze. – Proszę mnie uważnie posłuchać. Wszystkie polecenia doktora Rühtgarda są moimi poleceniami. Czy siostra mnie dobrze zrozumiała? – Trzasnęła odłożona na widełki słuchawka.

Siostra Hermina nie była już poirytowana, lecz zaciekawiona. Kim jest ten starszy pan ze wstrząsem mózgu i złamaną w dwu miejscach nogą? Niewątpliwie jakąś ważną osobistością. Stąd żądania Rühtgarda, by przenieść go do salki jednoosobowej i aby – mimo szczupłości personelu – sprawować nad nim opiekę całodobową. A teraz ten jego syn... Elegancki i arogancki.

Siostra Hermina ruszyła korytarzem w stronę separatki, w której leżał starszy pan Mock. Szelest jej wykrochmalonego fartucha i widok połamanych skrzydeł jej czepca budziły chorych do życia i napawały ich nadzieją. Prostowali się na swych łóżkach i nie zwracali uwagi na ból, wiedząc, że za chwilę siostra Hermina jednym zastrzykiem i jednym wyrozumiałym spojrzeniem wprowadzi ich w krainę łagodności i spokoju. Ich nadzieje były jednak płonne. Siostra Hermina zapukała do separatki i weszła do niej, nie otrzymawszy żadnej odpowiedzi. Nic dziwnego, że nikt nie odpowiadał. Starszy pan Mock leżał nieprzytomny, a jego syn przyciskał do ust pokłutą igłami dłoń ojca. Spojrzała na pana Mocka młodszego i poczuła niesmak. Zawsze czuła niesmak, gdy widziała płaczących mężczyzn.

Wrocław, sobota 27 września 1919 roku, godzina jedenasta w nocy

Siostra Hermina zbliżała się z kaczką do drzwi separatki i otworzyła je na oścież, będąc pewna, że znów zobaczy dwóch uśpionych panów. Jednego z nich ukoił, jak nieco patetycznie tłumaczyła sobie siostra Hermina, ból ciała, drugiego – ból duszy. Tym razem siostrę Herminę zawiodła jej skądinąd bezbłędna intuicja. Żaden z nich nie spał. Starszy pan Mock przerwał na jej widok jakąś dłuższą wypowiedź i przyjął od niej kaczkę z widoczną ulgą. Młodszy pan Mock wyszedł na korytarz, nie chcąc najwidoczniej przeszkadzać ojcu, i zapalił papierosa. Siostra Hermina wyniosła krępujący przedmiot i – pamiętając twarde słowa doktora Heintzego – nie ośmieliła się zwrócić palaczowi uwagi na niestosowność oddawania się w tym miejscu zgubnemu nałogowi. Młodszy pan Mock – jakby telepatycznie odbierając jej myśli – zdusił butem niedopałek, zawinął go w kawałek papieru i wszedł z powrotem do separatki. Siostra wsunęła kaczkę pod stojący na korytarzu wózek, wypełniony czystymi prześcieradłami, zdjęła swój imponujących rozmiarów czepiec i przysunęła ucho do szpary w drzwiach.

– Gdybyś był wtedy w domu – usłyszała zduszony jęk chorego – pogoniłbyś tego włamywacza, który hałasował po nocy...

– To nie był włamywacz, ojcze – przerwał mu zachrypnięty bas. – Włamywacz nie hałasuje... Gdyby się ojciec zgodził wyprowadzić z tego domu, gdyby ojciec nie był tak uparty, nie byłoby tego wypadku...

– Gdyby, gdyby... – najwidoczniej starszy pan nabierał sił, skoro tak udatnie przedrzeźniał syna. – To gadzina jedna... Mówi mi, że to wszystko moja wina... Tak? Moja? A kto wyjechał z jakąś dziwką, nie wiadomo gdzie, i zostawił starego samego bez żadnej pomocy? Kto? Duch Liczyrzepa? Nie, to mój własny syn, Eberhard... Nikt, tylko on... A ty, stary, zdychaj, czas na ciebie... Tak się odwdzięczył ojcu...

– A za co ja właściwie miałem się ojcu odwdzięczyć?

– Siostra Hermina wielokrotnie słyszała ten ton, ten zduszony timbre. Tak mówili ci, którzy dowiadując się o śmierci swych bliskich, rozpaczliwie starają się nie okazać słabości. Intonacja rozpięta na diametralnie przeciwnych nutach – jak mutacja dorastającego chłopca.

Zapadło milczenie. Cicho syczała para w sterylizatorach, chorzy pojękiwali przez sen, na sali operacyjnej brzęknęła o kamienną podłogę blaszana nerka wypełniona rakowatymi tkankami pana Hadamitzky'ego, szpital usypiał, budziły się karaluchy pod zlewami i w wilgotnych zaułkach pod rurami kanalizacyjnymi.

W szparze niedomkniętych drzwi oprócz ucha pojawiło się również oko siostry Herminy. Chory ściskał mocno rękę syna. Mieli identyczne dłonie o krótkich grubych palcach.

– Masz rację – głos starszego pana był prawie rzężeniem umierającego. Po jego twarzy przesuwały się fale bólu. – Dupczyć i płodzić potrafi każdy osioł. Masz rację... Tylko tyle mi zawdzięczasz...

Syn ścisnął dłoń ojca tak mocno, że siostra Hermina przysięgłaby, że pod wpływem tego uścisku zadrżała noga otulona twardymi deszczułkami.

– Już nigdy cię nie zostawię – powiedział syn. Wstał i gwałtownie rzucił się ku drzwiom. Siostra Hermina odskoczyła. Wychodzący minął ją z dziwnymi błyskiem w oczach. Musiał zauważyć moje pomieszanie – pomyślała, poprawiając czepek. Łuny biły na jej suchych policzkach pokrytych jasnym meszkiem. – Jeszcze gotów pomyśleć, że baranieję na jego widok.

Siostra Hermina myliła się. Była ostatnią osobą, o której teraz myślał asystent kryminalny Eberhard Mock.

Wrocław, sobota 27 września 1919 roku,
kwadrans na północ

Na Korsoallee, naprzeciwko okazałej willi doktora Rossdeutschera, stał nowoczesny adler. O obecności pasażerów, siedzących w aucie, świadczyły cztery ogniki papierosów. Podobne ogniki jarzyły się pod dwiema dużymi lipami stojącymi przed samym ogrodzeniem willi zakończonym szpicami w kształcie płomieni. Okna domu były rozświetlone, a zza częściowo opuszczonych żaluzji dochodziły podniesione głosy – jakby ktoś się kłócił albo składał uroczyste przysięgi.

Na cichej uliczce pojawił się samotny mężczyzna. W kąciku jego ust również jarzył się papieros. Zbliżył się do auta i otworzył gwałtownie tylne drzwi od strony kierowcy.

– Posuńcie się, Reinert – powiedział ochryple. – Nie jestem już taki szczupły, aby się koło was zmieścić.

– To Mock – powiedział Reinert i ustąpił posłusznie miejsca.

Mock rozejrzał się po ciemnym wnętrzu automobilu i rozpoznał innych policjantów z komisji morderstw: za kierownicą siedział Ehlers, tylną kanapę zajmowali nieodłączni Reinert i Kleinfeld. Obok kierowcy rozwalał swe tłuste uda jakiś nieznany Mockowi człowiek w cylindrze.

– Powiedzcie mi, panowie – szepnął Mock – co wy tu robicie? I co robią ci sprytni wywiadowcy pod drzewami? Ich papierosy widać już z brzegu Odry. Wszyscy, którzy wychodzą z knajpy „Nad Starą Odrą" zadają sobie pytanie: kim są ci dwaj czający się pod drzewami? Myślicie, panowie, że podobnego pytania nie stawiają sobie służący doktora Rossdeutschera?

– Służby nie ma w domu – powiedział Ehlers. – Kucharka i kamerdyner opuścili dom około szóstej.

– Kto to jest? – odezwał się jegomość w cylindrze, a w jego złym oku błysnął monokl. – I jakie ma uprawnienia do zadawania pytań?

– Asystent kryminalny Eberhard Mock, doktorze Pyttlik – powiedział zimno Ehlers. – To człowiek, który jak nikt ma prawo stawiać takie pytania. A naszym obowiązkiem jest na nie odpowiadać.

– Niech pan mnie nie uczy moich obowiązków, Ehlers. – Monokl spadł na klapę rozzłoszczonego doktora Pyttlika. – Ja tu jestem waszym zwierzchnikiem jako przedstawiciel władz miejskich. Wiem, kim jest Mock i jaką godną pożałowania rolę odgrywa w tej sprawie. Wiem też, że Mock jest odsunięty od śledztwa i przebywa na urlopie. – Doktor Pyttlik obrócił nagle na fotelu swe stukilogramowe ciało, a adler zakołysał się na swych resorach. – Mock, co wy tu robicie, do cholery?! Powinniście być na grzybach albo na rybach...

Mock poczuł na swej twarzy oddech przesycony dymem podłego cygara. Policzył w myślach po łacinie do dwudziestu i spojrzał na poirytowane oblicze doktora Pyttlika.

– Powiedział pan, panie Pyttlik... – Mock wciąż szeptał.

– Doktorze Pyttlik – poprawił go posiadacz tytułu naukowego.

– Powiedział pan, panie Pyttlik, że wie, jaką ja odgrywam godną pożałowania rolę w całej sprawie. A jaką rolę odgrywa pan? Czy równie żałosną?

– Jak on śmie! – zachłysnął się świętym oburzeniem Pyttlik. – Niech pan powie, Kleinfeld, kim ja tu jestem...

– Sam mu pan to może powiedzieć – uśmiechnął się Kleinfeld. – Nie jest pan małomównym Mojżeszem, za którego musiał przemawiać elokwentny Aaron.

– Jestem tu jako pełnomocnik burmistrza – podniósł głos Pyttlik. – I mam dopilnować, aby zatrzymanie doktora Rossdeutschera odbyło się zgodnie z prawem. Poza tym ja dowodzę tą akcją i ja wydam rozkaz do jej rozpoczęcia.

– On jest dowódcą? On jest tu szefem? – Mock wymierzył sobie lekki policzek, jakby chciał otrzeźwieć. – To jest nowy prezydent policji?

– Bez decyzji pana Pyttlika... – odezwał się Ehlers.

– Doktora Pyttlika – pełnomocnik był mocno poirytowany.

– Pan Pyttlik podejmuje decyzję. – Ehlers nie zwrócił na pełnomocnika najmniejszej uwagi. – Taki jest rozkaz komisarza kryminalnego Mühlhausa.

– Gdzie jest Mühlhaus? – Mock przetarł oczy.

– Co was to obchodzi, Mock? – Pyttlik obniżył swój głos do szeptu. – Jedźcie gdzieś, wypocznijcie... Na grzyby albo na ryby...

– Gdzie jest Mühlhaus? – Mock spojrzał w oczy Reinertowi.

– Negocjuje – mruknął Reinert. – Prosi burmistrza o pozwolenie zatrzymania i przesłuchania doktora Horsta Rossdeutschera.

– Teraz, w nocy, negocjuje? – tym razem Mock spojrzał na Pyttlika.

– Teraz nie – sapnął zrezygnowany pełnomocnik. – Niestety, nie. Teraz pan burmistrz jest na jakimś przyjęciu i komisarza Mühlhausa przyjmie dopiero jutro. A my musimy tu siedzieć i czekać do rana na decyzję pana burmistrza. Bo nie możemy odejść od tego domu... – spojrzał tęsknie na pobliską gospodę.

Mock wysiadł z samochodu i trzasnął drzwiami. Stał przez chwilę na trotuarze i wpatrywał się w okno willi. Dochodziły stamtąd odgłosy jakichś pieśni. Nagle wysoki kobiecy głos wybił się ponad inne. Do uszu policjantów dotarła wysoka inkantacja. Śpiew syren. To skojarzenie pomogło Mockowi w odzyskaniu spokoju ducha po wypowiedzi Pyttlika. Przed oczami stanęła mu gimnazjalna pracownia języków klasycznych. Wśród map Italii i Hellady, wśród gipsowych popiersi, na których uczniowie zostawiali ślady szkolnej zgryzoty, wśród greckich i łacińskich tabel koniugacyjnych odpowiada młody Eberhard Mock. Recytuje fragment *Odysei* i poprzez lotne heksametry przebija obraz przywiązanego do masztu Odyseusza, którego wzywa syreni śpiew kusicielek. W ciemnej uliczce Korsoallee nagle rozdzwoniły się strofy Homera.

– Tym to wesoło. Śpiewają i śpiewają – powiedział Pyttlik, wskazując na rozświetlone okna willi Rossdeutschera. – A ten, co? – teraz pokazał palcem na Mocka. – Oszalał? Co on tam gada?

Mock okrążył auto i podszedł do okna, z którego wystawał cylinder.

– Dziękuję panu za wyjaśnienia, doktorze Pyttlik – powiedział Mock. – Mam jeszcze jedno pytanie. Chciałem się upewnić. Nie wiem, czy pan wie... Doktor Rossdeutscher jest człowiekiem, który korzystał z usług czterech zamordowanych męskich prostytutek, jest człowiekiem, który najprawdopodobniej widział ich po raz ostatni. Trzeba go przesłuchać. Nikt tego nie robi. Zamiast tego burmistrz przysyła pana, doktorze, czyni pana odpowiedzialnym za całą akcję, innymi słowy – powierza panu obowiązki komisarza Mühlhausa, a dla samego komisarza Mühlhausa nie ma dziś czasu. Czy tak właśnie jest, doktorze Pyttlik?

– Wypraszam sobie – Pyttlik rzucił się w aucie, które ponownie osiadło na nowych, doskonale wyważonych resorach. – Wasze insynuacje wobec pana burmistrza są wysoce...

Mock gwizdnął trzykrotnie. Potem rozcapierzył palce na nalanej twarzy Pyttlika i pchnął ją mocno w stronę Ehlersa. Usłyszał trzask gniecionego cylindra. Na uliczkę wtargnęło sześciu mężczyzn od strony gospody i siedmiu od strony parku. Dwaj wywiadowcy opuścili swe stanowiska pod drzewami i podeszli zdezorientowani do adlera. Pyttlik w pogniecionym cylindrze usiłował wygramolić się z automobilu.

– Teraz ja przejmuję dowodzenie – powiedział Mock prosto w rozwścieczoną twarz knura i zaparł nogą drzwi.

– To jest przemoc! – wrzasnął Pyttlik, nie mogąc wyjść z auta. – Napad na przedstawiciela burmistrza! Odpowiesz mi za to, Mock. Jesteś skończony, Mock! Brać go! – krzyknął do dwóch wywiadowców, którzy opuścili swe stanowiska pod lipami, a teraz przyglądali się całemu zajściu z obojętnymi minami. – Aresztować go!

– Nie ruszać się – rzucił im z wnętrza auta Ehlers. – To jest napad, doktorze Pyttlik. Sam pan tak powiedział. Zostaliśmy sterroryzowani.

– Napadł mnie! Zaatakował! – wrzeszczał Pyttlik i znów zakołysał adlerem. – Biorę was na świadków!

– Widziałeś coś, Kleinfeld? – zapytał sennie Reinert, obserwując Mocka forsującego przy pomocy wysokiego osiłka ogrodzenie z niebezpiecznymi szpicami.

Ludzie Mocka przeskakiwali bez trudu przez parkan i rozbiegali się wokół willi doktora Rossdeutschera. Olbrzym otworzył wytrychem – jak sądził Reinert – drzwi kuchenne. Mock powiedział coś cicho do niewysokiego mężczyzny w meloniku, a ten kilkoma ruchami dłoni przekazał to osiłkowi. Mock wszedł do domu, a za nim wślizgiwali się jego ludzie.

– Widziałeś coś, Kleinfeld? – powtórzył Reinert. – Czy ktoś kogoś zaatakował?

– Ależ skąd! – mruknął Kleinfeld. – Widzę tylko, że pan Pyttlik nie może znaleźć sobie miejsca w aucie. Wciąż się kręci jak Jonasz w brzuchu wieloryba.

27 IX 1919

Wieczorem miało się odbyć zebranie, na którym musieliśmy uzyskać akceptację bóstw. Wywołanie erynij nie wydawało się niczym trudnym, lecz dokonanie tego wbrew woli Najwyższych byłoby strasznym świętokradztwem. Moim zadaniem, jako kronikarza naszego bractwa, jest dokładne opisanie obrzędów akceptacyjnych.

Na zebraniu stawili się: Mistrz oraz bracia Eckhard z Pragi, Hermann z Marburga i Johann z Monachium. Byli też wszyscy wrocławscy bracia. Po modlitwie do Natura Magna Mater rozpoczęliśmy obrzędy inicjacyjne. Hymn do Kybele, a następnie staroindyjskie mantry ku czci Gauri wprowadziły w trans nasze medium. Po chwili bóstwo odezwało się jego wysokim głosem. Brat Johann z Monachium tłumaczył, a brat Hermann z Marburga zapisywał boski przekaz. Nasze medium ma wielką siłę. Córka ma w sobie całą moc ojca. To pewne. Trzeba tylko tę siłę uwolnić. Medium potrafiło uwolnić wszystkie byty krążące wokół niego. Było w stanie wyłapywać z rzeczywistości

ponadzmysłowej potężne wiązki duchowej energii. Sły-
szeliśmy szepty i głosy wokół i wewnątrz domu [dalej nie-
czytelne zygzaki].

*Wrocław, niedziela 28 września 1919 roku,
kwadrans po północy*

Mock stał w drzwiach wielkiego pokoju i obserwował
zgromadzonych w nim ludzi. Mógł to robić otwarcie i bez
żadnego skrępowania, ponieważ zebrani byli całkowicie
i ślepo skoncentrowani na siedzącej na wózku inwalidzkim
kobiecie, a ich spojrzenia zawisły u jej ust. Kobieta ta krzyczała coś wysokim głosem – a wtedy nadymała się woalka
oblepiająca jej dużą głowę, która albo została ogolona, albo
obklejona ściśle przylizanymi włosami. Filologiczny umysł
Mocka rejestrował syczące i szumiące głoski w okrzykach
kaleki, które budowały całe frazy spojone wyraźnym przy-
ciskowym rytmem.

W ogromnym pokoju o ścianach wybitych czarną od
starości boazerią, w którym nie było nic oprócz siedmiu
skórzanych foteli i stosów starodruków ustawionych na
biurku trzymetrowej długości, siedziało siedmiu mężczyzn.
Wszyscy oni byli ubrani wieczorowo – we fraki, w których
wycięciu błyszczały śnieżnobiałe gorsy. Najstarszy ze zgromadzonych tłumaczył ekstatyczne jęki kaleki, pięćdziesię-
cioletni brodacz o urzędniczym wyglądzie notował jego
przekład, a pozostali wpatrywali się napiętym wzrokiem
w kaleką prorokinię.

Mock odniósł wrażenie, że kobieta recytuje jakiś poemat
w nieznanym mu języku. Poczuł niekłamany podziw dla
starszego mężczyzny, który *ex abrupto* tłumaczył wypowiedzi, a czynił to tak wolno i dokładnie, że siedzący przy nim
brodaty sekretarz bez najmniejszego wysiłku wszystko

dokładnie notował i rzucał co chwila zapisane kartki na stos innych spiętych stalowym spinaczem.

Mock wszedł do pokoju i zaklaskał głośno w dłonie.

– Przerwa, drodzy panowie – krzyknął.

Nikt niczego nie przerwał. Kaleka wypluwała z siebie dalej ciemne tautologie, a woalka przyklejała się do jej ust, wilgotniejąc od śliny. Zgromadzeni nie odrywali od niej oczu. Prowadzący zebranie pomylił się w tłumaczeniu, a brodaty sekretarz coś kreślił w notatkach. Nikt nawet nie spojrzał na Mocka.

– Który z panów jest doktorem Rossdeutscherem? – zapytał Mock.

Odpowiedziały mu okrzyki chromej Sybilli. Krztusiła się i dławiła zbitkami spółgłosek, których nie przecinała żadna samogłoska, nie rozbijała żadna anaptyksa. Mock okrążył zgromadzonych i zbliżył się do sekretarza. Sięgnął po stos kartek i rozgiął spinacz. Wyjął kilka z nich z samego środka. Zaczął czytać.

– To on – tłumaczył prowadzący, a jego sekretarz skrzętnie zapisywał. – On tu jest. Nasz największy wróg. On tu jest!

„Dokonałem eksperymentu, czas zweryfikuje jego wyniki. Jak to zrobiłem? Odizolowałem tego człowieka i zmusiłem go do pisemnego przyznania się do cudzołóstwa. Jest to dla niego straszne wyznanie, ponieważ jest on do szczętu przesiąknięty mieszczańską moralnością. Przyprowadziłem tego człowieka w wiadome miejsce późną nocą. Był zakneblowany i związany. Uwolniłem jego prawą dłoń. Przywiązałem go do krzesła. Wtedy jeszcze raz mu kazałem zdementować to, co wcześniej napisał, i obiecałem, że jak będzie mi posłuszny, to dam ten drugi list jego żonie. Gorączkowo coś nabazgrał. Zabrałem mu drugi list i wsunąłem do kratki odpływowej. Widziałem jego wściekłość i ból. «Ja tu wrócę», mówiły jego oczy. Wtedy wyniosłem tego człowieka do powozu i pojechaliśmy. Potem go zabiłem i zostawiłem tam, gdzie niechybnie zostanie znaleziony. Jego duch wróci i skieruje uwagę mieszkańców ku kratce odpływowej" – przeczytał Mock.

Medium zaczęło wyć. Tarło wykrzywionymi kolanami, toczyło z ust ślinę i rzucało głową. Woalka zsuwała się powoli z gładkiej czaszki. Obleczona w rękawiczkę dłoń wsunęła się między fałdy sukien. Wrzask, który przypominał szczekanie wściekłej suki, udzielił się tłumaczowi.

– To on! To on! – przekładał tłumacz. – Zabić go! Zabić!

„Zjadłem kolację i poszedłem pod kamienicę, w której znikła śledzona przeze mnie przedwczoraj prostytutka. Czekałem. Wyszła około północy i mrugnęła do mnie znacząco. Po chwili byliśmy w dorożce, a za kwadrans w miejscu, gdzie składamy ofiary duchom naszych przodków. Rozebrała się sama, za sowitą opłatą pozwoliła się również związać, nie protestowała, kiedy ją kneblowałem. Miała paskudną egzemę na szyi. To było spełnienie antycypacji. Przecież wczoraj złożyłem nauce w ofierze dyrektora W., lat sześćdziesiąt, który miał identyczną egzemę. I również na szyi!" – czytał Mock.

Odłożył stos kartek i spojrzał na brodatego sekretarza. Na Korsoallee wjeżdżały policyjne auta. Mocka atakowały zewsząd ostre dźwięki. Słyszał wycie syren, rozdzierające zawodzenie suki, szum morskiego wiatru. Chwycił piszącego za gardło i przycisnął go do oparcia fotela. Jego łysawa głowa głucho stuknęła o drewniany szpic zwieńczający oparcie.

– Ty to pisałeś, skurwysynie?! – Mock wysunął dolną szczękę i pokrył gęstą brodę sekretarza kropelkami swojej śliny. Nagle poczuł uderzenie w udo. Odwrócił się i skamieniał. Istota na wózku inwalidzkim miała rzadkie przylizane włosy. Spomiędzy nich przebijały białe płaty skóry. Były one pokryte tu i ówdzie ciemnymi cętkami, których zrogowaciałe brzegi porośnięte były rzadkimi kłakami. W otwartych, bełkocących ustach wibrował czubek języka. Jajowata głowa rzucała się na boki i uderzała raz jedną, raz drugą skronią w oparcie wózka inwalidzkiego.

– Zarżnąć go! Zarżnąć! Rozerwać!

Mock podniósł ramię i zamachnął się.

– Nie bij jej!!! – usłyszał krzyk sekretarza. – Ona ci wszystko powie!!! Poznasz swój błąd, Mock! Pomyliłeś się wtedy w Królewcu! Wyznaj swój błąd!

Na moment głowa Mocka znalazła się w zatoce łokcia i ramienia. Uderzył. Poczuł ból w nadgarstku. Kaleka otworzyła szeroko oczy i – przewracając się do tyłu wraz z wózkiem – wypluła z ust przegryziony język. Już nie dławiła się niestrawnymi grupami spółgłoskowymi, dławiła się własną krwią.

Sekretarz podbiegł do niej, ukląkł i przewrócił na bok. Kaleka kopała w agonii wykrzywionymi nogami. Sekretarz oderwał od jej głowy swój skrwawiony policzek i wpatrywał się w Mocka. Nabrzmiała pręga przecinała jego twarz. Błyszczało oko krwawo obwiedzione wstęgą posoki.

– Nazywam się doktor Horst Rossdeutscher. – Otarł krew z twarzy i wskazał palcem na leżącą istotę. – A to moja córka, Louise Rossdeutscher. Zabiłeś ją, Mock. Najsilniejsze medium, jakie kiedykolwiek istniało. Ja spełniałem jej wszystkie zachcianki, zaspokajałem wszelkie potrzeby, a ty, szewski synu, zabiłeś ją jednym uderzeniem twojego kopyta.

Na schodach rozległy się kroki podkutych butów. Doktor Pyttlik i komisarz Mühlhaus wspinali się na piętro.

– Ale dosięgnie cię zemsta, Mock – krzyknął Rossdeutscher i wsunął dłoń do wewnętrznej kieszeni fraka. – Dosięgną cię erynie, które się zrodzą z trupów najbliższych ci osób. – Rossdeutscher wyjął rewolwer i włożył sobie w usta. – Osoby, które kochasz, Mock... – zaseplenił przez lufę rewolweru. – Powiedz, Mock, gdzie one teraz są... Nacisnął spust. Syreny umilkły.

Wrocław, niedziela 28 września 1919 roku, wpół do drugiej w nocy

Mock przeskakiwał po trzy stopnie, wspinając się na czwarte piętro oficyny przy Gartenstrasse. Głośny stukot jego trzewików na drewnianych schodach budził mieszkańców i ich psy. Pokonywał piętro za piętrem ścigany ujadaniem, przekleństwami oraz smrodem buchającym z brudnych kuchni i nieszczelnych wychodków.

Znalazł się wreszcie przed drzwiami opatrzonymi numerem 20. Wystukał rytm *Pieśni Ślązaka*: wolno-wolno-wolno, przerwa, wolno-wolno-wolno-wolno-szybko-szybko. Po chwili kompletnej ciszy zaśpiewał cicho *Kehr ich einst zur Heimat wieder*. Upewniwszy się, że dobrze pamiętał rytm, wystukał go jeszcze raz. Odpowiedziało mu złorzeczenie sąsiada piętro niżej, który otworzył drzwi i z rozdziawionych ust wypluwał rynsztokowe przekleństwa.

Mock zszedł piętro niżej, patrzył na miotającego się po korytarzu człowieka i pozwolił, by rynsztok płynął dalej. Kiedy jednak – najwyraźniej pijany – sąsiad w bieliźnianym kombinezonie na dobre się rozbudził i ruszył na Mocka z szuflą do węgla, ten stracił cierpliwość. Poczuł koło głowy świst powietrza. W ostatniej chwili uchylił się przed szuflą i szpicem wypastowanego trzewika trafił napastnika w goleń. Cios nie był silny, jednak dość bolesny – na tyle że właściciel szufli pomasował dłonią trafione miejsce. Przez chwilę obie ręce miał zajęte. Jedną rozcieraniem bolącej nogi, drugą trzymaniem w gotowości bojowej szufli. Mock wziął zamach, bardzo podobny do tego, który zastosował podczas seansu spirytystycznego, wymierzając cios kalece. Wierzchem dłoni trafił w obojczyk atakującego. Nadwerężona już dzisiaj pięść zapiekła żywym ogniem i Mock poczuł trzeszczenie drobnych kości swego nadgarstka. Przeciwnik Mocka wypuścił szuflę z ręki i chwycił się za szyję. Potem już tylko usłyszał prujący dźwięk pękającego materiału i strzelanie guzików koszuli po ścianach korytarza. Spadając ze schodów i bijąc głową w drzwi ustępu na półpiętrze, nie słyszał już żadnego dźwięku.

Mock wbiegł z powrotem na ostatnie piętro. Zaparł się całym ciałem o chybotliwą poręcz i rzucił na drzwi mieszkania 20, celując barkiem w miejsce ponad klamką. Rozległ się przeraźliwy trzask, ale drzwi nie puściły. Za to otwierały się inne, na wszystkich piętrach. Na schody wylegali mieszkańcy i ich czworonożni pupile. Mock rozpędził się jeszcze raz, runął na drzwi i – wpadając do mieszkania – słyszał, jak kawałki gruzu stukają po jego meloniku, a kurz sypie mu się za kołnierz koszuli.

Leżał na drzwiach, na podłodze przedpokoju, i rozglądał się z tej pozycji po mieszkaniu. Leżał również Smolorz, na podłodze w kuchni. Uśmiechał się przez sen i zasnuwał mgłą oddechu kamionkową pustą butelkę po likierze znajdującą się przed jego ustami. Mock przekręcił głowę, wstał i wszedł do pokoju. Było w nim pusto, jedynie na oparciu krzesła wisiał kapelusz Eriki. Ujął go w dwa palce. Na łóżku siedział Rossdeutscher i krzyczał: „Dosięgnie cię zemsta, Mock, dosięgną cię erynie, które się zrodzą z trupów najbliższych ci osób. Osoby, które kochasz, Mock... Powiedz, Mock, gdzie one teraz są..." Mock padł na łóżko i starał się uchwycić zapach Eriki w czystej pościeli, która leżała tu trzy tygodnie i jeszcze nie straciła woni krochmalu. Mimo wielkiego wysiłku nie mógł uchwycić nic oprócz sterylnej woni czystości. Nie było Rossdeutschera, nie było Eriki.

Sąsiedzi „czterech marynarzy" niepewnie stali w drzwiach i patrzyli na dwóch mężczyzn, z których jeden z trudnością podnosił się z podłogi, drugi zaś nie chciał się podnieść z łóżka. Nagle zawył i rozszczekał się jakiś pies na progu. Mock wstał i spojrzał na ludzi zgromadzonych przy drzwiach.

– Wypierdalać stąd!!! – ryknął, chwycił za krzesło stojące w przedpokoju i wykonał olimpijski obrót.

– Idziemy stąd, idziemy – ponaglał swych sąsiadów stróż Frenzel. – Ja go znam. To gliniarz. Lepiej mu nie wchodzić w drogę...

Sąsiedzi uskoczyli od drzwi, a krzesło trafiło w głowę Smolorza. Rudowłosy podwładny Mocka chwycił się za czoło, a spomiędzy jego palców wypłynęły czerwone strumyki. Mock podniósł krzesło jeszcze raz. Rozległ się trzask. Mock patrzył, jak na potylicy, gdzie u Smolorza zarysowywała się wyraźna łysina, nabrzmiewa i pęka spory krwiak. Kopnął krzesło w kąt kuchni i chwycił za pogrzebacz leżący w wiadrze, na niewielkiej kupce węgla. Zamachnął się i uderzył. Chrząstki ucha Smolorza chrupnęły pod spiralą pogrzebacza. Smolorz trzymał się obiema rękami za głowę i leżał na boku w pozycji embrionalnej. Mock chwycił go za ramiona i przyciągnął do drzwi kuchennych. Ułożył głowę przy framudze i chwycił za klamkę. Wziął potężny zamach i zamknął z całej siły drzwi, słysząc, jak pęka czaszka Smolorza.

To jednak nie trzasnęła czaszka Smolorza, lecz pękły drzwi kuchenne, których dolny brzeg najechał na pogrzebacz. Sypnęły się drzazgi, a Smolorz podniósł ku górze pijane oczy.

– Przepraszam – wychrypiał sznapsbarytonem. – Miałem jej pilnować... Nic nie pamiętam...

Mock ukląkł na podłodze i powoli wysapywał z siebie furię. Po szyi płynęły mu strużki potu i wsiąkały w jasną warstewkę gruzu pokrywającą kołnierz jego najlepszej koszuli. Mankiety miał czerwone od krwi Smolorza, buty – zdarte od kopniaków, marynarkę – rozerwaną od rozbijania drzwi, ręce – czarne od sadzy pogrzebacza.

– Przepraszam – Smolorz kulił się pod drzwiami. Coś niedobrego się stało z jego lewym okiem – było otwarte, zakrwawione i tak duże, że powieka nie mogła go zakryć.

– Na Boga, na duszę mojego Arthura...

– Skurwysynie – wysyczał Mock. – Nigdy nie przysięgaj na dziecko!

– Na moją duszę – jęknął Smolorz. – Nigdy już alkoholu...

– Skurwysynie – powtórzył Mock i rzucił w bok głową. Krople potu ubarwiły czysto wypucowane deski podłogi. – Wstawaj, chlej mydliny i ruszaj do pracy. Powiem ci, co masz robić...

W miarę jak Mock mówił, Smolorz trzeźwiał. Z każdym słowem Mocka stawał się coraz bardziej zdumiony.

Wrocław, niedziela 28 września 1919 roku, godzina trzecia rano

Siostra Hermina dzisiaj już po raz drugi ujrzała młodszego pana Mocka. Tym razem zrobił na niej znacznie gorsze wrażenie. Ubranie miał zakurzone i podarte na rękawie, koszulę zakrwawioną, a trzewiki zdarte na noskach. Na rondzie melonika walały się jakieś kamienne okruchy – jakby resztki gruzu. Pan Mock wbiegł na korytarz oddziału chirurgicznego i powtarzał pod nosem coś, czego siostra Hermina wyraźnie nie dosłyszała. Jakby mówił: „Osoby, które... gdzie one teraz...?"

– Panie Mock – krzyknęła za nim, gdy minął jej dyżurkę, powtarzając pod nosem dziwne zdanie. – Dokąd pan idzie?

Nie zwrócił na nią uwagi i pobiegł do separatki ojca. Siostra Hermina wprawiła w ruch chude i wysokie ciało i mocno zastukała obcasami po szpitalnym korytarzu. Jej czepiec o czterech załamaniach pochylał się na wszystkie strony jak żaglowiec, który łapie właściwy kurs. Chorzy, słysząc odgłos wydawany przez jej obcasy, budzili się z bolesnego odrętwienia, którego nikt z nich nie nazwałby snem, prostowali się na łóżkach i czekali na miłościwy zastrzyk, na łagodne dotknięcie jej suchej, chłodnej dłoni, na wyrozumiały, kojący uśmiech. Telepatyczne receptory siostry Herminy nie odbierały teraz jednak niemych skarg i próśb pacjentów, były wyczulone na lęk i niepokój czarnowłosego mężczyzny, który zataczał się od ściany do ściany i zmierzał w stronę pustej separatki. Pan Mock wtoczył się do niej i zatrzasnął drzwi. Siostra Hermina usłyszała zduszony krzyk. Może to któryś z pacjentów dzieli się z innymi swym bólem?

To nie był żaden pacjent. Pan Mock-syn leżał na brzuchu z rozłożonymi ramionami na czystym, świeżo posłanym łóżku i jęczał. Podbiegła do niego i potrząsnęła nim.

– Pańskiego ojca zabrał przed godziną doktor Cornelius Rühtgard – powiedziała. – Starszy pan poczuł się znacznie lepiej i doktor Rühtgard zabrał go do siebie do domu...

Mock przestał myśleć, przestał cokolwiek odczuwać. Wyjął z kieszeni kilka banknotów dziesięciomarkowych.

– Czy siostra mogłaby poprosić kogoś – wyszeptał i błysnął napłyniętym krwią okiem – o odczyszczenie mojego ubrania? – Opadł na poduszki i zasnął.

Siostra Hermina pogłaskała go po policzku, który przebijały twarde poranne igły zarostu, i wyszła z separatki.

Wrocław, niedziela 28 września 1919 roku,
godzina dziesiąta rano

Mock wyszedł ze szpitala Wenzla-Hanckego i stanął w zamyśleniu koło kiosku z gazetami na rogu. Co chwila potrącały go małe dzieci w niedzielnych garniturkach i sukienkach. Trotuarem maszerowały całe rodziny, śpiesząc się do ewangelickiego kościoła św. Jana Chrzciciela na przedpołudniową mszę. Kroczyli pracowici ojcowie, a w ich wydatnych brzuchach soki trawienne rozpuszczały niedzielne serdelki; obok dreptały zaczerwienione, spocone od słońca matki i parasolkami zaganiały stadka niesfornych dzieci. Mock uśmiechnął się i schował za kiosk, aby dać swobodne przejście czworgu młodym obywatelom, którzy trzymali się za ręce i szli ławą, śpiewając górniczą piosenkę.

Glück auf! Glück auf!
Der Steiger kommt!
Und er hat sein helles Licht
Und er hat sein helles Licht
Bei der Nacht
Schon angezündt[*].

Za dziećmi zmierzała dwunastoletnia może dziewczynka w pocerowanych grubych pończochach. Przed sobą niosła bukiet róż i podsuwała go pod nos ludziom stojącym przy wejściu do szpitala.

Mock spojrzał na swoje odczyszczone ubranie i na trzewiki, na których gruba warstwa pasty pokryła zarysowania.

---

* Szczęść Boże! Szczęść Boże!
  Nadchodzi sztygar!
  On swoje jasne światło
  On swoje jasne światło
  Już zapalił.

Rękaw marynarki był porządnie przyszyty, a melonik wyczyszczony nad parą, o czym świadczyła niezwykła miękkość filcu. Kiwnął palcem na dziewczynkę. Podbiegła do niego z bukietem róż, kulejąc wyraźnie. Mock przyjrzał się krytycznie kwiatom.

– Zaniesiesz ten bukiet do szpitala, dla siostry, która miała dziś nocny dyżur – wręczył dziewczynce dziesięć marek i mały kartonik z napisem „Eberhard Mock, Prezydium Policji" – i dołączysz moją wizytówkę.

Dziewczynka pokuśtykała do szpitala, a Mock przypomniał sobie kalekę, którą wczoraj zabił, i puste łóżko Eriki. Przepona podniosła się, a przełyk wypełniła gryząca żółć. Zrobiło mu się słabo. Przytrzymał się ręką parkanu. Wszystko postrzegał w ukośnej perspektywie. Reprezentacyjna Neudorfstrasse wykrzywiała się w żółto-czarnych refleksach. Potężne kamienice o skomplikowanych ornamentach tłoczyły się i napierały jedna na drugą. Oparł głowę o pręty parkanu ogradzającego szpital i zamknął oczy. Pękała mu głowa. Czuł się, jakby miał kaca. Najgorszy kac był lepszy od wyrzutów sumienia – od kopiących podłogę wykrzywionych nóg kaleki i od pustego łóżka, w którym nie było nawet śladu zapachu Eriki. Mock chciał mieć kaca, chciał cierpieć, byleby nie słyszeć szczekania erynij. Podniósł oczy i ujrzał zalaną słońcem ulicę we właściwej perspektywie. Wśród szyldów na końcu ulicy wybijał się napis: „M. Horn. Towary kolonialne". Mock znał właściciela i wiedział, że potrafi go przekonać do sprzedania mu butelki likieru nawet w dzień wolny od pracy.

Ruszył w stronę sklepu, lecz zatrzymał się przy krawężniku. Panował duży ruch. W stronę centrum miasta sunęły powozy i automobile, które wiozły mieszczan do kościoła, w stronę przeciwną udawali się ci, którzy chcieli rozkoszować się jesiennym spacerem w Parku Południowym. Nagle powstało zamieszanie. Jakiś fiakier omal nie uderzył dyszlem w jadący dość szybko automobil. Koń szarpnął się w uprzęży, a dorożkarz przeklinał szofera i zamierzał się batem na wytwornego pana siedzącego w odkrytym aucie. Wykorzystując zamieszanie, Mock wskoczył na ulicę i pobiegł w stronę sklepu, gdzie na półkach tkwiły butle pełne różnokolorowej słodyczy.

Nie dotarł do nich jednak, bo pod sklepem Horna zaczepił go gazeciarz.

– Wydanie specjalne „Breslauer Neueste Nachrichten" – wrzasnął chłopak w kaszkiecie. – Wampir wrocławski popełnia samobójstwo!

Mock, widząc artykuł na pierwszej szpalcie, zapomniał o alkoholu.

„WAMPIR JUŻ NIE ZAGRAŻA MIESZKAŃCOM WROCŁAWIA

Dzisiaj w nocy podczas seansu spirytystycznego popełnił samobójstwo znany wrocławski lekarz, dr Horst Rossdeutscher. W mieszkaniu samobójcy znaleziono zapiski, swoisty pamiętnik mordercy, w którym zbrodniarz przyznaje się do okrutnego zamordowania czterech niezidentyfikowanych dotąd mężczyzn oraz dyrektora stoczni Wollheima Juliusa Wohsedta i młodej prostytutki Johanny Voigten. Mordy te dokonane w ciągu pierwszych czterech dni września miały charakter – jak wynika z zapisków – rytualny. Jak nas poinformował szef komisji morderstw Prezydium Policji, komisarz kryminalny Heinrich Mühlhaus, Rossdeutscher wywoływał podczas seansów spirytystycznych dusze zabitych przez siebie ludzi, a następnie tak nimi kierował za pomocą praktyk okultystycznych, aby czyniły krzywdę jednemu z funkcjonariuszy komisji obyczajowej. Ani komisarz kryminalny Mühlhaus, ani sam ów funkcjonariusz, asystent kryminalny Eberhard Mock – podajmy jego nazwisko, wszak śpiewają o nim wrocławscy kataryniarze! – nie wiedzą, dlaczego Rossdeutscher pałał taką nienawiścią do osoby Mocka.

Wczoraj o północy w wyniku sprawnej akcji policyjnej, kierowanej przez komisarza kryminalnego Mühlhausa i pełnomocnika burmistrza dra Richarda Pyttlika, oddelegowanego przez burmistrza właśnie do nadzorowania tej sprawy, aresztowano uczestników seansu spirytystycznego, którzy – jak wynika z zapisków – byli członkami tajnego bractwa okultystycznego czczącego starogreckie bóstwa. Wśród aresztowanych znaleźli się wybitni przedstawiciele nauki, jak na przykład znany hetytolog z jednego z najstarszych i najbardziej sławnych niemieckich uniwersytetów. Zostali oni zatrzymani do wyjaśnienia, ale nieoficjalnie wiadomo, że zapiski Rossdeutschera, zawierające bełkotliwe i niejasne rozważania mitologiczne, nie mogą stanowić podstawy do ich oskarżenia.

Podczas owego seansu zdarzył się również nieszczęśliwy wypadek. Ułomna, jeżdżąca na wózku inwalidzkim, córka Rossdeutschera, dwudziestoletnia Louise, wykorzystywana przez ojca jako medium łączące członków bractwa ze światem zmarłych, uległa śmiertelnemu wypadkowi, spadając z wózka. Na widok śmierci swej ukochanej córki Rossdeutscher się zastrzelił.

Zakończyła się straszna sprawa kryminalna, zwana przez policjantów «sprawą czterech marynarzy». Osoby, które z pewnych powodów narażone były na śmierć z ręki wampira i z tegoż powodu zostały odizolowane przez policję, znalazły się na wolności. Miasto oddycha z ulgą. Tylko rodzi się pytanie: co się dzieje ze społeczeństwem, którego wybitny przedstawiciel, znany w świecie naukowym chirurg, oddaje się zabobonom, popychającym go do potwornych zbrodni? Zrozumiałe by było, gdyby oparcia w siłach nadprzyrodzonych szukał jakiś ekscentryczny arystokrata albo znękany przez szalejącą inflację sklepikarz, ale światły przedstawiciel nauki? *Sic transit gloria mundi*[*]".

U dołu strony zamieszczono duże zdjęcie młodej kobiety z podpisem „Erika Kiesewalter", a pod nim tekst: „W nocy z 27 na 28 września zaginęła dwudziestotrzyletnia Erika Kiesewalter, aktorka i fordanserka z restauracji «Eldorado». Włosy naturalne ciemnorude, wzrost średni, szczupła budowa ciała. Znaków szczególnych brak. Ktokolwiek może przekazać istotną informację na temat miejsca pobytu zaginionej, proszony jest o kontakt z Prezydium Policji. Informacja umożliwiająca odnalezienie zaginionej Eriki Kiesewalter zostanie nagrodzona sumą piętnastu tysięcy marek".

***

Wrocław, niedziela 28 września 1919 roku, godzina jedenasta rano

Mock wszedł na pierwsze piętro okazałej, wolno stojącej kamienicy koło Parku Południowego i zastukał energicznie do drzwi jedynego mieszkania na piętrze. Otworzył sam pan domu, doktor Cornelius Rühtgard. Ubrany był w bordowy szlafrok z aksamitnymi wyłogami i w brązowe kapcie z wytłaczanej skóry. Zza aksamitnych klap wyłaniał się czarny węzeł krawata.

– Wchodź, wchodź, Ebbo – otworzył szeroko drzwi. – Twój ojciec czuje się o wiele lepiej.

– Jest u ciebie? – zapytał Mock, wieszając melonik na wieszaku.

---

* Tak przemija chwała świata (łac.).

– Jest u mnie w szpitalu – odparł, odbierając laskę Mocka.

– Siostra powiedziała mi, że jest u ciebie. – Mock kierował się dobrze znanym mu korytarzem w stronę gabinetu doktora, gdzie po chwili obaj się znaleźli.

– No bo jest u mnie. – Rühtgard zajął miejsce za małym stolikiem do kawy i wskazał Mockowi miejsce po przeciwnej stronie. – U mnie w szpitalu.

– Możliwe, że tak powiedziała. – Mock obciął szczypczykami szpic cygara Hacifa, którym poczęstował go Rühtgard. – Chyba tak mówiła... Byłem tak zmęczony i zdruzgotany, że niczego dobrze nie percypowałem.

– Wiem, wszystko czytałem w „Breslauer Neueste Nachrichten". – Rühtgard wstał. – To już koniec. Nie powinieneś być zdruzgotany. To już koniec. Nikt nie zaśpiewa więcej rzewnej ballady o wrocławskim wampirze. Zrobię ci kawy. Dzisiaj służba ma wolne. Christel też nie ma. Pojechała na wycieczkę zorganizowaną przez stowarzyszenie gimnastyczne „Frisch auf". – Spojrzał uważnie na przyjaciela. – Powiedz mi, Ebbo, jak zginęła ta ułomna dziewczyna?

– Zabiłem ją. – Mock zapatrzył się w szumiący kasztan za oknem, który szczodrze obdarzał ziemię swymi żółtymi liśćmi. – Niechcący. – Szumiał wiatr, fruwały żółte liście, nad morzem pewnie sztorm i wyje wicher, myślał. – Uderzyłem ją, kiedy mnie zaatakowała. Odgryzła sobie język i udusiła się własną krwią. Czy jest to możliwe, Corni?

– Oczywiście. – Rühtgard zapomniał o kawie, otworzył kredens i wyjął z niego karafkę Edelbranntwein i dwa małe kieliszki. – To będzie w twoim stanie lepsze niż kawa i ciastko – nalał wprawnym ruchem. – Oczywiście, że jest to możliwe. Utopiła się we własnej krwi. Gdyby człowiekowi otworzyć usta i wlać tam naraz szklankę wody, zachłyśnie się i może się utopić w tej ilości. A krwi po odgryzieniu języka z pewnością jest więcej niż jedna szklanka.

– Zabiłem ją. – Mock poczuł pieczenie pod powiekami.

– I zabiłem jeszcze jedną kobietę, choć nie bezpośrednio. – Przesunął palcem po powiekach i poczuł pod nimi piasek niewyspania. – Kobietę, którą pokochałem... Była dziwką i fordanserką... Byłem z nią trzy tygodnie w Darłówku...

– To ta Kiesewalter? – zapytał Rühtgard, sięgając po gazetę. Jego twarz wyrażała straszne napięcie. Mock odniósł wrażenie, że patrzy na niego skamieniała maska bólu. Pochylił się ku Mockowi i chwycił go za bicepsy. Palce miał tak mocne jak wtedy, gdy podnosił połamanego Mocka z królewieckiej ulicy.

– Co się stało, Corni? – Mock odstawił niewypity kieliszek.

– Bracie – wykrztusił Rühtgard. – Jak mi ciebie żal... Przecież ta dziewczyna – zerwał się z fotela i trzasnął dłonią w fotografię zamieszczoną na pierwszej stronie „Breslauer Neueste Nachrichten" – to twoje marzenie, to dziewczyna z twoich snów, to twoja nieistniejąca pielęgniarka z Królewca...

Mock wstał i przetarł wierzchem dłoni mokre czoło. Gabinet doktora Rühtgarda wydłużył się i zmniejszył. Okno stawało się dalekim, jasnym punktem. Obrazy na ścianach wykrzywiały się romboidalnie, głowa Rühtgarda zapadała się w ramiona. Mock wstał i zataczając się, wpadł do łazienki, sąsiadującej z gabinetem, potknął się i runął na podłogę, uderzając czołem o porcelanowy brzeg muszli klozetowej. Uderzenie było tak silne, że łzy napłynęły mu do oczu. Zamknął je. Czuł, jak pulsuje mu na czole ciepły guz. Otworzył oczy i czekał, aż rozpłynie się zasłona z łez. Proporcje wróciły. W drzwiach stał Rühtgard, a jego głowa była normalnych rozmiarów. Mock ukląkł i wyjął mauzera z marynarki. Sprawdził, czy jest nabity, i wycedził przez zęby:

– Albo zabiję siebie, albo tego skurwysyna, który miał jej pilnować...

– Poczekaj chwilę. – Rühtgard chwycił jego przeguby w swe żelazne palce. – Nikogo nie zabijaj. Siadaj tam na kanapie i wszystko mi spokojnie opowiedz... Znajdziemy jakieś wyjście, zobaczysz... Przecież ta dziewczyna tylko zaginęła, może jeszcze żyje...

Zaciągnął Mocka siłą na sofę stojącą w gabinecie. Obity aksamitem mebel był zbyt krótki, by Mock mógł na nim swobodnie spoczywać. Rühtgard ułożył zatem głowę przyjaciela na wysokiej poduszce, a jego nogi wsparł na przeciwległym oparciu. Zdjął mu buty i przyłożył do guza zimny nóż, który zwykle służył do rozcinania listów.

– Niczego ci nie powiem. – Zabiegi pielęgnacyjne Rühtgarda sprawiły Mockowi wyraźną ulgę. – Nie mogę o tym mówić, Corni... Nie mogę...

– Człowieku, nawet nie zdajesz sobie sprawy, jak bardzo pomaga rozmowa z osobą, która z tobą współczuje... – doktor był bardzo poważny. Jego szpakowata, równo przystrzyżona broda jeżyła się przyjaźnie, a binokle rzucały mądre błyski. – Posłuchaj mnie, znam dobrą terapię, która skutkuje wtedy, gdy pacjent jest zablokowany, gdy nie chce albo nie może do końca zaufać psychologowi...

– Ty nie jesteś psychologiem, Rühtgard. – Mock poczuł przypływ senności. – A ja nie jestem twoim pacjentem... Jak dotąd nie złapałem syfa...

– Ale jesteś moim przyjacielem. – Teraz Rühtgard był wyraźnie zablokowany i minęło kilkanaście sekund, zanim wyrzucił z siebie: – Jedynym zresztą, jakiego miałem i mam...

– Co to za metoda? – Mock zdawał się nie słyszeć tego wyznania.

– Metoda, która pozwoli wejść w twoją podświadomość... która odkrywa to, co w człowieku nieuświadomione i wyparte. To, co kiedyś przeżyłeś, i to, czego się wstydzisz... Ta metoda może na przykład ci uświadomić, że najbardziej na świecie kochasz ojca, a ta zaginiona dziewczyna to tylko przelotne zauroczenie... Jeśli zrozumiesz sam siebie, nic cię nie wyprowadzi z równowagi... Będziesz tak żył i tak postępował, jak chce tego twoja najgłębsza istota. *Gnothi seauton*[*]! Ta metoda to hipnoza... Nie bój się, jestem biegłym hipnotyzerem. Opanowałem sztukę hipnozy. Nie zrobię ci krzywdy, tak jak nie skrzywdziłem własnej córki, kiedy ją wprowadzałem w trans. Czyż mógłbym skrzywdzić najdroższą mi osobę?

Mock nie usłyszał ostatnich słów Rühtgarda. Jesienny wiatr, który we wrocławskim Parku Południowym zrywał do lotu kupy żółtych liści, zamienił się w wiatr morski, a rzeka, która niedaleko domu Rühtgarda toczyła swe ciemne i wzburzone wody, przestała być leniwą Odrą i przeistoczyła się w Pregołę, wzburzoną słoną bryzą.

Mock znalazł się w Królewcu.

Królewiec, sobota 28 listopada 1916 roku, północ

Szeregowy Eberhard Mock nie mógł wejść na schody kamienicy przy Kniprodestrasse 8 nie dlatego, że były one wyjątkowo strome albo śliskie. Powód był zgoła inny – Mock, napompowany sześcioma setkami litewskiej nalewki ziołowej Triżdiwinis, nie był w stanie nawet podać daty swojego urodzenia. Osuwając się po poręczy, usiłował – by samego siebie przekonać o swej trzeźwości – prawidłowo wyrecytować pierwsze dwadzieścia wersów *Eneidy*.

---

[*] Poznaj samego siebie (gr.).

Docierał jedynie do passusu o Kartaginie i znów wracał jak echo początek epopei *Arma virumque cano**. Regularność łacińskich heksametrów wprowadziła pewien ład do jego mózgu, który tego zimowego wieczoru pływał w gorzkiej jak piołun wódce, a nie w płynie mózgowo-rdzeniowym.

Sygnał idący od mózgu doszedł do kończyn i Mock wszedł w końcu na pierwsze piętro, dzwoniąc dumnie ostrogami. Mimo że był zdegradowanym szeregowcem, miał prawo do ostróg jako były żołnierz plutonu zwiadowczego. Przed drzwiami swojego mieszkania poczuł ogromny przypływ wstydu, że nie może wyjść poza wiersz dwunasty. Stuknął obcasami, wywołując przenikliwy dźwięk ostróg, i wrzasnął:

– Najmocniej przepraszam, panie profesorze Morawjetz! Nie nauczyłem się na dzisiaj, ale jutro wszystko będę już umiał! Całe pięćdziesiąt wierszy!

Przepona podniosła się i przez krtań Mocka przeszło potężne czknięcie. Wyjął klucz z kieszeni i wsadził go w dziurkę. Zachrobotało. Poczuł silny opór metalu. Chwiejąc się, wyciągnął z kieszeni metalowy wycior do fajki i włożył go w kółko klucza. Naparł z całych sił na tę prymitywną dźwignię i usłyszał trzask pękającego wycioru. W jego dłoni znalazł się pistolet mauzer 98. Skierował lufę na zamek i nacisnął spust.

Huk wstrząsnął kamienicą. Pootwierały się drzwi od mieszkań. Ktoś z góry krzyknął do Mocka:

– Co ty robisz, pijana świnio?! Mieszkasz piętro wyżej!

Mock wymierzył obcasem cios w zamek i wdarł się do przedpokoju mieszkania. „Słyszeliście ten huk jak wystrzał?! – ktoś krzyknął. – To on! On już jest!" Mock, dzwoniąc ostrogami, stanął chwiejnie na środku. Ruszył powoli. Nagle natrafił na aksamitną kotarę. Odsunął ją

---

* Oręż opiewam i męża (łac.).

i wszedł do kolejnego przedpokoju. Była to poczekalnia, z której wychodziły drzwi do kilku pokojów. Jeden z nich był otwarty, lecz u nasady futryny wisiała gruba kotara, podobna do tej, która przed chwilą powstrzymała Mocka. Na jednej ze ścian poczekalni nie było drzwi, lecz okno. Wychodziło ono, jak się Mock domyślił, do studni wentylacyjnej. Na okiennym parapecie, na zewnątrz, stała lampa naftowa, której słabe światło ledwie się przebijało przez zakurzoną szybę. W tej nikłej poświacie Mock dostrzegł kilka osób siedzących w poczekalni. Nie zdążył się im przypatrzyć, ponieważ swoją uwagę skoncentrował na kotarze wiszącej w drzwiach pokoju. Poruszyła się ona gwałtownie i spoza niej dobiegło westchnienie i zimny powiew. Mock ruszył ku niej, lecz na jego drodze stanął wysoki mężczyzna w cylindrze. Kiedy Mock usiłował go odsunąć, ten zdjął swoje nakrycie głowy. W bladej poświacie widać było wyraźnie węzły blizn, na których załamywało się światło. Blizny krzyżowały się i przeplatały. Wszystkie one zapełniały oczodoły mężczyzny. Zamiast oczu miał plątaninę blizn.

Mock cofnął się, ale nie był przestraszony. Popchnął ślepca na ścianę. Roześmiał się głośno i chwycił za róg kotary, spoza której dochodziły teraz dwa głosy – męski i kobiecy – wydające nieartykułowane dźwięki. Mock szarpnął materiałem i zawadził ostrogą o jakąś nierówność w podłodze. Runął na płytki z piaskowca, a gruby zielony plusz urwał się ze szczękiem żabek i spłynął na ciało Mocka jak całun. Mock podniósł się i ruszył na czworakach w stronę starszej kobiety, która siedziała w małym pokoju za kotarą i charczała. Ubrana była w powłóczystą ciemną szatę. Lampka stojąca na oknie oświetlała jej bezzębne usta, skąd wychodziła biała smuga układająca się u jej stóp w sploty i fałdy.

– Ektoplazma! – usłyszał wysoki kobiecy okrzyk. – Zmaterializowała ją!

Mockiem targnęła zdławiona czkawka. Była ona tym większa, że towarzyszył jej pijacki nieopanowany śmiech. W mieszkaniu słychać było tupot nóg zaciekawionych sąsiadów.

– Jaka ektoplazma?! – Mock tarzał się ze śmiechu po podłodze. Wstał i potykając się, podszedł do zastygłego w transie medium. Nie czując żadnego obrzydzenia, zaczął wyciągać z ust staruszki białe zwoje. – To zwykły bandaż!

– Bandaż! To zwykły bandaż – usłyszał zduszony męski głos. – Banda oszustów, nie spirytystów! I wy chcieliście mnie przekonać! Wszystko opublikuję w „Königsberger Allgemeine Zeitung".

– On się myli, ten pijak – odpowiedział mu donośny głos. – „Błogosławieni, którzy nie widzieli, a uwierzyli"! Ja nie mam oczu, a wierzę...

Mock rozwijał bandaż, kiedy poczuł uderzenie w brzuch. Chwycił się za żołądek, nie mogąc uwierzyć w siłę ciosu bezzębnej staruszki. Miała wciąż zamknięte oczy, kiedy wymierzała mu kolejne uderzenie – w brodę. Buty i ostrogi rozjechały się na bandażu mokrym od śluzu i śliny. Mock runął w stronę okna. Było niedomknięte. Pod pośladkami poczuł parapet. To było ostatnie, co poczuł.

Wrocław, niedziela 28 września 1919 roku, południe

– A teraz wstań i usiądź przy biurku – powiedział Rühtgard.

Mock był posłuszny. Wstał, usiadł za biurkiem i złożył dłonie. Wzrok wbił w wyłożony zieloną skórą blat. Rühtgard położył przed nim sztywną kartkę ozdobnego czerpanego papieru oraz wieczne pióro marki Colonia. Następnie wyjął z wewnętrznej kieszeni marynarki portfel ozdobiony herbem Królewca. Rozłożył portfel przed sobą.

– Pisz to, co ci będę dyktował – Rühtgard mówił głośno i wyraźnie. – Ja, niżej podpisany Eberhard Mock, będąc w pełni sił fizycznych i umysłowych, oświadczam, że dnia 28 listopada 1916 roku w mieście Królewcu nad Pregołą byłem świadkiem seansu spirytystycznego. Kierowany złą wolą i będąc pod wpływem alkoholu, usiłowałem pochwycić ektoplazmę wydzielaną ustami przez medium, panią Nataszę Worobiew. Kiedy mi się to nie udało, zapewniałem wszystkich zgromadzonych, że pochwyciłem bandaż, a cały seans spirytystyczny jest oszustwem. Moje postępowanie dało dziennikarzowi „Königsberger Allgemeine Zeitung", panu Harry'emu Hempflichowi, asumpt do tego, by opublikować dnia 31 listopada w swojej gazecie oszczerczy artykuł skierowany przeciwko spirytyzmowi. Niniejszym zaświadczam, że wszystkie informacje zamieszczone przez H. Hempflicha, a oparte na rzekomych moich doświadczeniach są nieprawdziwe i wynikają z mojego materialistycznego i scjentystycznego światopoglądu. Oświadczam też z całą mocą, że w istnienie duchów i widm głęboko wierzę, ponieważ ich działania doświadczyłem w moim domu przy Plesserstrasse. Jednocześnie zapewniam, że biorę na siebie odpowiedzialność za śmierć sześciu osób, a mianowicie Juliusa Wohsedta, Johanny Voigten i czterech marynarzy. Poniosły one śmierć w wielkiej sprawie – aby udowodnić mi istnienie duchów. Gdybym nie był niedowiarkiem, te osoby by żyły. Błogosławieni, którzy nie widzieli, a uwierzyli. Eberhard Mock.

Mock skończył pisać. Rühtgard schował portfel do marynarki. Napisany przez Mocka list złożył w czworo i schował do koperty. Przed siedzącym przy biurku policjantem położył kopertę i powiedział donośnym głosem:

– Zaadresować. Pan Harry Hempflich, redaktor naczelny „Königsberger Allgemeine Zeitung". A teraz wstań i idź do drzwi!

Mock stanął pod drzwiami, a oczy miał wciąż zamknięte.

– Idź korytarzem, a potem wejdź w pierwsze drzwi na lewo!

Mock wszedł do bawialni, a za nim pojawił się Rühtgard.

– Podejdź do okna balkonowego, otwórz je i wyjdź na balkon!

Mock wpadł na stojący na środku fortepian, lecz wkrótce znalazł drogę na balkon. Otworzył drzwi balkonowe i wyszedł na mały taras.

– Wejdź na krawędź balkonu i skacz!

Mock z trudem gramolił się na krawędź. Jedną ręką przytrzymywał się framugi, drugą wetknął w wielką donicę, która zawieszona była na metalowym pałąku na krawędzi balkonu. Donica urwała się i rozbiła na trotuarze, między parkanem nabijanym szpicami w kształcie strzał a ścianą kamienicy. Mock stracił równowagę i upadł całym ciężarem na podłogę balkonu.

– Stań na krawędzi!!!

Mock zadarł nogę i postawił ją na kamiennej barierce, trzymając się ręką ściany z taką łatwością, jakby ekwilibrystyka była dla niego chlebem powszednim.

– A teraz skacz tak, aby się nabić na parkan!!!

Mock skoczył.

Wrocław, niedziela 28 września 1919 roku,
godzina pierwsza po południu

Mock skoczył. Jego tułów nie nabił się jednak na parkan, a nogi nie zawisły na żelaznych szpicach i nie kopnęły w agonii metalowych prętów. Mock zakręcił ramionami i skoczył... – z barierki na balkon. Nie uczynił tego jednak z własnej woli. Kiedy podkurczał nogi, aby się odbić od barierki i poszybować szerokim łukiem na zakończony szpicami parkan, wysoka postać, przykucnięta w rogu balkonu, zerwała się na równe nogi. Mocna piegowata dłoń, pokryta gęstymi rudymi włoskami, chwyciła go za klapę marynarki i silnie pociągnęła do siebie.

– Co też pan, panie Mock! – warknął Smolorz. – Po co to?

Rudowłosy podwładny Mocka miał wściekłego kaca. Palił go przełyk, płonął ogień w żołądku, olbrzymie granatowe od ciosu pogrzebaczem ucho oddawało ciepło policzkom, a krwiak na czubku głowy i guz na czole gotowały się pod cienką błoną naskórka. Smolorz był rozgniewany. Na Mocka i na cały świat. Chwycił swojego szefa za kołnierz i wciągnął do pokoju. Oparł podeszwę na jego jasnej marynarce i wepchnął go pod fortepian.

– Leżeć tu, kurwa – mruknął i rzucił się za Rühtgardem, który zniknął w przedpokoju, zatrzaskując drzwi do bawialni.

Smolorza rozsadzała wściekłość. Otworzył drzwi tak energicznie, że omal nie wyrwał ich z zawiasów. W przedpokoju usłyszał odgłos upadającego ciała. Znalazł się tam po sekundzie i ujrzał przesunięty pod ścianę chodnik i przewrócony stolik z telefonem. Postać Rühtgarda mignęła w drzwiach wejściowych. Smolorz wybiegł na korytarz i ujrzał uciekającego – już w połowie schodów. Rozgotowany alkoholem mózg Smolorza zaczął pracować. Dlaczego chodnik w przedpokoju był przesunięty, a stolik i telefon waliły się po podłodze? „Ponieważ Rühtgard się pośliznął", odpowiedział sobie Smolorz i w jednej chwili ustalił dalszy tok swojego działania. Chwycił mocno za dywan leżący na schodach, przytrzymywany w załamaniach stopni metalowymi prętami. Szarpnął mocno za jego brzeg. Rozdzwoniły się metalowe pręty w ciszy korytarza, potoczyły się po schodach, nogi doktora Corneliusa Rühtgarda straciły kontakt z podłożem. Upadł na półpiętro, chroniąc głowę przed zderzeniem ze ścianą. Po chwili osłaniał ją również przed uderzeniami prętem. Smolorz był naprawdę wściekły i Rühtgard tę wściekłość odczuwał.

Wrocław, poniedziałek 29 września 1919 roku,
godzina pierwsza w nocy

Na środku dużego pokoju, okolonego antresolą, siedział doktor Cornelius Rühtgard. Poruszył opuchniętymi przegubami, w które wpijał się kosmaty sznurek, i przyzwyczajał oczy do ostrego elektrycznego światła, bijącego z lampki stojącej na stole i zalewającego mu oczy. Przed chwilą zdjęto mu z głowy worek, który śmierdział czymś, co mu przypominało znienawidzone poranki w uniwersyteckim prosektorium w Królewcu – formaliną i jeszcze gorszą wonią, której wolał nawet nie identyfikować.

– To dziwne, Rühtgard – usłyszał z ciemności głos Mocka – jak bardzo ty, lekarz w końcu, brzydzisz się trupów...

– Jestem lekarzem wenerologiem, Mock, nie patologiem.

– Rühtgard przeklinał chwile, kiedy leżąc w okopach, między błyskiem śniegu a błyskiem gwiazd, zwierzył się jedyny raz Mockowi z tych strasznych chwil, jakie przeżył podczas zajęć w prosektorium – jego koledzy demonstracyjnie zjadali bułki z kiełbasą, a on trzymał się za kurczący się żołądek i wydzielał do starego zlewu smugi żółci.

– Rozejrzyj się po muzeum patologii – powiedział cicho Mock – a ja coś sobie poczytam... – rozłożył własnoręcznie napisane dementi. – Zobaczę, czy w hipnozie zmienia się charakter pisma.

Rühtgard popatrzył na szklane gabloty i zbladł. Ze słoika formaliny embrion wykręcał w jego stronę pokryte bielmem oko. Obok rozpięty był prostokątny kawał skóry –

278

nad wiązką włosów łonowych wznosiły się dumnie wytatuowane słowa: „Tylko dla pięknych pań", pod którymi biegnąca w dół strzałka wskazywała, co mianowicie posiadacz tatuażu przeznacza dla płci nadobnej.

– Powiedz mi, Rühtgard – głos Mocka był bardzo spokojny. – Gdzie jest mój ojciec i Erika Kiesewalter? W twoim szpitalu, jak mogłem się domyślić, nic o nich nawet nie słyszeli...

– Zanim ci powiem – Rühtgard obserwował obciętą dłoń, która tak była ułożona w słoiku, by każdy student mógł obejrzeć ścięgna i mięśnie – odpowiedz mi na pytanie: jak mnie odkryłeś?

– Kto tu zadaje pytania, świński ryju? – głos Mocka nie zmienił się ani na jotę. Jego zwalista postać kryła się w cieniu wykrojonym przez lampę.

– Muszę to wiedzieć, Mock. – Wzrok Rühtgarda zawisł na oszklonej półce, na której leżały rzędem przestrzelone czaszki. – Muszę wiedzieć, czy nie zdradził mnie któryś z członków mojego bractwa. Podam ci teraz pewien adres, a ty tam wyślesz swoich ludzi. Co będziemy robić w czasie, gdy twoje dzielne zuchy będą przeszukiwały piwnicę, w której są moi więźniowie? Będziemy rozmawiać, Mock, prawda? Czas oczekiwania skrócimy sobie rozmową. I każdy z nas będzie odpowiadał na pytania i zadawał je. Nikt nie powie: „ja tu zadaję pytania". Będzie to spokojna rozmowa dwóch starych przyjaciół, dobrze, Mock? Wybieraj – na jednej szali masz moje milczenie i swoją żałosną ambicję gliniarza, który wrzeszczy „ja tu zadaję pytania", a na drugiej – adres i spokojną rozmowę. Jesteś rozsądny, Mock, czy tak przepełniony gniewem, że najchętniej waliłbyś w ścianę swoim kwadratowym łbem? Co wybierasz, Mock?

– A dlaczego ja mam nie pojechać z moimi ludźmi do tej piwnicy? Bardzo chcę zobaczyć ojca i Erikę. Ciebie zawsze zdążę przesłuchać...

– Ojej... – Rühtgard zamknął oczy, aby nie widzieć osobliwych eksponatów – ...zapomniałem adresu. Przypomnę sobie, gdy obiecasz, że zostaniesz tu ze mną... Co ci szkodzi, Mock? Opowiem ci o Królewcu i o innych sprawach... Ty mnie przesłuchasz, ja ciebie posłucham...

Mock długo milczał, aż w końcu wypowiedział jedno, jedyne słowo:

– Adres.

– Rozsądek zwyciężył furię. Löschstrasse osiemnaście, piwnica numer dziesięć. – Rühtgard poczuł dławienie w gardle, kiedy przyjrzał się potężnemu akwarium wypełnionemu formaliną, w którym stał dwumetrowy albinos o negroidalnych rysach. – Powiedz mi zatem, jak wpadłeś na mój trop.

Mock wstał, wyszedł z pokoju i krzyknął: – Löschstrasse osiemnaście, piwnica numer dziesięć. Migiem! Zabrać jakąś pielęgniarkę! – Rozległ się stukot butów na schodach.

– Jak wpadłeś na mój trop? – Rühtgard poczuł dziwną satysfakcję z manipulowania Mockiem. – No, zdradź swoją słynną, nienaganną logikę!

– Pamiętasz, jak ci się zwierzałem z moich nocnych niepokojów? – Trzasnęła zapałka i ostre światło rozcięło słup dymu. – Całą rzecz sprowadzałeś do mózgowych obszarów, z których jeden jest odpowiedzialny za coś tam, inny za coś innego. Zapytałeś mnie wtedy, czy hałasy słyszą mój ojciec i mój pies. Nigdy ci nie mówiłem nic o psie. Nie wspomniałem, że go mam, bo nie miałem. Skąd mogłeś to wiedzieć? Bo byłeś u mnie którejś nocy. Zadałem sobie pytanie: co u mnie w nocy mógł robić Rühtgard? Nie potrafiłem sobie na nie odpowiedzieć. – Mock zapalił trzęsącymi się dłońmi papierosa. – Kiedy u mnie nocowałeś, paliłeś przed snem papierosa. Niedopałek wrzuciłeś do kratki odpływowej. Skąd wiedziałeś, że tam jest – za starą ladą, w kącie? Odpowiedziałem sobie: bo tam kiedyś byłeś. Nie mogłem uwierzyć, że ty jesteś mordercą i że włożyłeś list dyrektora Wohsedta do ścieku. Mogłem uczynić tylko jedno: mieć cię na oku. Niestety, wpadłem na to dość późno – dopiero wczoraj. W ciągu trzech tygodni spędzonych nad morzem odzwyczaiłem się od myślenia. Od wczoraj śledził cię Smolorz. Wszedł po cichu do twojego mieszkania i ukrył się na balkonie. Kazałem mu cały czas cię obserwować. Smolorz jest prostym chłopakiem i rozumie wszystko dosłownie. Dlatego nie stał pod bramą, ale i tak miał cię na oku.

Mock wstał i podszedł do stojącego w gablocie kościotrupa.

– Teraz ja zadaję pytanie – powiedział. – Kto zabijał? Kto mnie śledził? Kto wiedział, kogo przesłuchuję?

– Rossdeutscher i jego ludzie cię śledzili. – Rühtgard powoli przyzwyczajał się do strasznej scenerii. – Nawet nie wiesz, ilu ich jest...

– Nie wiem. – Mock znów usiadł za biurkiem. – Ale ty mi wszystko powiesz. Podasz mi nazwiska i adresy...

– Nie zapominaj o przyjacielskiej formule rozmowy. Nie możesz mnie do niczego zmuszać!

– Nie jestem już twoim przyjacielem, Rühtgard. Zjawiłeś się przy mnie już w Królewcu... Czy to było po...

– Tak... Poczęstuj mnie papierosem! Nie chcesz? Trudno. Wiesz, że w Królewcu kazano mi podjąć pracę w szpitalu Miłosierdzia Bożego krótko po tym, jak ty się tam znalazłeś... Bracia polecili mi przekonać cię, abyś napisał to dementi. Niestety, nie było to możliwe w szpitalu. Nie chciałeś słyszeć o niczym innym, tylko o pielęgniarce ze swoich snów. Musiałem się udać za tobą na front, a potem tutaj, do tego przeklętego miasta, gdzie latem najlżejszy wietrzyk nie rozpędza malarycznego powietrza. Bracia wynajęli mi mieszkanie i zorganizowali praktykę lekarską. Nawet nie wiesz, ilu spośród nas jest lekarzami... Ale ja tu gadam i gadam, a tobie nie pozwalam dojść do głosu... Pytanie za pytanie, Mock. Powiedz mi, czy ty naprawdę pokochałeś tę... Erikę Kiesewalter?

Mock schował się w cień lampy. Rühtgard zamknął oczy i liczył fioletowe plamy pod powiekami, które były refleksem bijącego go w twarz światła.

– Naprawdę – usłyszał.

– To czemu jej tego nie powiedziałeś na plaży w Darłówku? – Rühtgard wiele by dał, aby zobaczyć twarz Mocka. – Zapytała cię przecież o to po nieudanej próbie odstawienia miłosnego trójkąta.

Rühtgard wstał i uderzył dłonią w rozpalony klosz lampy. Spadła ze stołu i rzuciła snop światła na wiszące na stojaku pętle, które ongiś zadzierzgały się na ludzkich szyjach. Mock siedział bez ruchu z mauzerem wycelowanym w pierś Rühtgarda.

– Jesteś idiotą, Mock! – wrzasnął Rühtgard, a potem, patrząc w ciemną dziurę lufy, zaczął wolno cedzić słowa. – Kiedyś zastanawialiśmy się z Rossdeutscherem, w jaki sposób wykorzystać twoje obsesje i fobie w naszej sprawie... W sprawie uratowania honoru bractwa... Powiedziałem Rossdeutscherowi, że szalejesz na punkcie rudowłosej pielęgniarki z Królewca. Wtedy on pokazał mi Erikę w „Eldorado". Nie dała się długo namawiać... Była idealną przynętą – rudowłosa, szczupła, a jednocześnie z dużym biustem, oczytana w autorach antycznych...

– Co za błąd, co za straszny błąd... – Mock wciąż celował w pierś przesłuchiwanego. – Cwana dziwka, cwana dziwka...

– Zrobiłeś bardzo duży błąd. Ale nie dlatego, że jej zaufałeś... Tylko dlatego, że nie powiedziałeś, że ją kochasz. Chciała to od ciebie wyciągnąć na plaży, ale ty milczałeś... Pewnie uznałeś wyznanie miłości dziwce za niegodne ciebie... Tym ją zgubiłeś... Zapytałem ją: „Czy Mock wyznał ci miłość?" Odpowiedziała: „Nie". Nie była mi już potrzebna... Gdybyś wyznał jej swoje prawdziwe uczucia, przebywałaby teraz tam, gdzie twój ojciec, a nie na dnie Odry...

Mock wystrzelił. Rühtgard rzucił się w bok i umknął przed kulą. Nie uniknął jej jednak albinos. Pękły szklane tafle, formalina chlusnęła na skulonego na podłodze Rühtgarda, a potężny bladolicy Murzyn rozłamał się na wysokości kolan i wypadł z gabloty. Mock wskoczył na stół, aby uniknąć powalania formaliną i wymierzył znowu z pistoletu. Uznał, że jest to niepotrzebne. Rühtgard leżał z otwartymi ustami, a jego oczy wyrażały krańcową grozę. Na jego marynarce walały się grudki ciała albinosa. Rühtgard wyglądał na człowieka, którego dopadł zawał serca.

Wrocław, poniedziałek 29 września 1919 roku, godzina wpół do drugiej w nocy

– Żyje – powiedział doktor Lasarius, dotykając szyi Rühtgarda. – Jest w szoku, ale żyje.

– Dziękuję, doktorze – Mock odetchnął pełną piersią. – Robimy to, o czym panu mówiłem.

Doktor Lasarius wyszedł do swojego gabinetu i krzyknął w głąb ciemnego korytarza:

– Gawlitzek i Lehnig! Do mnie!

Do muzeum patologii weszło dwóch rosłych mężczyzn w gumowych fartuchach. Ich głowy były rozcięte na równe połowy szerokimi przedziałkami, a nad wargami dumnie wznosiły się wąsy. Jeden z nich sprawnie oczyścił twarz Rühtgarda z resztek formaliny i z rozmiękłych tkanek albinosa, drugi posadził go na krześle i wymierzył mu siarczysty policzek. Uderzony otworzył oczy i rozejrzał się z niedowierzaniem po pokoju pełnym makabrycznych eksponatów.

– Rozebrać go! – rzucił krótko Lasarius. – I do basenu!

Mock i Lasarius zeszli po schodach z piętra na parter i ruszyli zimnymi korytarzami ozdobionymi bladozieloną lamperią. Pod ścianami stały wózki, którymi zmarli odbywali ostatnią podróż do doktora. Mock nie mógł doliczyć się pokonywanych zakrętów. W końcu znaleźli się w wykafelkowanym pomieszczeniu, którego podłoga zapadała się w głęboki na dwa metry basen. W basenie trząsł się z zimna doktor Cornelius Rühtgard. Podwładni Lasariusa odkręcali właśnie ciężkie zawory i napełniali basen wodą pachnącą formaliną.

– Dziękuję wam, panowie! – powiedział do swoich podwładnych Lasarius i wręczył im kilka banknotów. – A teraz do domu! I wziąć dorożkę na mój koszt! Reszta dla was!

Lehnig i Gawlitzek kiwnęli głowami i znikli w przepastnych korytarzach. Lasarius poszedł w ich ślady. Mock został sam. Spojrzał na Rühtgarda stojącego po pas w wodzie i zakręcił kołem zaworu jak sterem. Rühtgard trząsł się z zimna. Owłosienie na jego ciele układało się w mokre pasma.

– Boisz się trupów, co, Rühtgard? – zawołał Mock, zakładając gumowy fartuch. – Widzisz tę klapę? – wskazał ręką właz, który znajdował się nad brzegiem basenu. – Przez nią zacznę wpuszczać do basenu tłuste ryby... Po chwili będzie ich bardzo dużo. Potem znów napuszczę wody zmieszanej z formaliną, aż basen napełni się po brzegi. Lubisz zapach formaliny, co, Rühtgard? Pamiętasz, jak w Królewcu po pierwszych zajęciach w prosektorium jadłeś zupę ogórkową? Podniosłeś łyżkę do ust i poczułeś za paznokciami tę specyficzną woń. Opowiadałeś mi o tym, kiedy pod Dyneburgiem oddawałeś mi swoją porcję zupy ogórkowej.

Odpowiadaj na pytania, bo inaczej czeka cię pływanie w formalinie z grubymi rozkładającymi się rybami.

– Jeśli mnie będziesz torturował – zawołał Rühtgard z basenu – to prędzej czy później mnie zabijesz. Pierwszy trup, który tu wpłynie do basenu, wywoła u mnie zawał. Idioto! – wrzasnął. – Zabij mnie dopiero wtedy, kiedy ich już uwolnisz z piwnicy...

– Powiedziałeś „ich". – Mock ukucnął na brzegu basenu.

– Masz mojego ojca. To dlaczego mówisz ich? Przecież – poczuł przypływ nadziei – powiedziałeś, że Erika jest na dnie Odry. Czyżbyś blefował?

– Ignorancie – w zaczerwienionych oczach Rühtgarda zabłysło rozbawienie – erynie dwóch osób są silniejsze niż erynia jednej... To oczywiste... To prosta arytmetyka... Musiałem znaleźć jeszcze jedną osobę, którą kochasz... Oprócz twojego ojca i w zastępstwie dziwki, której nie chciałeś wyznać miłości...

– I kogo znalazłeś? – Mock poczuł silny niepokój.

– Jest taka jedna. – Rühtgard śmiał się jak obłąkany i podskakiwał, klaskając dłońmi po bladych udach pokrytych siniakami. – Chodziłeś z nią po parku nocą, adorowałeś ją, prawiłeś jej komplementy... Ona twierdzi, że się w niej zakochałeś...

– Ty obłąkany bydlaku! – Mock nie opanował gestu przerażenia i chwycił się za głowę. – Zabiłeś własną córkę? Własną ukochaną córkę?!

– Jeszcze nie zabiłem. – Rühtgard złożył ręce w tubę i krzyczał głośno z dna basenu: – Na razie uwięziłem moją Christel... Córka... Służyła mi do eksperymentów hipnotycznych, jak umiała najlepiej. A teraz... Wraz z twoim ojcem gdzieś tam jest... I ona, i twój stary są gwarancją mojej nietykalności.

– To dlatego tak się zmieniłeś na twarzy, kiedy wspomniałem przed hipnozą, że pokochałem Erikę Kiesewalter...

– powiedział Mock cicho. – Zrozumiałeś, że niepotrzebnie uwięziłeś własną córkę... Mogłeś uwięzić Erikę, a jej śmierć przeżyłbyś łagodniej niż śmierć własnego dziecka...

– Zgadza się. – Rühtgard chwycił się rękami brzegu basenu i podciągnął. Jego twarz znalazła się przed twarzą Mocka. Spojrzał policjantowi głęboko w oczy. – Ale przestałem kochać Christel... Zbyt często mnie zdradzała. Poza tym już jest bezużyteczna... Już nie chce poddawać się hipnozie... Mówi potem, że ją boli... Nienawidzi mnie... Niedługo mnie zostawi dla jakiegoś śmierdziela...

Mock odsunął się ze wstrętem od Rühtgarda. Ten wykonał gwałtowny ruch, w wyniku którego wsparł wyprostowane ręce na krawędzi basenu i udało mu się na nich oprzeć swój tułów. Jeszcze jeden ruch i oparł na brzegu kolano. Mock uderzył go w twarz – głośno chlupnęła woda.

– Nie próbuj się stąd wydostawać – powiedział spokojnie. – I odpowiadaj na pytania. Kto w końcu pisał ten cały pamiętnik mordercy. I kto zanotował podczas seansu: „Trzeba uciekać"?

– Cały, jak to nazwałeś, „pamiętnik" – Rühtgard stał na dnie basenu i pocierał zaczerwieniony od uderzenia policzek; rany zadane mu przez Smolorza wyglądały jak wrzody na białej skórze – pisałem ja. Rossdeutscher protokołował tylko obrzędy. Ja byłem kronikarzem bractwa, ale tłumaczenia Mistrza potrafił zapisywać tylko Rossdeutscher. Kiedy was usłyszałem, nabazgroliłem coś i schowałem się pod biurko. W twoje ręce wpadły moje zapiski. Uznałeś, że zrobił je Rossdeutscher. Nie znasz mojego charakteru pisma. Na szczęście w naszych niemieckich gimnazjach – oprócz greckich i łacińskich słówek – bardzo drastycznie egzekwuje się kaligrafię Sütterlinowską. Wszyscy mamy bardzo podobne charaktery pisma: i ty, i ja, i Rossdeutscher. Żaden sąd nie uwierzy ekspertyzie grafologicznej.

W podziemnych korytarzach Instytutu Lekarsko-Sądowego rozległy się mocne i zdecydowane kroki. Do pomieszczenia z basenem wszedł Kurt Smolorz.

– Nie ma – wysapał – w piwnicy nikogo. Jedynie na drzwiach napis. – Sięgnął do kieszeni i podał Mockowi kartkę.

– *Gnothi seauton* – przeczytał Mock grecki napis. – Poznaj samego siebie.

Mock spojrzał na Rühtgarda beznamiętnie i wydał polecenie Smolorzowi:

– Odkręćcie ten zawór, a potem otwórzcie tę klapę! Mów, skurwysynie, gdzie jest mój ojciec?!

Smolorz zakręcił zaworem i woda z formaliną chlusnęła wprost w otwarte usta Rühtgarda. Wachmistrz kryminalny otworzył klapę, która swym brzegiem oparła się o krawędź basenu, tworząc w ten sposób swoisty pomost, i odsunął się ze wstrętem. Pod klapą znajdował się opuchnięty zielony nieboszczyk.

– Posłuchaj mnie, Mock... – Rühtgard znów podciągnął się na rękach, lecz tym razem wystawił tylko brodę poza brzeg basenu. – Nic na mnie nie masz. Rossdeutscher popełnił samobójstwo. To twój morderca... A ja jestem nietykalny. Mało tego. Mam ciebie w ręku. Wyślij do „Königsberger Allgemeine Zeitung" i „Breslauer Zeitung" swoje dementi i uwolnij mnie. Najwyżej stracisz pracę w policji. Za to ocalisz własnego ojca i moją córkę. Cóż ci zawiniła ta młoda dziewczyna. Pamiętasz, jakie na niej zrobiłeś wrażenie podczas nocnego spaceru po parku. Możesz ją mieć, możesz ją chędożyć, ile tylko chcesz...

Mock odsunął się od basenu i sięgnął po gruby gumowy szlauch.

– Nie wychodź, bo dostaniesz strumieniem wody po mordzie – powiedział spokojnie. – A jaką ja mam pewność, że ty ich wypuścisz? Może zemścisz się na mnie i zabijesz ich...

– Przecież nie zabiję swojej własnej córki, choćbym nie wiem jak jej nienawidził. – Rühtgard obserwował ze wstrętem zielonego trupa, który tkwił we włazie. – Puść mnie wolno, Mock, a wszystko będzie dobrze. Jedynie stracisz pracę w policji. I tyle przyniesie twoje dementi. Dementi, Mock. Mogę tobą kierować – tak jak kierowałem tobą w hipnozie. Jestem nietykalny. Nawet gdybym przy tobie wychędożył tę dziwkę Kiesewalterkę, nic byś mi nie zrobił, bo mam cię w ręku... Chyba pomyliłem adres tej piwnicy, ale teraz ci podam właściwy...

Mock dał znak Smolorzowi. Ten ze wstrętem pociągnął trupa za włosy i zielone ciało wśliznęło się do wody z cichym pluskiem. Nieboszczyk miał czarną spaloną twarz i gęste brązowe włosy. Owłosienie łonowe zaczynało mu się już pod pępkiem. Mock trysnął wodą w twarz Rühtgardowi i ten znalazł się z powrotem w basenie. W strumieniu wody i formaliny kręciło się obrzmiałe ciało. Rühtgard krzyczał na całe gardło. Nad powierzchnią wystawała już tylko jego głowa.

– Gdzie jest mój ojciec? – zapytał Mock.

Rühtgard znowu wspiął się na krawędź basenu. Przedramiona położył na kafelkach i oparł na dłoniach brodę. Patrzył na Mocka przekrwionymi oczami.

– Sytuacja jest patowa, Mock – powiedział. – Człowiek umiera bez picia w ciągu czterech dni. Daj dementi do prasy.

– Powiedz mi jeszcze jedno – Mock jakby nie usłyszał tego ultimatum – skąd się brały moje koszmary, moje sny?

– To nie były sny. To były erynie. Rzeczywiste byty, istniejące obiektywnie. Duchy, widma albo zmory, jak wolisz. – Wciąż opierał brodę na dłoniach, a w dole w kipieli kręcił się tęgi kolejarz, który kilka dni temu oddał z wiaduktu mocz na druty wysokiego napięcia.

– To dlaczego udowadniałeś, że duchy istnieją tylko subiektywnie?

– Byłem adwokatem diabła po to, by ciebie umocnić w wierze... Po to, abyś wyznał swój błąd z całym przekonaniem... Abyś powiedział: to była prawdziwa ektoplazma!

– Dlaczego wykłuwałeś im oczy i wbijałeś szpile w płuca?

– Jesteś taki głupi czy tylko udajesz? – źrenice Rühtgarda rozszerzały się i zwężały jak migawka fotograficzna. – Wysil trochę swój zapijaczony mózg! „Jeśli twoje oko jest ci powodem do grzechu, wyłup je!" To święty Mateusz. Posłuchaj też świętego Jana, wybitnego wizjonera, który napisał: „Błogosławieni, którzy nie widzieli, a uwierzyli".

– A szpile w płuca?

– Zabierałem im oddech, zabierałem im ducha!

Mock przypomniał sobie uniwersyteckie wykłady z językoznawstwa porównawczego i usłyszał głos profesora Rossbacha. „Miał rację Marek Terencjusz Warron – wywodził profesor – że łacińskie *animus* (dusza) jest spokrewniona z greckim *anemos* (wiatr). Człowiek żyjący oddycha, z jego ust *ergo* dobywa się wiatr, trup zaś nie oddycha. W człowieku żyjącym jest dusza, człowiek martwy duszy nie posiada. Stąd proste, powiedzielibyśmy «zdroworozsądkowe» utożsamienie duszy z oddechem. Podobnie jest w językach słowiańskich, gdzie d u s z a jest etymologicznie spokrewniona z d e c h, o d d e c h. Identyczna sytuacja językowa jest nawet w hebrajskim. Tam bowiem *ruach* oznacza jednocześnie i ducha, i wiatr, choć – tu muszę uderzyć się w piersi – pojęcie «oddech» oddaje się zupełnie innym słowem, mianowicie *nefesz*. Widzicie zatem, moi panowie, że badania etymologiczne są jedną z dróg prowadzących do kultury duchowej, kultury – dodajmy – wspólnej i Indogermanom, i Semitom". Głos profesora Rossbacha zamilkł w głowie Mocka. Zamiast niego rozległo się zrzędzenie ojca: „Rumianek i ciepłe mleko".

– Gdzie jest mój ojciec?! – Mock spojrzał na Smolorza, a ten wypuścił przez właz chudego mężczyznę z wybroczynami na ciele. Zatańczyły dwa ciała w strumieniu wody i formaliny. Mock zamierzył się szlauchem. Guma klasnęła o ciało Rühtgarda. Doktor spadł do basenu. Powierzchnia wody była o pół metra niżej niż brzeg basenu.

– Pamiętasz, Mock? – Rühtgard wypłynął przy klapie i starał się przekrzyczeć szum wody. – Zawsze śniły ci się trupy ludzi, którzy zginęli przez ciebie. To były twoje erynie. A teraz nie zasypiaj, bo przylecą do ciebie erynie twojego ojca i mojej córki. Ty już nigdy wtedy nie zaśniesz. Dopóki nie śpisz, oni będą żyć. Strzeż się snu, Mock, wybierz dobrowolną bezsenność...

Wspiął się znów nad krawędź basenu i podniósł się na wyprostowanych rękach.

– Błogosławieni cisi! – wrzasnął. – Nie powiem ci, gdzie jest twój ojciec. Ja umieram, ale we Wrocławiu są moi bracia. Po opublikowaniu dementi zwolnią więźniów. Pamiętaj – nie śpij. Twój sen to ich śmierć. Patrz, czego się nauczyłem na seansie...

Rühtgard włożył język pomiędzy zęby i oderwał ręce od brzegu basenu. Nogi, ręce i cały tułów wślizgiwały się do buzującej wody, kiedy broda uderzyła o brzeg basenu. Odgryziony język zatańczył pod nogami Mocka jak żywe zwierzę. Rühtgard zakrztusił się.

Nazajutrz doktor Lasarius stwierdził, że nie można jednoznacznie zdiagnozować, czy Rühtgard zadusił się własną krwią, czy też wodą z formaliną.

Wrocław, środa 2 października 1919 roku,
godzina dziesiąta rano

Kawiarnia Heymanna już była otwarta. Wśród stałej klienteli, na którą składali się głównie urzędnicy z „Deutsche Seefischhandels-Aktiengesellschaft", wyskakujący przed godzinami największego ruchu na kawę i struclę z bitą śmietaną, siedzieli dwaj mężczyźni i podnosili do ust dymiące filiżanki. Jeden z nich wypalał papierosa za papierosem, drugi – ściskając zębami kościany ustnik fajki, wypuszczał kącikami ust małe strużki dymu. Brunet wyjął z wewnętrznej kieszeni marynarki kilka złożonych kartek papieru i wręczył je brodaczowi. Ten czytał, wypuszczając z fajki krótkie grzybki dymu. Jego towarzysz podstawił sobie pod nos małą ampułkę. Nad stołem rozeszła się ostra woń moczu. Kilku klientów zmarszczyło nosy z widoczną odrazą. Starszy mężczyzna był czerwony od niepokoju i nadciśnienia.

– Już wiem, Mock, skąd to absurdalne oświadczenie dla prasy. Wiem też – Mühlhaus chwycił twarz Mocka w swe dłonie – dużo więcej. Tak, dużo, dużo więcej... Nie musisz już tego publikować...

Mühlhaus wyjął ze swej teczki dwie kartki z nagłówkami „raport z sekcji zwłok" i podał Mockowi. Ten, kiwając głową, usiłował wbić wzrok w rozchwianą kaligrafię Lasariusa. „Mężczyzna około siedemdziesięciu pięciu lat, wzrost metr sześćdziesiąt centymetrów, waga sześćdziesiąt dwa kilogramy. Wyraźne złamanie kończyny dolnej lewej w dwu miejscach. Kobieta lat około dwudziestu, wzrost metr pięćdziesiąt dziewięć centymetrów, waga pięćdziesiąt osiem kilogramów. Znalezieni w piwnicy domu przy Paulinenstrasse 18. Śmierć z pragnienia".

Mock kręcił głową i podpierał się łokciami o stół. Patrzył na nagłówek obu kartek, w którym Lasarius wypisał krzywym pismem „Alfred Salomon i Catarina Beyer".

– To nie oni – szepnął Mock. – Mają inne nazwiska...

Mühlhaus objął go za szyję i położył jego głowę na swoim ramieniu.

– Śpij, Mock – powiedział. – I nie miej żadnych snów, żadnych snów...

Wrocław–Antonin 2004

Indeks nazw topograficznych*

Agnesstrasse – ul. Łąkowa
Akazienallee – ul. Akacjowa
Am Ohlauufer – al. Słowackiego
Antonienstrasse – ul. Antoniego
Auenstrasse – ul. Mikulicza-Radeckiego

Bischofstrasse – ul. Biskupia
Blücherplatz – pl. Solny
Burgstrasse – ul. Grodzka

Farbiarnia Kellinga – do końca lat 90. pralnia i farbiarnia, obecnie firma wynajmująca powierzchnie użytkowe
Feldstrasse – ul. Krasińskiego

Gartenstrasse – ul. Piłsudskiego
Gimnazjum św. Macieja – dzisiejsza siedziba biblioteki Zakładu Narodowego im. Ossolińskich

Hohenzollernstrasse – ul. Zaporoska i Sudecka

---

* Nie uwzględniono obiektów dzisiaj już nieistniejących oraz takich, których nazwa w tekście powieści nie różni się od nazwy dzisiejszej.

Instytut Lekarsko-Sądowy – Zakład Medycyny Sądowej
Akademii Medycznej im. Piastów Śląskich we Wrocławiu

Kaiser-Wilhelm-Platz – pl. Powstańców Śląskich
Kaiser-Wilhelm-Strasse – ul. Powstańców Śląskich
Karl-Marx-Strasse – ul. Opolska
Karlstrasse – ul. Kazimierza Wielkiego (odcinek
od Krupniczej do Świdnickiej)
Kirschallee – ul. Wiśniowa
Kleinburgstrasse – ul. Januszowicka
Kleingroschenstrasse – ul. Mennicza
Korsoallee – al. Kasprowicza
Kościół gimnazjalny – kościół św. Macieja
Kościół Jana Chrzciciela (ewangelicki) – kościół
św. Augustyna
Kupferschmiedestrasse – ul. Kuźnicza
Kürassierstrasse – al. Hallera

Landsbergstrasse – ul. Kutnowska
Lohestrasse – ul. Ślężna
Löschstrasse – ul. Prądzyńskiego

Marthastrasse – ul. Łukasińskiego
Matthiasstrasse – ul. Drobnera
most Cesarski – most Grunwaldzki
most Lessinga – most Pokoju
most Przepustkowy – most Zwierzyniecki

Nadlerstrasse – ul. Igielna
Neudorfstrasse – ul. Komandorska

Ofenerstrasse – ul. Krakowska
Opitzstrasse – ul. Żelazna

Paulinenstrasse – ul. Paulińska

Plesserstrasse – ul. Pszczyńska
Prezydium Policji przy Schuhbrücke 49 – Budynek
Instytutu Filologii Klasycznej i Kultury Antycznej oraz
Instytutu Historycznego Uniwersytetu Wrocławskiego przy
Szewskiej 49

Regencja Śląska – Muzeum Narodowe
Ring-Theater – Teatr w Rynku
Reuscherstrasse – ul. Ruska
Rybnikerstrasse – ul. Rybnicka

Schenkendorfstrasse – ul. Orla
Schmiedebrücke – ul. Kuźnicza
Schuhbrücke – ul. Szewska
Schweidnitzerstrasse – ul. Świdnicka

Tauentzienstrasse – ul. Kościuszki
Technische Hochschule – Politechnika Wrocławska

Ursulinenstrasse – ul. Uniwersytecka

Wagnerstrasse – ul. Szymanowskiego
Wzgórze Holteia – Wzgórze Polskie

Podziękowania

Powstanie i dopracowanie tej powieści byłoby bardzo trudne, gdyby nie wiedza i życzliwość wielu osób.

Dziękuję przede wszystkim: doktorowi Jerzemu Kaweckiemu z Zakładu Medycyny Sądowej Akademii Medycznej im. Piastów Śląskich we Wrocławiu – za konsultację medyczną i patomorfologiczną; profesorowi Jerzemu Maroniowi, prorektorowi Uniwersytetu Wrocławskiego – za konsultację historyczną; kustosz Małgorzacie Nawotce z Muzeum Narodowego we Wrocławiu – za konsultację kostiumologiczną; kustoszowi Markowi Burakowi z Muzeum Historycznego we Wrocławiu oraz Piotrowi Dudziakowi – za konsultację topograficzną; Zbigniewowi Kowerczykowi i Przemysławowi Szczurkowi – za konsultację literacką; redaktor Annie Rudnickiej – za cenne uwagi, a także Bogdzie Balickiej za obdarzanie mnie dobrodziejstwem swojej biblioteki i swojego archiwum.

Jednocześnie podkreślam, że za ewentualne błędy jedynie ja ponoszę winę.

Redakcja: Anna Rudnicka
Korekta: Magdalena Stajewska, Bronisława Dziedzic
Redakcja techniczna: Urszula Ziętek

Projekt graficzny serii: Marek Goebel
Fotografia wykorzystana na I stronie okładki pochodzi ze zbiorów
Biblioteki Uniwersyteckiej we Wrocławiu (OZG inw. fot. sygn. 2665)
Fotografia autora: Piotr Hawałej

Wydawnictwo W.A.B.
02-502 Warszawa, ul. Łowicka 31
tel./fax (22) 646 01 74, 646 01 75, 646 05 10, 646 05 11
wab@wab.com.pl
www.wab.com.pl

Skład i łamanie: Komputerowe Usługi Poligraficzne
Piaseczno, ul. Żółkiewskiego 7
Druk i oprawa: Opolgraf S.A. Opole, ul. Niedziałkowskiego 8-12

ISBN 83-7414-115-8